Tindal   p. 45   106

GÖPPINGER ARBEITEN ZUR GERMANISTIK

herausgegeben von

Ulrich Müller, Franz Hundsnurscher und Cornelius Sommer

Nr. 102

Die „Gesänge" in den Stücken Bertolt Brechts

Zur Geschichte und Ästhetik des Liedes im Drama

von

Bernward Thole

VERLAG ALFRED KÜMMERLE

Göppingen 1973

Marburger Dissertation

Verlag Alfred Kümmerle, Göppingen 1973
Druck: Erich Mauersberger, Marburg
ISBN 3-87452-2o5-9
Printed in Germany

VORWORT

Bei der vorliegenden Arbeit handelt es sich um einen Ausschnitt aus langjährigen Studien zum Thema "Lied im Drama".
Diese Abhandlung über die "Gesänge" in den Stücken Brechts
wurde am 14.2.1972 vom Fachbereich 9, Neuere deutsche Literatur und Kunstwissenschaften, der Philipps-Universität Marburg als Dissertation angenommen. Der hier bereits enthaltene
Abriß zur Geschichte des Liedes im Drama wird demnächst in
erweiterter Form als eigene Monographie vorgelegt werden.
Ihr sollen dann abschließend weitere Gedanken zum Thema "Entwicklung synästhetischer Kunstformen" folgen, die zeitgenössische Tendenzen in der Entwicklung dieses Problemkreises behandeln sollen.
Herr Professor Johannes Klein hat mir mit seinem Rat bei
der Abfassung der Arbeit geholfen, wofür ihm an dieser Stelle
auf das herzlichste gedankt sei. Aufrichtigen Dank und ein
ehrendes Gedenken schulde ich auch seiner inzwischen verstor-
benen Gattin, Frau Irma Klein, deren moralische wie finan-
zielle Unterstützung den Abschluß dieser Arbeit überhaupt
erst möglich gemacht hat.
Den Professoren Dieter Bänsch und Horst Heussner danke ich
für manchen wertvollen Hinweis bei der Überarbeitung der Dis-
sertationsfassung.

Marburg/Lahn, August 1973   Bernward Thole

INHALT

"Diese Erörterung, angeknüpft an die Untersuchung einiger
kleiner Songs, könnte als etwas weitschweifend erscheinen, wenn nicht diese Songs die (eben noch sehr kleinen)
Anfänge eines anderen, neuzeitlichen Theaters wären,
oder der Anteil der Musik an diesem Theater."
(Bertolt Brecht, "Über die Verwendung von Musik für ein
episches Theater".)[1]

"Ich habe kein Bedürfnis danach, daß ein Gedanke von mir
bleibt, ich möchte aber, daß alles aufgegessen wird, umgesetzt, aufgebraucht."
(Bertolt Brecht, /¯Vergänglichkeit_7.)[2]

I. EINFÜHRUNG IN DIE PROBLEMATIK UND UMRISSE DER GEPLANTEN UNTERSUCHUNG

Einführung in die Problematik

In dieser Untersuchung wird die Chance genutzt, daß ein
Autor unserer Zeit in schier unglaublicher Fülle und in weit
abgestuftem Nuancenreichtum das Lied in seinen Stücken eingesetzt hat. Bertolt Brecht verzichtet nur in ganz wenigen
Dramen auf die besonderen Möglichkeiten, die es ihm in Aussage und Form zur Verfügung stellt. Immer wieder hat er daran gearbeitet, sei es als Stückeschreiber, sei es als Thea-
terpraktiker. Es bietet sich hier also die Möglichkeit, in
komplexer Weise ein Problem anzugehen, das so alt ist wie
das Theater selbst in nahezu allen seinen Ausformungen: das
Problem des Liedes im Drama.

Zunächst erscheint, thematisch gesehen, der gewählte Ausschnitt der Untersuchung, eben das Lied oder die "Gesänge"
sehr eng gesetzt. Das soll keineswegs bestritten werden. Un-
bestreitbar sind aber auch die Vorteile einer solchen Betrachtungsweise, die vom Detail ausgehend doch auf das Ganze,
nämlich auf das Drama und seine Aussagemöglichkeiten im "wis-

---

1) B.B. 15.476. - Textstellen aus dem Gesamtwerk Brechts werden im folgenden grundsätzlich in dieser Weise zitiert.
Die Zahlen verweisen auf die "Werkausgabe" der "edition
suhrkamp" (s. Lit.-Verz.) und geben mit der ersten Ziffer
den Band, mit der zweiten die Seitenzahl an.

2) B.B. 20.21.

senschaftlichen Zeitalter" ausgerichtet ist. Der Einsatz ly-
risch-musikalischer Mittel im Wortkunstwerk Drama verlangt
vom Autor an keinem Punkte eine so intensive Verarbeitung,
eine so einfühlende, das dramatische Gleichgewicht oft in
Frage stellende Gestaltung wie gerade bei den "Gesängen".
Dies allein würde schon die Wahl des Details rechtfertigen.
Die Lupe des Details aber gibt uns die Möglichkeit, in ganz
besonderer Weise Aussage und Form im Bereich der dramatischen
Gestaltung unserer sozialen Wirklichkeit einer kritischen
Sichtung zu unterziehen. Der scheinbar so eng gesteckte Rah-
men soll also in Wirklichkeit ein tieferes Eindringen in das
Werk und seine theoretischen Grundlagen ermöglichen, sagen
wir ruhig auf dem Umweg über eine "nur formale Untersuchung",
die aber schließlich aufzeigen wird, wie die dichterische
Kraft Brechts sich gerade darin beweist, daß eben Form und
Aussage einander bedingen, verändern und gewandelte Form neue
Aussage trägt. Und nur in diesem Zusammenhang interessiert
uns die Frage nach der Tragfähigkeit des Liedes im Drama,
nach neuen erschlossenen Möglichkeiten seines Einsatzes.

Damit sind natürlich auch Strukturfragen der dramatischen Gattung angesprochen, die nicht übersehen werden sollen. Die Frage nach den Funktionen des Liedes in den Stücken
ist zugleich die Frage auch nach der Tragfähigkeit, nach den
Grenzen der d r a m a t i s c h e n Gattung. Es stellt sich
die ästhetische Frage, inwieweit das Vordringen epischer Elemente und der Liedformen eine "Entartungserscheinung" der dramatischen Gattung, die Auflösung, das Ende des Dramas bedeutet oder aber eine Bereicherung und Ausweitung einer durch
Überlieferung erstarrten Form, bedingt durch neue Aussagen.

Ist die "funktionale" Einheit des Dramas noch gewahrt?
Oder aber streben seine wesentlichen Elemente derart auseinander, daß man eher von einem Zerfall der Form, nicht aber
von ihrer Bereicherung sprechen sollte? Zerstört also das
Lied in seiner Anhäufung die dramatische Form, ist es struk-
turbildend oder strukturzerstörend?

Eine solche Betrachtungsweise bedarf natürlich einer
sinnvollen Abgrenzung des zu untersuchenden Bereichs. Ausge-
klammert oder besser gesagt an den Rand unserer Betrachtung

gerückt werden diejenigen Arbeiten Brechts, die in der Nähe
des Musiktheaters stehen und sich expressis verbis mit der
Reform der Oper befassen. Denn daß dort gesungen, recht viele Lieder bzw. Arien vorgetragen werden, ist keineswegs erstaunlich, wohl aber dann, wenn dies im Sprechtheater geschieht. Wir müssen uns dabei allerdings bewußt bleiben, daß
die Grenzen zwischen eigentlichem Schauspiel und etwa dem
Singspiel schon immer schwer festzulegen waren. Ausgehend
von der Schäferlyrik entwickelt Ernst v.Waldhausen[1] das Gesetz, wonach alle Stücke, die eine größere Anzahl musikalischer Einlagen aufweisen, die nicht durch die Handlung selbst
motiviert sind, zum Singspiel zu rechnen sind. Die besondere
Struktur der Brechtschen Stücke setzt zwar diese Regel nicht
gänzlich außer Kraft, verlangt aber eine besondere Betrachtungsweise.

Sicherlich sind auch bei Brecht die Grenzen fließend.
Die DREIGROSCHENOPER liegt nicht nur als Textbuch vor, sie
ist auch abgedruckt als "Versuch im epischen Theater". Ebenso
das Mahagonny-Stück. Das Besondere dieser beiden Opernexperimente liegt nicht zuletzt darin, daß man versucht hat, den
Operntext als solchen kritisch-ironisch zu reflektieren, an
die Stelle artifizieller Sing-Sang-Geschwätzigkeit eine zeit-
nahe Problematik zur Diskussion zu stellen. Weills Musik
zeigt in vielfacher Gebrochenheit und Ungebrochenheit großen
Opernstil, Introduktionen, Arien und Rezitative, Melodramen
und Ensemble-Szenen, in der DREIGROSCHENOPER durch kabaretti-
stische Songs unterbrochen. Zu MAHAGONNY schreibt Brecht
selbst: "Die Oper 'Mahagonny' wird dem Unvernünftigen der
Kunstgattung Oper bewußt gerecht. Dieses Unvernünftige der
Oper liegt darin, daß hier rationale Elemente benutzt werden,
Plastik und Realität angestrebt, aber zugleich alles durch
die Musik wieder aufgehoben wird (.....) Mit dem Begriff
Oper - es sollte nicht an ihm gerüttelt werden - sollte für
'Mahagonny' alles Weitere gegeben sein." (B.B.17.1007) Und am

---

1) E.v.Waldhausen: Die Funktionen der Musik im klassischen
   deutschen Schauspiel. Diss. Heidelberg 1921. Eine der
   wichtigsten älteren Arbeiten zur Schauspielmusik.

Schluß dieser Anmerkungen bekräftigt er noch einmal, (aus
welchen Gründen auch immer, doch) sicherlich zu Recht:
"'Mahagonny' ist nichts anderes als eine Oper." (a.a.O., S.
1008) Doch die Abgrenzung ist bei ihm nicht immer so eindeutig. Im Zusammenhang mit der Änderung des LUKULLUS-Textes
schreibt Brecht zunächst vor, der "Gattungsbegriff solle ...
anstatt Oper heißen: 'Ein musikalisches Schauspiel'". (B.B.
17.1156) Interessanterweise soll dieser Vorschlag, wie Paul
Dessau berichtet[1], von einem Dirigenten, nämlich Hermann
Scherchen stammen. Brecht kommt jedoch später mit Paul Dessau überein, die Bezeichnung "Oper" beizubehalten[2]. Dieses
Beispiel - es könnte sicherlich noch vermehrt werden - möge
genügen um aufzuzeigen, wie uneinheitlich Brechts eigene Haltung in diesen Fragen war. Bis zu einem gewissen Maße hatte
Ernst Schumacher mit seiner Vermutung vielleicht recht, daß
das konsequente epische Theater im Sinne Brechts nur als mu-
sikalisches Theater denkbar sei, nur als bestimmte Form des
musikalischen Genres, nämlich als Oratorium oder Kantate[3].
Nun mag dies vor allen Dingen auf die dramatischen Versuche
Brechts bis 1933, die Schumacher zugrunde legt, zutreffen.
Die Stücke des Exils, auf denen der Schwerpunkt unserer Untersuchung liegt, lassen von diesem Aspekt dann doch abrük-
ken. Hier scheint die Trennung zwischen Epischer Oper und
Schauspielmusik, wie sie auch Fritz Hennenberg[4] in seinem
Buch über die Zusammenarbeit Brecht-Dessau strikt durchführt,
durchaus angebracht und auch sachgerecht.

Die "Gesänge" in den Stücken, d.h. das in Musik gesetz-
te, auf der Bühne gesungene Wort, sind natürlich Teil der
Schauspielmusik. Auch hier ist es notwendig, eine eindeutige
Abgrenzung für unsere Arbeit vorzunehmen. Unsere Betrach-
tungsweise ist vornehmlich auf das dramatisch-theatralische
Kunstwerk ausgerichtet. Das Thema Brecht und die Musik, das

---

1) F.Hennenberg: Dessau - Brecht. Musikalische Arbeiten.
   S.494 (Fußn.81).
2) B.Brecht: Gesammelte Werke. Band 17, S.1156.
3) E.Schumacher: Die dramatischen Versuche Bertolt Brechts.
   S.281.
4) F.Hennenberg: a.a.O.

noch immer auf eine zusammenfassende Darstellung wartet, ist
für uns nur in solchen Teilaspekten interessant, die uns helfen, die Problematik des Liedes im Drama zu erhellen. Die
dramatisch-dramaturgische Funktion der Musik soll untersucht
werden, ein rein musikwissenschaftlicher Ansatz aber würde
den Rahmen dieser Arbeit sprengen. Für die Problematik etwa
des Verhältnisses von dramatischer Absicht und musikalisch-
kompositorischem Ausdruck ist eine eigene Untersuchung, wie
sie ja von Fritz Hennenberg bereits für die von Dessau ver-
tonten Stücke geleistet wurde, sehr wünschenswert.

Nach diesen notwendigen Einschränkungen liegt die metho-
dische Ausrichtung, der wir zu folgen beabsichtigen, klar zutage. Ausgangspunkt unserer Überlegungen ist grundsätzlich
die dramatisch-theatralische Form. Zbigniew Stupinski[1] versucht eine Annäherung von der lyrischen Gattung her. Ihre Formen und der in ihr gestaltete Wirklichkeitsgehalt wird auf
die dramatische Form projiziert. In unserer Untersuchung soll
genau der umgekehrte Weg gegangen werden. Wir haben im Blickpunkt die dramatische Form. Es soll im wesentlichen untersucht werden, welche Funktionen in der so gegebenen Form die
"Gesänge" zu erfüllen vermögen. Der Ausgangspunkt, die 'Songs'
als 'lyrische Einlagen' zu kennzeichnen, verführt Stupinski
dazu, sein Untersuchungsobjekt allzu isoliert vom Drama zu
betrachten. Ebenso wie Helene Lipschütz[2], auf die jene irre-
führende Verwendung des Begriffs 'Einlage', mit dem wir uns
noch auseinanderzusetzen haben, wohl zurückgeht, ist sich

---

1) Z.Stupinski: Die Funktionen des "Songs" in den Stücken
   Bertolt Brechts. Eine Untersuchung der ästhetischen und
   gattungsgeschichtlichen Aspekte. Diss. (masch.) Poznan
   1966. Auf diese wichtigste Arbeit zu dem vorliegenden Thema wird noch im Zusammenhang mit dem Begriff der 'Einlage'
   einzugehen sein. Auch die übrigen Forschungsbeiträge, in
   denen das Lied - von wenigen Ausnahmen abgesehen - stets
   nur am Rande berührt worden ist, werden im folgenden jeweils im Zusammenhang mit dem darin erörterten Teilaspekt
   einer kritischen Wertung unterzogen.

2) H.Lipschütz: Die lyrische Einlage im neueren Drama.
   Diss.(masch.) Rostock 1922.

auch Stupinski dieser Gefahr bewußt, doch ändert dies nichts
Wesentliches an seiner Betrachtungsweise. Da wir nun den "Gesängen" die Möglichkeit zugestehen, integrierte Bestandteile
des Dramas zu sein, können wir zugleich den Zweifel Walter
Hincks[1] nicht teilen, "ob Brechts differenzierte Formen der
Anregung den Zuschauer nicht manchmal überforderten."[2] Ebenso lehnen wir seine daraus deduzierte These ab, daß "die
Kraft der sprachlichen Bilder und der Objektivierung menschlicher Grundsituationen in den Liedern oft den Vollzug der
erwarteten dialektischen Denktätigkeit verhindern."[3] Ihr
scheint der Regisseur Harry Buckwitz bei seiner Düsseldorfer
Inszenierung der MUTTER COURAGE im Jahre 1968 gefolgt zu
sein. Er strich die Mehrzahl der "Gesänge", ließ aber - vielleicht als Ersatz - zwischen den Bildern drei Kinder auftreten, die einige Strophen aus Brechts Gedicht "Gegen den Krieg"
sagen. Die Kritik bestätigte ihm, daß er damit das, was er
eigentlich eliminieren wollte, durch die Hintertür wieder
hereinlassen mußte, um "damit dem 'Anliegen Brechts' gerecht"[4]
zu werden.

Indem wir durch den Blick von der dramatisch-theatralischen Eigenart her ein neues Bild von der Funktion der "Gesänge" in den Stücken gewinnen wollen, gehen wir von folgendem
Parameter aus: Das Lied ist integrierter Bestandteil des Dramas bzw. des theatralischen Kunstwerkes. Die Untersuchung
selbst wird uns dann Aufschluß über seine Richtigkeit, seine
bedingte Geltung oder aber auch nur seine Inkonstanz, d.h.
den Trugschluß geben. Angeregt wurde dieser Parameter durch
den Beitrag eines Dramatikers unter den Brecht-Schülern: Peter Hacks, "Über Lieder zu Stücken"[5]. Es ist im Grunde er-

---

1) W.Hinck: Die Dramaturgie des späten Brecht. Göttingen 1959
2) ebda. S. 46.
3) ebd.
4) H.Schwab-Fehlisch: Die Hatheyer als "Mutter Courage".
   In: FAZ Nr. 107 v. 8.5.1968, S.12.
5) P.Hacks: "Über Lieder zu Stücken". IN: Sinn und Form
   14.Jg.(1962) Heft 3, S.421-425.

staunlich, daß die Forschung, so weit sie sich mit den "Gesängen" bei Brecht überhaupt beschäftigt, diesen klugen
Essay bisher nur am Rande behandelte, - wenn man ihn überhaupt für erwähnenswert hielt. Peter Hacks betont immer wieder die gattungsmäßige Eigentümlichkeit des Begriffes "Lied
zu Stücken". Ausgehend von der charakteristischen Besonderheit des Lyrischen und des Dramatischen wird das Lied hier
in seinem Zusammenhang mit dem dramatischen Geschehen, eben
als integrierter Bestandteil der Fabel gesehen.
Hacks formuliert das überspitzt so:

> "Das Lied im Stück gehört formal zur Lyrik, genremäßig
> aber zur Dramatik. Sein Autor arbeitet als Stückeschrei-
> ber, nicht als Gedichtsschreiber: er kommt in ihm nicht
> vor."[1]

Wenn wir Hacks auch keineswegs so weit folgen wollen, so sind
wir ihm doch verpflichtet für die Begriffe "Lied im Stück"
und "Lied zu Stücken", die er immer wieder verwendet. Obwohl
wir sie nicht gerade für übermäßig glücklich formuliert halten, sehen wir doch weit und breit keine brauchbareren. Sie
deuten bereits Wesentliches für den Gang unserer Untersuchung
an. Es sind zwei Problemkreise, die hier in klar differenzier-
ter Weise erörtert werden sollen:

a. der allgemeine Bereich des Phänomens "Lied im Stück" bzw.
   im theatralischen Kunstwerk,

b. der engere Bereich des einzelnen Genres "Lied zu Stücken"
   und seiner spezifischen Eigenart.

Im ersteren Bereich steht die dramatische Form im besonderen
Maße im Blickpunkt. Wir gehen davon aus, daß sich die ästhetische Wirkung des "Liedes im Stück" erst in der Korrespondenz mit der Aussage des Stückes, d.h. in der Funktionalität
des Liedes im Drama ergibt. Hier ist die Lage weitgehend klar:
die Vielfalt der eingesetzten Lieder bei Brecht gibt uns die
Möglichkeit, ein Spektrum aller Arten der Funktionalität aufzufächern.

Im zweiten Bereich geht es um das Lied selbst, das ja nach
Hacks seiner inneren Struktur nach als "Lied zu Stücken" an
das Drama gebunden ist. Hier ist die Lage etwas diffiziler,

---

1) a.a.O. S. 421.

die Untersuchung muß auf die Ergebnisse des ersten Problembe-
reichs zurückgreifen. Kennzeichnend für das "Lied zu Stükken", um noch präziser zu sein, ist seine große Affinität zur
lyrischen Gattung von der Form her, seine starke Bindung an
den dramatischen Vorgang vom Inhalt her. Innerhalb des theatralischen Kunstwerkes ist es für uns von größtem Interesse
als die Nahtstelle zwischen Wort und Musik. Denn alle diese
Lieder sind für den Vortrag, in der Regel den Gesangsvortrag
bestimmt. Ein Hinweis Brechts auf den besonderen Charakter
des Liedes zu Stücken sei hier noch zur Stützung unserer Ausgangsbasis angeführt. Anläßlich der Neuauflage der Villon-Ge-
dichte in der Übersetzung K.L.Ammers schreibt Brecht 1930:

"Sie ist so gut, daß ich es für nötig halte, zu begründen,
warum ich die Stücke, die ich ihr für die 'Dreigroschenoper' entnahm, stellenweise stark veränderte. Das Theater
verlangt die Betonung des Gestischen. Die Deutlichkeit der
Szene ist eine andere als die Deutlichkeit des Buches. Wer
die Balladen des Theaterstückes mit denen des Buches ver-
gleicht, wird sehen, daß in den ersteren jedesmal eine
ganz bestimmte Grundhaltung zum Ausdruck kommt, ein Typus
sich selbst beschreibt, eine Theaterszene abläuft. Was den
Stil so völlig veränderte, selbst wo ganze Sprachkomplexe
beibehalten blieben, war der   Z w e c k ." (B.B.18.79f.)

Hier haben wir also recht deutlich den Hinweis auf den Zug
der besonderen Zweckgerichtetheit des Liedes zu Stücken, auf
seine funktionsgerichtete Grundstruktur. Peter Hacks formuliert es ganz übereinstimmend, indem er am Schluß eine präzise Aussage über das 'gute Lied zum Stück' versucht:

"Das Wesen des Liedes ist der Gestus. Seine realistische
Hauptschönheit: es hat Widersprüche."[1]

Bevor wir nun zur theoretischen Exposition unserer Untersuchung übergehen, wollen wir uns in zwei Exkursen mit Begriffen auseinandersetzen, die im Zusammenhang mit unserer Problematik stehen und die Diskussion bestimmen: "Song" und
"Einlage". Eine genauere Fixierung dieser Begriffe erscheint
um so wichtiger und notwendiger, als sich hier sowohl Unschärfe im Verständnis, als auch Mißverständnis in der Anwendung
eingeschlichen haben.

---

1) a.a.O. S.425.

Der "Song"

"Song im engeren Sinn ein musikalisch anspruchsloses, aus
Strophe und Kehrreim bestehendes lyrisch-sentimentales Lied,
wie es in England meist zur Begleitung des von den amerikanischen Negern übernommenen Banjo als gesellschaftliche Unterhaltung des Mittelstandes im 19.Jh. gepflegt wurde."

(Brockhaus 1934)

"Song im englischen Sprachgebrauch Lied, Gesang. Die Bezeichnung Song erhielt im neueren deutschen Sprachgebrauch eine modifizierte Bedeutung seit ihrer Übernahme aus der "Beggars
Opera" in Brecht-Weills "Dreigroschenoper" 1928, die den Song
als balladeskes, mit Jazz-Elementen vermischte Parodie (z.B.
Moritat) brachte. Der Song in dieser Schattierung wird besonders im Kabarett gepflegt."

(Großer Brockhaus 1957)

"SONG: Liedgattung, die im Verlauf der Auseinandersetzungen
in der Zeit des ersten Weltkrieges aufkam. Der Song ist vom
Chanson und vom Schlager zu unterscheiden. Literarisch wurde
er von Brecht eingeführt. In der Vertonung tat sich eine Gruppe um Kurt Weill und Hanns Eisler hervor. Der Song gibt sich
äußerlich oft als Moritatenlied und geht bis zur Leierkasten-
weise. Inhaltlich ist er von Sozialkritik mit beißender Schärfe und politischer Aktivität eingegeben. Weiteste Verbreitung
fanden die Songs aus der Dreigroschenoper oder die für Käthe
Kühl geschriebenen Songs. Der Song wird nicht eigentlich gesungen, sondern im affektbetonten Sprechgesang vorgetragen."

(Fr.Herzfeld , Ullstein-Musik-
lexikon. Berl.-Ffm.-Wien 1965)

"SONG: ein satirisch-zeitkritischer Gesang, der in Deutschland
nach dem 1.Weltkrieg von der Arbeiterklasse und ihren Kultur-
und Agitproptruppen (Arbeitermusik) entwickelt wurde und hier
unmittelbar in die Front des politischen Kampfes einbezogen
war. Komponisten wie K.Weill, Hanns Eisler und Paul Dessau
stellten sich zuerst in den Dienst dieser neuen Form, die da-
mals sowohl solistisch wie auch unisono-chorisch ausgeführt
und meist nur von wenigen Instrumenten (Kl., Schlagz., Zupf-
instr.) begleitet wurde. Dem Charakter nach kann der Song sowohl dem beschwingteren, satirischen frz. Chanson nahestehen
wie sich kämpferischer Marschintonationen, aber auch Elemente
des Schlagers bedienen."

(Horst Seeger, Musiklexikon,
Leipzig 1966)

"Mit dem Begriff: "Song" bezeichnen wir von nun an die besondere, historisch entstandene Gattung, Song wie Ballade, Moritat, Chorlied usw."

(Zbigniew Stupinski,
a.a.O., S. 10)

Die Reihe solcher teils unrichtiger, teils unvollständiger Definitionsversuche ließe sich - wenn auch nicht anhand des Riemannschen Musiklexikons und des MGG, die sich beide ausschweigen - vielleicht noch erweitern. Die gegebenen Beispiele mögen genügen, um die Verwirrung sowohl in der näheren Bestimmung der Gattung als auch in der Darstellung ihrer Geschichte zu verdeutlichen: diese lexikalischen Informationen geben getreulich das Bild der Forschung wieder, wie das angefügte Beispiel aus Stupinskis Arbeit zeigt. Zeichnet sich schon die allgemeine Definition des Gattungsbegriffes durch besondere Unschärfe aus, so wird das Bild in dem Moment vollends unübersichtlich, wo die Literaturkritik beginnt, 'Song' als Bezeichnung für das Lied im Stück Brechts, gleich welcher lyrischen Gattung es im besonderen angehört, einzuführen. Der Vorgang ist vergleichbar mit der Kennzeichnung der Lieder in den Wiener Volksstücken mit dem Begriff 'Couplet', der ja auch eigentlich bereits gattungsmäßig festgelegt war, nun aber zur Bezeichnung eines Phänomens herhalten mußte, das wir als "Lied im Stück" bereits umschrieben haben. Allerdings ist die Vielfalt der Lieder in den Stücken Brechts, die hier gewaltsam unter dem Begriff 'Song' zusammengefaßt werden, sehr viel weiter gespannt, heterogener in Form und Aussage. Sie reicht vom "Alabama-Song" (MAHAGONNY), über das "Lied vom Fluß" (MANN IST MANN) bis hin zum "Lob des Kommunismus" (DIE MUTTER) und zum "Lied von Salomon.." (MUTTER COURAGE). Dies allein wäre schon Grund genug, behutsamer mit diesem Terminus umzugehen, ihn sozusagen in Quarantäne zu stellen. Während noch Heinz Kuhnert[1] den Songbegriff völlig unreflektiert übernimmt, betrachtet ihn Stupinski in der Tat bereits mit einigem Mißtrauen und behält ihn nur für die Gattung, nicht aber für das Lied im Drama bei. Für den letzteren Bereich gebraucht er den Terminus der 'Einlage', dem wir allerdings nicht zu folgen vermögen, was in einem zweiten Exkurs noch zu begründen sein wird.

---

1) H.Kuhnert: Die Songs im Werk von Bertolt Brecht. In: NDL 11.Jg. 1963. H.3/März, S. 77-100. Der recht oberflächliche Aufsatz ist im wesentlichen am 'frühen' Brecht orientiert.

"Song" wird in dieser Arbeit nur und ausschließlich
zur Bezeichnung der engeren lyrischen Gattung eingesetzt werden. Nicht zuletzt auch um Überschneidungen zu vermeiden,
wird davon abgesehen, ihn als strukturellen Oberbegriff für
alle Erscheinungsformen des Liedes im Drama Brechts zu benutzen. Wie es bisher schon geschehen ist, greifen wir hier einmal auf die von Hacks gebrauchten "Lied zu Stücken" und "Lied
im Stück" zurück, verwenden aber auch den von Brecht immer
wieder selbst gebrauchten Begriff "Gesänge", der wohl vor allem für das Lied in seinem theatralischen Vortrag steht. In
der HAUSPOSTILLE werden die fünf "Mahagonny"-Lieder als "Gesänge" geführt, im MESSINGKAUF heißt es bereits pointierter:
"Trennt die Gesänge vom übrigen! -" (B.B. 9.795) - Volker
Klotz verwendet in seiner Untersuchung über "Offene und Geschlossene Form im Drama"[1] in diesem Zusammenhang ganz einfach den Begriff "Lied". Die Definition, die er ihm beigibt,
ist für unseren Zusammenhang nicht ohne Interesse:

> "Lied nennen wir auch im geschlossenen Drama jene in sich
> gerundeten Gebilde, die sich durch lyrischen Gehalt,
> durch ein gesondertes Versmaß, durch Strophik, manchmal
> auch durch Reime aus der dramatischen Sprache des jambi-
> schen Gleichmasses herausheben, selbst wenn es sich da-
> bei nicht um Lieder im streng gattungsmäßigen Sinne han-
> delt."[2]

Nachdem wir uns in dieser Weise in unserer Begrifflichkeit festgelegt haben, kommt es jetzt noch darauf an, den
"Song" in seiner gattungsgeschichtlichen Konkretheit zu fixie-
ren. Hier hat Stupinski, wie wir bereits zu Beginn des Exkurses gesehen haben, nicht gerade Klarheit geschaffen[3]. Es hat
auch bei Stupinski den Anschein, als ließe sich unter dem Begriff "Song" nahezu alles subsumieren, was sich an Gereimten
und Reimlosen bietet. Hier muß notwendigerweise einiges korri-
giert, anderes differenziert werden, um die Gattung 'Song'

---

1) V.Klotz: Offene und Geschlossene Form im Drama.
   München 1963.
2) ebd. S. 203.
3) s. im übrigen Teil II der Arbeit Stupinskis: "Lyrische
   Einlagen in ihrer gattungsgeschichtlichen Konkretisierung" (a.a.O., S.113 ff.).

sowohl in ihrer Struktur als auch in ihrer Geschichtlichkeit
offenzulegen. Der Rahmen eines Exkurses legt uns dabei natürlich eine Beschränkung auf, vieles kann nur angedeutet
und müßte noch weiter verfolgt werden.

Über Ursprung und Anfänge des Songs gehen die Vermutun-
gen in den zu Beginn dieses Exkurses zitierten lexikalischen
Angaben weit auseinander. Zunächst wird die englische Tradi-
tion bemüht, samt dem von amerikanischen Negern übernommenen
Banjo. Präziser ist da schon die spätere Angabe, daß 'song'
im Englischen ja nichts anderes bedeutet als das deutsche
'Lied', in seinem semantischen Inhalt ähnlich weit gesteckt.
Was in Deutschland vor allem der Zwanziger Jahre mit diesem
Begriff "Song" gekennzeichnet wird, ist nicht eine überkomme-
ne, abgeschlossene Form, sondern die Formung verschiedener
Elemente zu etwas Neuem, wie sich ja gerade die lyrische
Kleinform in ständiger Bewegung und Entwicklung befindet.
Allerdings trifft es wohl nicht zu, daß "Song" im deutschen
Sprachgebrauch erst mit der DREIGROSCHENOPER Brechts und seit
1928 eine "modifizierte Bedeutung" erhielt. Es ist allerdings
richtig, daß die Bezeichnung "Song" selbst sich von nun an besonderer Beliebtheit erfreut, wie ja überhaupt eine geradezu
überschwengliche Vorliebe für alles Amerikanische in diesen
Jahren forcierter Industrialisierung die Frankophilie früherer Zeiten ablöst. An die Stelle des Traums von der Einrich-
tung eines demokratischen Systems auf der Basis einer bürgerlichen Neuordnung aller gesellschaftlichen Bereiche tritt der
Glaube an das Märchen von der unzerstörbaren Prosperität des
amerikanischen Kapitalismus, die mehr oder weniger kritiklose
Bewunderung eines vermeintlichen technologischen und zivilisatorischen Fortschritts. Was zuvor als Couplet und Chanson
(nicht nur im "Überbrettl" Wolzogens und Bierbaums) stand,
gilt jetzt als Song. Hier genaue Grenzen ziehen zu wollen,
erscheint ein hoffnungsloses Unterfangen. Kronzeuge ist
Tucholsky, in dessen zahlreichen Beiträgen gleich alle drei
Begriffe munter neben- und durcheinander Anwendung finden.

Es soll nun keineswegs ein Streit darüber vom Zaune gebrochen werden, ob die neue Form während des ersten Weltkrieges (s.Herzfeld) oder aber erst nach ihm (s.Seeger) entsteht.

Wichtiger als die Frage der Festlegung eines genauen Zeitpunktes erscheint uns vielmehr die Frage nach dem Umkreis seiner Entstehung und die nach den Wurzeln, aus denen er hervorgegangen ist. (Diesen Fragen nachzugehen bedeutet nichts anders, als Erscheinungsform und Nachweis der Gattungsbezeichnung zunächst einmal getrennt zu betrachten.) Stupinski äußert sich auch hier recht unbefriedigend:

> "Der Entstehung und sprachlichen Form nach, ist er eng
> mit dem Schlager verbunden, nur ist der einheimische deut-
> sche Schlager um 1880 aus dem Couplet hervorgegangen,
> während der Song vom amerikanischen Chanson und mit der
> Jazzmusik .... gekommen ist."[1]

Was den Umkreis seiner Entstehung betrifft, so möchten wir mit Entschiedenheit für das Kabarett (vor allem der Jahre nach dem 1.Weltkrieg) plädieren. Diese Herkunft ist in seinem Wesen und vor allem seiner Thematik zu ausgeprägt, um geleugnet werden zu können: die soziologische Realität der Großstadt mit ihrer schroffen inneren Gegensätzlichkeit, der Gestus der jungen aufsässigen Intelligenz mit ihrem wachen Haß gegen die Ausbeutungsmechanismen des industrie-kapitalistischen Zeitalters und ihrer Sympathie für die Unterdrückten. Von dort auch kommt die auffällige Tendenz zur Parodie und Persiflage, die Vorliebe für Formen der Banaldichtung und deren Politisierung.

Es sei hier besonders auf Walter Mehring hingewiesen, den Mitarbeiter des Berliner Kabaretts "Schall und Rauch", in dem Max Reinhardt Regie führte. Er brachte Bertolt Brecht zur "Wilden Bühne". Seine Lieder waren wohl nicht ohne Einfluß auf den jungen Brecht. Die "Ballade vom Mazeppa" ist ihm am stärksten verpflichtet. Mehring, der in dieser Zeit marxistisch-sozialistischem Denken nahe stand, von dem er später ironisierend wieder abrückt[2], verschmähte es bereits, mit den Mitteln des unverbindlich Komischen zu arbeiten. Ihm geht es wie Brecht um Entlarvung, "die Entlarvung des scheinbar Guten und Richtigen als des tatsächlich Gemeinen und Falschen, die Entlarvung der vorgegebenen Ordnung als Unord-

---

1) a.a.O. S. 138.
2) W.Mehring; Berlin Dada. S. 15f.

nung ..."[1]. Auch er arbeitet dabei zuweilen mit verfremdenden Mitteln, wie das Beispiel " Der tiefere Grund" im 'Neuen
Ketzerbrevier' am deutlichsten zeigt. Mehrings eigentliche
Leistung ist aber wohl die Ausformung des "Sprachen-Ragtimes"
als stilbildendes Mittel. 1920 erscheint sein schmales Bänd-
chen "Politisches Cabaret". Es enthält sozialkritische Satire, Chansons mit einer zündenden Verbindung dadaistischer
Elemente mit einfach parodierenden. Reklame-Slogans, Nachrichten, Zitate, Anzeigen, all dies wird bruchstückhaft, fetzen-
weise montiert, besticht durch rastloses inneres Tempo, das
die Nähe zum Jazz nicht verleugnen kann. 1917 bereits war von
ihm und Richard Hülsenbeck der Dadaismus in Berlin begründet
worden. (Brecht unternimmt Versuche mit dieser stilistischen
Eigenart, verarbeitet sie mit Amerikanismen. Das exotische
Element und die Metapherfetzen steigern ganz auffällig die
Verve des Songs.) 1921, also lange vor Brechts HAUSPOSTILLE,
erscheint das 'Ketzerbrevier'. Es lebt nicht nur aus der kritischen Negation des herrschenden Gesellschaftssystems, "sondern stellt auch ein modernes lyrisches Weltgefühl dar, das
die Perspektivik der Großstadt, die Problematik der Zeit mit
den unfunktionierten Strukturelementen der christlichen Li-
turgie zu einer diskrepanten Einheit verbindet."[2] 1924 folgen 'Europäische Nächte' und 'Zeitrevue'. Hier bereits treffen wir auf die Begriffe Song bzw. Songballade, finden wir
entscheidende Merkmale wie die betonte Wendung an das Publikum, den sozialkritischen Hintergrund, den ausgeprägten Rhythmus und die Kunst des Refrains, die ja vor allem Tucholsky
so unglaublich sicher beherrscht.

Es soll mit diesem Hinweis auf Walther Mehring keineswegs der Versuch unternommen werden, einen neuen Initiator
des Songs zu präsentieren, obwohl es sicherlich sehr reizvoll
wäre, dieser Möglichkeit einmal nachzugehen. Wichtiger ist
jedoch die durch diesen Hinweis erhärtete Tatsache, daß der
Song als eine zeittypische Erscheinung angesehen werden kann,

---

1) E.Rotermund: Die Parodien in der modernen deutschen Lyrik.
   München 1963, S.137.
2) ebda. S.133.

die in besonderer Weise in der Lage war, Fragen und Probleme
der Epoche, ihren Rhythmus und ihre Hektik lyrisch zu gestalten.

Ehe wir nun im weiteren auf die besondere Ausformung des
Songs in der politischen Auseinandersetzung, vor allem als
Arbeiterkampflied der 20-iger Jahre, eingehen, soll eine nä-
here Abgrenzung dessen versucht werden, was innerhalb des
Kabaretts und des ersten politischen Theaters als 'Song' entstanden ist. Interessant ist in diesem Zusammenhang eine Definition, die das "Dictionary of American Slang" gibt. Sie
umreißt das, was wir als Anfang dieser lyrischen Gattung annehmen können, recht deutlich, wie ja oft die Umgangssprache
alte semantische Hintergründe bewahrt:

"Song: A story of personal misfortune, an excuse, an
exaggered story or lie; any, usually longwinded, personal
recital motivated by a desire of sympathy."[1]

Wer denkt hier nicht an Wedekinds "Brigitte B." und den "Tan-
tenmörder", an manche Lieder des jungen Brecht: "Apfelböck
oder Die Lilie auf dem Felde", "Von der Kindsmörderin Marie
Farrar" und vieles andere. Der Song ist zunächst keineswegs
so ganz einfach vom Chanson zu unterscheiden, wie Herzfeld[2]
meint. Auch das Chanson erzählt in mehreren Strophen vom
"Menschlich-Allzumenschlichen." Es nimmt seine Themen aus der
Arbeits- und Alltagswelt: der Mensch in seiner Freude, in
seinem Leid, seiner Resignation, in seinem Liebesglück und
seiner Liebesenttäuschung. Tucholsky, wohl der größte Chan-
sondichter deutscher Sprache, versucht später, das Chanson
von der bloßen Unterhaltungssphäre zu lösen. Er machte es zu
einem Instrument des politischen Tageskampfes: "Tendenzkunst",
die nicht gereimtes Manifest oder lyrisierte Propaganda sein
will, mehr als bloß politische Agitationsdichtung: nämlich
engagierte Kunst. Das Chanson nimmt von nun an Sozialkritik,
die harte Welt des Arbeitskampfes und der Klassenauseinander-
setzungen in sich auf, gestaltet sie mit seinen spezifischen
Mitteln, die teils sehr verschieden von denen des Songs sind,
teils aber auch überraschend gleich. Es ist nicht verwunderlich, daß zuweilen sich die Grenzen verwischen.

---

1) Dictionary of American Slang. S.503, 1.Sp.
2) F.Herzfeld: Ullstein Musiklexikon. S.513.

Mit dem Chanson verbindet den Song zunächst ein äußerliches Merkmal, das ihn vom Schlager trennt: das Gestische der Vortragsweise. Allerdings geht das Chanson hier weiter als der Song: es verlangt große Kunstfertigkeit in der stimmlich-mimischen Ausdruckshaltung. Daher wurden Chansons ihren Sängern und Sängerinnen sehr oft direkt auf den Leib geschrieben. Tucholsky etwa schrieb für Claire Waldorff, Elsie Attenhofer, Käthe Kühl, Friedrich Hollaender, für Blandine Ebinger usw. Eine solche direkte Bindung an die Person des Vertragenden kennt der Song nicht. Er ist so einfach gebaut in seiner musikalischen Struktur, daß er zuweilen wie der Schlager nachgesungen wird. Teile der Formulierungen werden in der Tat zu Schlagwörtern in Zeitungen wie im übrigen öffentlichen Leben[1]. Im Zusammenhang mit den frühen Liedern Brechts spricht Stupinski vom "Schlagersong"[2]. Doch der Text des Songs hat eine weitaus größere Bedeutung als der des Schlagers: er ist dominant, nicht die eingängige Musik. Er ist geprägt durch Abkehr von kunstvoller Wortdichtung, hymnischem Pathos und jeglicher Sentimentalität völlig abhold. Der Zug zu einfacher Sachlichkeit ist stilprägend.

Der Song ist mit dem Chanson zunächst eng verwandt, doch trennt sie mehr und mehr die bewußte sozialkritische, eindeutig politische Akzentsetzung. Der Song hat immer einen Adressaten, ist nie monologisch. Stärker noch als im Chanson ist das Streben nach Korrespondenz, nach Auseinandersetzung und Übereinstimmung ausgeprägt. Der Song meidet die offene Moral besonders da, wo er eigentlich moralistisch agitiert. Die Reaktion des Publikums auf Brechts Vortrag des "Apfelböck" zeigt, daß man ihn verstanden hatte: man war empört.

Der Song arbeitet mit Humor, später mit der Waffe der Satire. Das bestimmt auch das zunächst mit dem Chanson gemeinsame, später sich in besonderer Weise ausprägende Verhältnis zur Parodie. Elemente der alten Moritat, des Dienstmädchen-Liedes, des Volksliedes und verschiedener anderer Formen

---

1) s.B.B. 15.474.
2) Z.Stupinski, a.a.O.,S.144.

werden aufgegriffen und aktualisiert, polemisch im Sinne einer aktivierenden Gesellschaftskritik, die hier wohl nicht
so ausgeprägt ihren Adressaten findet, wie später in der proletarischen Bewegung. Song ist politisch-kritische Aktion,
musikalisch unterstützt.

Die Musik des Songs ist geprägt durch Schlagkraft und
Einprägsamkeit. Auch sie liebt die Parodie, arbeitet mit
zeittypischen harmonischen und rhythmischen Zutaten. Ein sti-
lisierter Jazz-Rhythmus wird zunehmend kennzeichnend. Die oft
skandierend-rhythmische Melodie unterstützt mehr den Sprechgesang, im Chanson dagegen dient sie eher der Untermalung.
Die Gesangsstimme bevorzugt in nur geringer Abänderung einen
eigenartigen Sprechton, wie ihn Brecht später auf seinem Theater zu besonderer Kunst führte. Ein bel canto, das bereits im
Chanson unerwünscht ist, ist beim Song völlig fehl am Platz.
Dem Melodischen gegenüber muß der Vortrag Kritik zeigen. Er
soll sich in die Prägung der Sprache einfügen oder aber in
dialektische Beziehung zu ihr treten. Die Sprache selbst muß
scharf, fast schlagzeilenartig sein. Die Demonstration steht
im Vordergrund, das wird deutlich in der Vortragsweise. Die
mimisch-gestische Ausdruckskraft des Chansons wird hier zurückgenommen, das Rezitativische aber in besonderer Weise ausgebildet. Es fehlt jegliches Requisit, das ja beim Chanson
immerhin möglich ist. Der Sänger tritt – nicht nur im späteren Brecht-Theater – heraus und nach vorne, nicht ohne Grund
meidet er dabei die Bühnenmitte, sondern stellt sich so auf,
daß der Raum unterbrochen wird. Der körperliche Gestus dient
in jeder, doch in äußerst sparsamer Weise der Spannung des
gesprochenen bzw. gesungenen Textes.

Die weitere Entwicklung des Songs wird durch die Tatsache bestimmt, daß er das Kabarett verläßt, einbezogen wurde
in die Front des politischen Kampfes, wie Horst Seeger
schreibt. Die Sozialkritik wird in immer beißenderer Schärfe
vorgetragen durch die Kultur- und Agitprop-Truppen der proletarischen Bewegung. Die für sie arbeitenden Autoren jedoch
standen fast alle einmal auf der Bühne des Kabaretts: Erich
Mühsam (1878-1953) trat im Münchner "Simplizissimus" und im
Wiener "Nachtlicht", Erich Weinert (1890-1953) in den ver-

schiedensten Kabaretts auf, Kurt Tucholsky (1890-1935) schrieb
für "Schall und Rauch" und für die "Wilde Bühne" Trude Heester-
bergs, an der Brecht 1919 seinen 'Apfelböck' zum ersten Mal
vortrug. Später erst gehen die einzelnen Truppen selbst dazu
über, Texte zu schreiben, zuweilen auch in Kollektiv-Arbeit.
Darauf wird an anderer Stelle noch einzugehen sein.

Inhalt des Songs innerhalb und außerhalb des Kabaretts
ist bald in zunehmendem Maße die Agitation für die Ziele des
Klassenkampfes. Elemente des Dadaismus, des Jazz und des Amerikanismus jener Jahre werden zunehmend überwunden. Es bleibt
der lehrhafte Gestus, der ja auch schon im Kabarett ausgeprägt war, und die verblüffende Pointe. Ebenso bestimmt das
mitreißende, inzitative Element weiterhin die Sprache. Das
"Du" der Anrede steigert sich zu einer echten Publikumsanre-
de, die soziale Anklage zu Protest und Forderung. Der Song
wird in seinem Anliegen konkret: Protest gegen ganz bestimmte
Ausbeutungserscheinungen, gegen den § 218, gegen Arbeitslosigkeit und Inflation, gegen Wohnungsnot, gegen Demonstrations-
verbote und anderes mehr. Es bleibt das Spritzig-Lebendige
des Tons, die oft schnoddrige Formulierungskunst. Die musikalische Begleitung aber ändert sich, wird kompromißloser. Die
Parodie tritt mehr und mehr zurück, kämpferische Marsch-In-
tonationen dringen vor, die Satire weicht dem direkten Angriff auch in der Verwendung des Tonmaterials. Nach Margarete
Nespital ist Bela Reinitz der erste Komponist der neuen Form,
"der somit zum Schöpfer einer neuen Form, des Arbeiterliedes,
des proletarischen Chansons (!) wurde"[1]. Später sind es
vor allem die Hauskomponisten Brechts: Weill, Eisler und Dessau, die die musikalische Form des Songs bestimmen. Der Song
in seiner neuen Form wird sowohl als Sololied als auch chorisch vorgetragen, wobei allerdings der Chor weitgehend als
kollektive Einheit quasi personal anzusehen ist. Der Vortrag
als solcher bleibt aber stilistisch bedeutsam. Auch jetzt noch
meidet der Song das Requisit, greift aber zur Verdeutlichung
des Textes, der teilweise komplizierte Strukturen behandelt,

---

1) M.Nespital: Das deutsche Proletariat in seinem Lied.
   Diss. Rostock 1932. S. 124.

zu Demonstrationshilfen wie Landkarten, Graphiken, Fotos und
Fotomontagen. Wenige Instrumente nur begleiten, oft das Klavier allein, zuweilen aber auch Zupfinstrumente und Schlag-
zeug. Der Vortragsort diktiert hier weitgehend die Besetzung:
der Versammlungssaal oder das Hinterzimmer einer Gaststätte,
der rollende LKW oder aber auch der Theatersaal.

In dieser Entwicklung stehend, keineswegs also etwa ihren Anfang markierend, ist Bertolt Brecht und sein Song-
schaffen zu sehen. Dies betonend soll allerdings nicht verleugnet werden, daß er bald entscheidenden Einfluß auf das
Erscheinungsbild dieser neuen lyrischen Gattung nahm, in einer Weise ihre Form bestimmte, daß man bald dazu überging,
sie als sein Werk zu betrachten.

"Song" bei Brecht stand zunächst wohl pointiert für
Lieder, die - unter dem Einfluß Freiligraths und Kiplings,
aber auch dadaistischer Techniken - entstanden sind, durch
Montage englischer Sprachfetzen, exotischer Ortsbezeichnun-
gen und Verwendung rhythmischer Elemente des Jazz. Höhepunkt
sind die Songs zu HAPPY END. (Das "Lied vom Surabaya-Johnny"
wurde von Tucholsky und auch von Erich Kästner gerade wegen
seiner offensichtlichen Anlehnung an Rudyard Kipling kritisiert. Beide schrieben eine Parodie; die Kästnersche wurde
von Käthe Kühl oft gesungen.) Diese Songs sind in der Regel
von karikierender Hohlheit, zugleich aber von mitreißendem
Schwung. Sicherlich ist gerade dies der Grund, daß Tucholsky
diesen "wildromantischen 'songs'" mißtraut. Er glaubt aber,
eine gewisse "innere Wahrhaftigkeit"[1] in ihnen zu spüren. Der
gesellschaftskritische Akzent, der (noch weitgehend unartiku-
liert im Sinne eines festen sozialpolitischen Programms) hinter diesen Liedern steht, äußert sich ja gerade darin, daß
dem Zuschauer diese mitreißende, doch nichtssagende Hohlheit
plötzlich bewußt wird. Tucholsky verweist auf die enge Ver-
wandtschaft zu Freiligrath:

> ".... die Ähnlichkeit ist überraschend. Wie da die Liebe
> zum fremden Land erst ursprünglich war, dann immer mehr
> benutzt wird, wenn das Eigene nicht reicht - wie da die
> fremden Namen auf den verblüfften Leser herunterdonnern:
> Na? siehst du? so exotisch geht es bei uns zu ...., wie

---

1) K.Tucholsky: Ges.Werke. Band I, S. 1062.

da dem fremden Kontinent alles, alles zugemutet wird,
nur keine Spießer, während doch grad die bei den Cowboys
genauso wild wuchern wie bei den Skandinaviern, nur eben
in anderen Formen: diese bunten Lieder Brechts sind be-
ster Freiligrath und schwächster Brecht."[1]

Dies schreibt Tucholsky 1928 in seiner Rezension der 'Hauspostille'. Zwei Jahre später ist sein Urteil noch schärfer
im Hinblick auf MAHAGONNY:

"diese sorgsam panierte Roheit, diese messerscharf berech-
neten Goldgräberflüche .... so ist das Leben ja gar nicht.
Nicht einmal das in Klondyke von gestern, bestimmt nicht
das in Amerika von heute .... auch die Beziehung zu Deutschland 1930 bleibt flau. Es ist stilisiertes Bayern."[2]

Doch das ist zu diesem Zeitpunkt bereits eine Kritik an einer längst überwundenen Übergangserscheinung. Der Song bei
Brecht ist inzwischen konkreter geworden. Stupinski unterscheidet daher mit Recht zwei Phasen: eine erste der "kulinarischen" Songs der Opernstücke und eine zweite des reflexi-
ven Songs. Allerdings sind die Adjektive "kulinarisch" und
"reflexiv" nicht gerade dazu angetan, Klarheit zu schaffen.
Letzten Endes sind auch die 'kulinarischen' Songs in gewisser Weise dazu angelegt, Reflexionen zu erzeugen. Die hintergründige Hohlheit, Stilelement der Musik Weills, wird in recht
vordergründiger Weise und unter Verkennung parodistisch-ent-
hüllender Momente in der Komposition als "kulinarisch" miß-
verstanden. Brecht sieht - in Ansätzen bereits in der DREI-
GROSCHENOPER - zwei Möglichkeiten, mit Hilfe des Songs die
kapitalistische Welt darzustellen: einmal in parodistischer
Weise durch Nachahmung und Übertreibung von Banalitäten, verlogenen Naivitäten und Klischees (A l a b a m a - S o n g
u.a.), zum andern in enthüllender Weise durch konkretes Aufdecken kapitalistischer Mechanismen ("D e n n   w o v o n
l e b t   d e r   M e n s c h " der DREIGROSCHENOPER bis zum
" L i e d   v o n   d e r   S u p p e " in der MUTTER). Vor allem die zweite Möglichkeit findet bei Brecht eine weitere
Entwicklung, das ferne Amerika aber weicht dem noch ferneren
Osten.

Wenn wir feststellen, daß der Song auch bei Brecht in

---

1) a.a.0.
2) a.a.0. Bd.III, S.416.

der Aussage zunehmend konkreter wird, so gilt das für den
Song als "Lied im Stück" natürlich mit der Einschränkung,
daß tagespolitische Auseinandersetzungen nur selten und dann
weitgehend verschlüsselt eine Rolle spielen. Stupinski sieht
hier eine Schwierigkeit, den Song Brechts in die proletarische Bewegung einzugliedern.

"Der Grund dafür scheint in der unterschiedlichen Haltung
ihrer Schöpfer zu liegen. Während die proletarischen Autoren den Song als operatives Genre in der 'täglichen
Kleinarbeit' ihres Kampfes verwenden, steht der Song bei
Brecht als Gestaltungsmittel in einem umfassenderen und
tieferen Zusammenhang. Das Detail ist in ihm nicht diesem
oder jenem politischen Zweck zugeordnet, sondern es objektiviert stets einen bestimmten Gestus."[1]

Ich würde sagen: auch diese Songs sind Lieder 'operativen
Genres', nur schreibt Brecht eben hier als Dramatiker, der
Gesetzmäßigkeit dieser Gattung sich beugend. Auch das
" L i e d v o m R o c k " etwa oder das " L i e d v o n
d e r S u p p e " ist einem politischen Zweck zugeordnet.
In Argumentation und Forderung steht der Song hier nach dem
erklärten Willen seines Autors im politischen Tageskampf,
kämpfend freilich mit den Mitteln des Stückeschreibers. Mit
dem " S a a r l i e d " , dem " S o l i d a r i t ä t s -
l i e d " und unzähligen anderen hat im übrigen Brecht bewiesen, daß er "operative" Songs für die politische Tagesaus-
einandersetzung durchaus zu schreiben in der Lage ist. Sie
allerdings haben einen ganz anderen Gestus zu erfüllen, da
sie ja nicht innerhalb eines Stückes eingegliedert sind. Diese Beobachtung stützt unsere These, von der Eigenständigkeit
des "Liedes zu Stücken".[2]

Im übrigen bliebe noch eine Entwicklung nachzutragen,
die für den Song als proletarischem Kampflied als auch für
den Song als Lied im Stück Brechts und anderer charakteristisch ist. Der Song wird - das hatten wir bereits angedeutet - zunehmend chorisch vorgetragen, als gemeinschaftliche
Aussage eines sozialen Wollens, kollektivistischer Ausdruck
der Massen, die sich hier sprachlich darzustellen versuchen.
Die Lieder der MUTTER zeigen allerdings an, daß hier der

---

1) Z.Stupinski: a.a.O., S. 140.
2) Auf das politische Arbeiterkampflied wird noch in Kap.III
   eingegangen.

Song sich weiterentwickelt hat. Von seiner ursprünglichen
Gestalt bleiben nur vereinzelte stilistische Überbleibsel
zurück, der aggressiv-satirische Grundgestus weicht einem
pathetisch-hymnischen, der selbstbewußt Programmatisches verkündet, zur Einigkeit im Kampf aufruft. Interessant ist die
Gestaltung der MASSNAHME. Hierzu schreibt Stupinski:

> "Der chorischen Gestaltung der revolutionären Welt wird
> in der 'Maßnahme' die Welt des Händlers gegenübergestellt.
> Um dieser eine entsprechende Gestalt zu geben, greift
> Brecht charakteristischerweise zur Form des Songs. Die
> Brutalität, Dummheit, Souveränität und Selbstverachtung
> dieses Typus konnte in keiner anderen musikalischen Form
> 'gestaltet' werden"[1]

Die Gleichung, die in dieser Anmerkung zu dem Stück DIE
MASSNAHME aufgestellt wird, stimmt so nicht. Song ist keineswegs immer Karikatur auf die bürgerliche Welt, auf Kapitalismus, Imperialismus. Brecht verzichtete bewußt auf solche
Vereinfachungen. Das Zitat bezieht sich daher auch keineswegs, wie es an dieser Stelle den Anschein erwecken soll,
auf den Song, sondern lediglich auf die "Musik zu Teil 5"
der MASSNAHME. Die Passage lautet im Zusammenhang:

> "e. Die Musik zu Teil 5 (Was ist eigentlich der Mensch?)
> ist die Imitation einer Musik, die die Grundhaltung des
> Händlers widerspiegelt, des Jazz. Die Brutalität, Dumm-
> heit, Souveränität und Selbstverachtung dieses Typus
> konnte in keiner anderen musikalischen Form 'gestaltet'
> werden. Auch gibt es kaum eine Musik, welche so provoka-
> torisch auf den jungen Genossen wirken könnte. (Dennoch
> ist eine Ablehnung des Jazz, welche nicht von einer Ab-
> lehnung seiner gesellschaftlichen Funktionen herkommt,
> ein Rückschritt.) Man muß nämlich unterscheiden können
> zwischen dem Jazz als Technikum und der widerlichen Ware,
> welche die Vergnügungsindustrie aus ihm machte. Die bür-
> gerliche Musik war nicht imstande, das Fortschrittliche
> im Jazz weiterzuentwickeln, nämlich das Montagemäßige,
> das den Musiker zum technischen Spezialisten machte. Hier
> waren Möglichkeiten gezeigt, eine neue Einheit von Frei-
> heit des einzelnen und Diszipliniertheit des Gesamtkör-
> pers zu erzielen (...), das Gestische zu betonen, die Me-
> thode der Funktion unterzuordnen, also bei Funktionswech-
> sel Stilarten übergangslos zu wechseln und so weiter."
> (B.B. 17.1031 f.)

Was Brecht hier schreibt, ist bei weitem klarer. Auf das Musikalische ist später noch einzugehen. Für den Song ist be-

---

1) Z.Stupinski: a.a.0., S.88.

reits hier festzustellen: Der chorische Vortrag von Songs
und Liedern im Stück spiegelt die "neue Einheit von Freiheit
des einzelnen und Diszipliniertheit des Gesamtkörpers" in besonderer Weise wider. Der " S o n g v o n d e r W a r e "
dagegen wird als einziges Lied in diesem Stück noch vom Händler allein gesungen. Das Lied charakterisiert seine Ausbeu-
tungsmethode, doch sein Gesang steht allein zwischen dem der
Kulis, also der Ausgebeuteten, und dem der Partei als der
Anführerin der Rebellierenden, der Kämpfenden. Das ist nicht
ohne Bedeutung. Wie aber steht es mit der Gleichung Song
gleich Karikatur auf die bürgerlich-kapitalistische Welt?
Auch das " L i e d v o m F l i c k e n u n d v o m
R o c k " in der MUTTER, gesungen von den Arbeitern, ist ein
Song. Gemeinsam mit dem " S o n g v o n d e r W a r e "
ist der erklärende Gestus, der auf sozio-ökonomische Miß-
verhältnisse hinweist. Ziel und Zweck beider ist es, diese
Verhältnisse durchsichtig zu machen und zum Kampf aufzurufen.
Dies aber ist zugleich der agitatorisch-inzitative Grundgestus des Songs, der ihn als Gattung hinlänglich charakterisiert. Stupinski will die Chorlieder der MASSNAHME und der
MUTTER nicht als proletarische Kampflieder, sondern als besonderes ästhetisches Mittel revolutionärer Weltauffassung
verstanden wissen. "Das Ziel dieser Lieder ist nicht wie das
der Kampflieder ein konkreter, historisch bestimmter Aufstand
der Massen, sondern die Revolution als fortdauernder, weltver-
ändernder Prozeß."[1] Der Versuch, Ästhetik und Ideologie säu-
berlich trennen zu wollen, ist sowohl bei Brechts Stücken als
auch ganz besonders bei den Songs eine Mühe am untauglichen
Objekt. Brecht selbst würde hier schärfstens widersprechen.

---

1) Z.Stupinski, a.a.O., S. 147.

Die "Einlage"

Innerhalb der Brecht-Forschung ist das Phänomen "Lied im Stück" zwar oft als etwas Auffälliges bemerkt, doch selten einer eingehenderen Darstellung für wert befunden worden. In dem Bemühen, das Spezifische des Randproblems Lied im Stück Bertolt Brechts auf einen knapp formulierten sprachlichen Nenner zu bringen, kam man bisher zu Begriffen, die im Grunde alle die Fremdartigkeit des Phänomens Lied in der dramatischen Struktur zur Basis ihrer Überlegungen hatten.

Als eine Ausnahme mag man zunächst den Versuch Andrej Wirths ansehen, die neue Struktur der Brechtschen Stücke in ihrer einheitlichen Körperlichkeit (im mathematisch-geometrischen Sinne) zu sehen[1]. Ihren "stereometrischen" Aufbau sucht er als übereinander gelagerte Ebenen zu erfassen. In der "dramatischen Ebene" haben wir die Basis für die einfachen szenischen Ereignisse zu sehen. Die "poetische Ebene" wird zu einer Erweiterung der dramatischen Ebene, "sie gewinnt im Verhältnis zu jener stärkeres Erklärungsvermögen".[2] Nachdem die Courage den Werbern knapp geantwortet hatte "Wir handeln", zeigt das Geschäftslied der Courage, welch schäbigem Handel sie nachgeht. "Erst der Song wirft einiges Licht auf die Peripetien der Handlung."[3] Auf der "philosophischen Ebene" als der dritten findet die reflektierende Überschau, am Rande der eigentlichen Handlung oder auch ganz unabhängig von ihr, statt.

Diese Konstruktion besticht zunächst durch ihr verblüffend einfaches Schema, wird jedoch von der Forschung als allzu schematisch abgelehnt. Fritz Hennenberg etwa lehnt die Dreiheit von dramatischer, poetischer und philosophischer Ebene ab, da sich in diesen Begriffen Inhaltliches und Formales mischen[4]. Er stellt nur einen Unterschied fest: den zwischen Handlung und Reflexion[5]. Aber auch eine solche Trennung

---

1) A.Wirth: Über die stereometrische Struktur der Brechtschen Stücke. S.346-387.
2) ebda. S.365.
3) ebda.
4) F.Hennenberg: Brecht - Dessau. S.99f.
5) ebda. S.99.

stößt auf Schwierigkeiten, auf die hier nicht eingegangen
werden kann.

Andrej Wirth beschreibt die Stellung des Liedes im Stück
folgendermaßen:

"Ein Gedicht, das durch seine Konstruktion mit dem ganzen der Szene als Song, Rezitativ usw. verknüpft ist,
besitzt gewöhnlich einen Eigenwert. Das Erleben des
Zuschauers polarisiert also zwischen jenen Ereignissen,
die in der 'dramatischen Ebene' dargestellt werden, und
dem 'lyrischen Ereignis', das in der 'poetischen Ebene'
vorgetragen wird." 1)

Da aber das Lied durchaus auch Reflexionen bieten kann, wird
die Schwäche der gewählten Begriffe "dramatisch", "poetisch"
und "philosophisch" bereits deutlich.

Während also Andrej Wirth noch den Versuch unternimmt,
die Einheitlichkeit in der Struktur der Stücke zu unterstreichen, wird in der Forschung zunehmend die 'Diskretheit'
der Gattung Song betont. Auch Ernst Schumacher sieht sie
noch als Teil der Handlung, der allerdings besonderen Ausdruck in sich birgt. In seiner Arbeit, die die dramatischen
Versuche Brechts zwischen den Jahren 1918-1933 - das ist
nicht unwesentlich - behandelt, schreibt er in bezug auf
die MASSNAHME und die MUTTER:

"Die Gesangspartien haben etwas Berichtendes, Erzählen-
des an sich. Sie heben das Dramatische der Handlung weitgehend auf, sie stellen ein ausgesprochen retardieren-
des Moment dar..." 2)

Schumacher ist hier einer durchaus konventionellen Dramen-
konzeption verpflichtet, so ideologisch progressiv sein son-
stiger Ansatz in der Brecht-Interpretation ist. Ähnlich ist
die Position der nichtmarxistisch orientierten Forschungs-
literatur. Volker Klotz[3] spricht von den Songs als "Stück-
chen im Stück", als "musikalische Adressen an das Publikum".
Er übersieht allerdings nicht, daß sie "auch dramaturgische
Funktionen im Gefüge der Handlung"[4] haben. Reinhold Grimm

---

1) A.Wirth: a.a.O. S.355.
2) E.Schumacher: Die dramatischen Versuche Bertolt Brechts
1918-1933. S.281.
3) V.Klotz: Bertolt Brecht. Versuch über das Werk. Darmstadt
1957. S.113.
4) ebda.

spricht in ähnlichem Sinne von "durch Musik intensivierten
Wendungen an das Publikum"[1]. Walter Hinck[2] schließlich
spricht bereits von den Songs als "Fremdkörpern", als "Einlagen", die "als solche wiederzugeben seien". Stupinski übernimmt diesen Begriff der 'Einlage' in seiner Untersuchung,
dabei wohl vor allem auf eine frühere Arbeit von Helene
Lipschütz über die "Lyrische Einlage im neueren Drama"[3]
zurückgreifend, die den Zeitraum von den ersten Anfängen
dramatischer Gestaltung bis zur sogenannten vorklassischen
Periode (1791) behandelt. Diese Arbeit verstand sich als
Vorbereitung einer Untersuchung der primären Lyrik im Drama,
"die vom technischen Mittel zum organischen Wesensteil des
Dramas erwächst" und letzten Endes einer "grundlegenden Be-
trachtung des Wesens von Lyrik und Drama überhaupt"[4]. Schon
Helene Lipschütz gekennt, daß die Abgrenzung der "Lyrischen
Einlage" Schwierigkeiten bereite:

> "Wir mußten uns davor hüten, ein allzu äußerliches Kenn-
> zeichen zu wählen und all diejenigen Stücke einzubezie-
> hen, die durch Versbau, Reim, Strophik vom sie umgeben-
> den Text abwichen. Mancherlei Monologe und lyrische Ab-
> schweifungen hätten sich in die Reihe der 'Einlagen' ge-
> drängt; auch die Forderung des Gesungenen reichte nicht
> aus, denn eine Reihe von dramatischen Gestalten tritt
> auch im Sprechdrama meist nur mit Gesang auf; es sind
> dies die zahlreichen Geschöpfe der Fabelwelt, aus dem
> Reiche des Übersinnlichen, bei denen Rede und Gesang
> nicht unterschieden werden kann." [5]

Sie gesteht, daß die Grenzen letzten Endes fließend sind.
Das musikalische Weiterspinnen einer Situation etwa ist nach
ihrer Vorstellung nur eine scheinbare Einlage. 'Einlage' ist
nur etwas, was ersatzlos gestrichen werden könnte, was als
etwas Vorgetragenes empfunden wird, auch im Stück selbst.
Sie stellt in einer ersten Arbeitsdefinition fest: 'Einlagen'
sind "alle diejenigen liedhaften Stücke, welche eine Person

---

1) R.Grimm: Bertolt Brecht. Die Struktur seines Werkes.
   Erlangen 1959. S.60.
2) W.Hinck: Die Dramaturgie des späten Brecht.
   Göttingen 1959. S.111ff.
3) s.Lit.-Verz.
4) ebda. S.XVIII.
5) ebda. S.XII.

nicht in ihrer eigenen Realität, d.h. als spontane Gefühls-
oder Meinungsäußerung des dargestellten Augenblicks spricht
oder singt, sondern als bereits geformtes Lied hersagt oder
reproduziert."[1] Diese erste Definition soll dann in der
theoretischen Zusammenfassung erweitert werden. Auch sie
spricht von der 'Einlage' als einem "Fremdkörper im Drama"[2]
und weiter von "aus dem Zusammenhang lösbaren, vorgetragenen
Liedern".[3] Die Einlage der Goethe-Zeit ist dann allerdings
"nicht eine unwesentliche Nebenerscheinung des Dramas ...,
sondern ein selbständiges und bedeutsames Organ, welches häufig als ein Index für die Dramentechnik und das Entwicklungs-
stadium des Dichters dienen kann."[4] Schließlich liefert sie
eine letzte Definition, nach der Einlagen "alle diejenigen
liedhaften Stücke /sind7, welche von dem sie Rezitierenden
oder Singenden als Wiedergabe oder Reproduktion aufgefaßt
werden können."[5] Diesen Definitionen mitsamt ihren Widersprüchen ist Stupinski verpflichtet, daher sind sie hier so ausführlich behandelt. Was Helene Lipschütz sozusagen als Aus-
wahlprinzip festlegte, gebraucht Stupinski als Begriff pro
toto für den Song. Hier aber ist eine kritische Stellungnahme
angebracht.

Mit dem Begriff der "Einlage" wird bereits das Ergebnis der
Untersuchung in gewissem Maße vorweg genommen. Stupinski
spricht in seiner Einleitung von dem zu "untersuchenden Verhältnis von Einlage und Stück"; zu untersuchen ist aber doch
das Verhältnis von "Song" und Stück. Der Begriff "Einlage",
so wie er sich theatergeschichtlich herausgebildet hat und
auch in der Bühnenmusik gebräuchlich ist, bezeichnet einge-
schobene Musikstücke, teils rein instrumentaler, teils aber
auch gesungener Art, die - ohne innere und in der Regel auch
ohne äußere Bindung an das dramatische Geschehen - dem Reiz
der Sinne dienen und reine Unterhaltungsfunktion ausüben kön-

---

1) a.a.O. S.1f.
2) ebda. S.2.
3) ebda. S.4.
4) ebda. S.102.
5) ebda. S.XII.

nen (aber nicht müssen, wie noch zu zeigen sein wird). Eine
Untersuchung könnte vielleicht zu dem Ergebnis führen, daß
dem Song in den Stücken generell lediglich "Einlagencharakter" zuerkannt werden kann. So aber wird hier bereits im Ansatz ein wichtiger Zugang zum Verständnis des Phänomens Lied
im Drama verbaut, der Ansatz zu einer Untersuchung nämlich,
welche Funktionen die "Gesänge" im Stück auszuüben in der
Lage sind. Darin liegt aber doch die eigentliche Neuerung
Brechts, daß er hier immer wieder neue Möglichkeiten gesucht
und gefunden hat. Durch thematische Spannungen und motivische
Verknüpfungen hat er eine neue geschlossene Dichte in seinen
Stücken erreicht, die in den besten eben die Vereinigung von
(im Sinne einer strengen Gattungsauffassung) fremden Strukturelementen vergessen und eine neue Formkraft spürbar werden
läßt, die wie jede dichterische Form auf Spannungsverhält-
nissen aufgebaut ist. Diese neue, oder sagen wir besser: veränderte Struktur gilt es darzustellen, in ihren funktionalen
Gliedern zu erkennen.

Die "Gesänge" vor allem der späten Stücke sind mehr als
nur eingelegte Lyrik. Stupinski hält aber an dem Begriff
der Einlage fest, obwohl er zuweilen recht deutlich sieht,
daß das Lied im Stück Brechts diesen Bereich oft genug überschreitet. In der Zusammenfassung der analytischen Untersuchung heißt es sogar:

> "Die Liedeinlagen tauchen von Anfang an nicht als schmük-
> kendes Element auf, sondern spielen eine bestimmte in-
> haltlich differenzierte Funktion. Die Umgestaltung ih-
> rer Form sowie die Behandlung im Kontext des Stückes wei-
> sen darauf hin, daß sie zu einem organischen Bestandteil
> der Brechtschen gesellschaftlich-kritischen Dramenkunst
> geworden sind." 1)

Stupinski sieht allerdings keine Veranlassung, auf den un-
brauchbaren, weil nicht präzise den Sachverhalt wiedergeben-
den Begriff zu verzichten. Und doch wäre das Bild falsch ge-
zeichnet, wenn nicht erwähnt würde, daß auch Stupinski leise
Zweifel hegt, ähnlich wie in Bezug auf den Song-Begriff:

> "Im Wesen der Einlage steckt das Gebot der Unterordnung,
> des Teilwerdens des Stückes. Den Terminus technicus

---

1) Z.Stupinski: a.a.O. S.122.

wollen wir jedoch nicht als Grundlage unserer Betrachtung nehmen und fügen sofort hinzu, daß er den Sachverhalt nicht adäquat wiedergibt." 1)

Genau das aber hat er bis zu diesem Punkt der Arbeit nicht
verhindern können.

Die Auffassung vom Lied als "Einlage" legt unter anderem
das Gewicht der Untersuchung zwangsläufig auf das Lyrische.
Noch in der Einleitung steht eine Definition, die - mit einigen Abstrichen bzw. Akzentverlagerungen - auch die der vorliegenden Arbeit ist.

"Das Spezifische des Songs bewirkt, daß wir ihn weder als
einen untergeordneten Teil des Stückes noch als ein
Bruchstück des lyrischen Werkes auffassen, sondern ihn
als eine ganz besondere Qualität betrachten, die nicht
anders als in der Verbindung von zwei verschiedenen und
sich gegenseitig auf dem Theater befruchtenden Gattungen
besteht." 2)

Die "Analytische Untersuchung" im ersten Teil der Arbeit
jedoch betont, daß die "Welt der Liedeinlagen" nicht identisch sei "mit der Wirklichkeit der Stücke"3), daß die Wirklichkeitsgestaltung stets in "historisch gegebenen Gattungen
der Lyrik"4) erfolge. Das Lied wird allzu sehr als "lyrische
Einlage" betrachtet und folgerichtig geht es im 2. Hauptteil
um "die lyrische Einlage in ihrer gattungsgeschichtlichen
Konkretisierung", d.h. im Bereich des Lyrischen. Die Frage
des verschieden gearteten schöpferischen Klärungsprozesses
in Lyrik und Drama spielt bei Stupinski eine große Rolle.

Ernst Schumacher beschäftigte sich bereits mit den "Zusammenhängen zwischen dramatischem Experiment und lyrisch-
gedanklicher Selbstverständigung", ein Phänomen, das sicherlich einer noch eingehenderen Untersuchung wert ist, zumal
das Nebeneinander vieler Themen und Motive im Lyrischen und
im dramatischen Bereich sehr auffällig ist. Sicherlich ist
hier ein möglicher Ansatzpunkt für mancherlei Erscheinung im

---

1) a.a.O. S.
2) ebda. S.9.
3) ebda. S.122.
4) ebda.
5) E.Schumacher: a.a.O. S.154.

Bereich des Liedes im Stück gegeben. Doch ist hier auch an-
zumerken, daß der Prozeß, in dem diese Lieder entstanden
sind, nicht immer und unbedingt einen lyrischen Vorgriff
oder Versuch einer Vorklärung darstellte. Solange Stupinski
das Lied in seiner funktionalen Gebundenheit in der dramatischen Struktur sieht, kommt er zu recht wertvollen Beobachtungen wie etwa dieser über die "Einlage in den frühen Stükken":

> "Bild, Metapher, Topos haben in den Einlagen gattungsmä-
> ßig eine übergreifende, zur Synthese drängende Kraft.
> Sie gestatten dem Dichter in tropischer Form Sinnsphä-
> ren ins Leben zu rufen, zu denen die dramatischen Vor-
> gänge nicht vordringen." 1)

Zweifel aber melden sich an, wenn im gleichen Atemzug be-
hauptet wird, die Lieder würden "auch dort, wo die Realität
mimetische Gestalt annimmt, andere Erfahrung"2) wiedergeben
als das Drama. Als Gegenbeispiel sei nur die " B a l l a -
d e v o m T o d i m W a l d " in BAAL genannt. Wichtig
im übrigen ist nicht, daß die Wirklichkeitsgestaltung des
Liedes im Stück stets in historisch gegebenen Gattungen der
Lyrik erfolgt. Es ist selbstverständlich, daß der Dramatiker,
wenn er für bestimmte Funktionen bzw. Aussagen Ausdrucksmög-
lichkeiten sucht, zu bestimmten Liedformen greift, die der
dramatischen Intention am dienlichsten sind. Hier die Entwicklung aufgezeigt zu haben, ist das Verdienst Stupinskis.
Wichtiger erscheint uns vielmehr, in welcher Weise es dem
Dramatiker gelungen ist, das Lied in einer veränderten dramatischen Struktur zu integrieren. Dabei hilft uns auch der Begriff des 'Ensemble-Stils' nicht weiter, den Stupinski bemüht, um das Besondere des Phänomens 'Lied im Drama' zu kennzeichnen. Auch dieser Terminus, der im Grunde nichts anderes
als "Gesamtkunstwerk" meint, ist unpräzise und bereits theatergeschichtlich in ähnlicher Weise belastet wie der der Einlage. Er trifft in der festgelegten Abgrenzung wohl eher auf
einige der frühen Stücke, teilweise noch auf die Lehrstücke

---

1) Z.Stupinski: a.a.O. S.43.
2) ebda.

zu, weniger aber auf die Stücke des Exils. Auch hier wird
eher die Diskretheit der Ensemble-Teile, nicht aber das Zu-
sammenspielen in der Funktionalität betont.

Umrisse der geplanten Untersuchung

Die beiden vorhergehenden Exkurse haben uns einmal die
Auseinandersetzung mit der wichtigsten Arbeit auf dem Gebiet
des Songs gebracht, die als polnische Arbeit (maschinen-
schriftliche Dissertation!) in Deutschland nur schwer zugäng-
lich und nicht zuletzt aus diesem Grunde hier so ausführlich
zitiert ist. Zum anderen wurde es uns so gleichzeitig ermöglicht, die einzusetzenden Begriffe zu präzisieren und den eigenen Ansatz im Methodischen zu formulieren. Im folgenden
soll nun der Weg der geplanten Untersuchung näher geklärt
werden, so wie er sich aus der einleitenden Erläuterung unseres besonderen Ansatzes bietet, der kurz gesagt den Schwerpunkt auf die dramatische Struktur legt.

Das Problem der Verbindung der Künste im Dramatischen ist
im Ursprung des Dramas begründet, älter also als alle theoretisierenden Überlegungen zur Poetik und Ästhetik überhaupt.
Es muß einer eigenen Untersuchung vorbehalten bleiben, die
verschiedenen Ansätze zu seiner Lösung durch die Historie hindurch nachzuzeichnen. Es sei hier nur verwiesen auf die knap-
pe, aber konzise Darstellung, die Volker Klotz in bezug auf
das Lied in der offenen und der geschlossenen Form des Dramas gibt[1]. Stupinskis abschließender Exkurs "Zur Tradition
der lyrischen Einlage im Drama"[2] gibt auf engstem Raum lediglich einige Hinweise und verzichtet darauf, Zusammenhänge
und Entwicklungen aufzuzeigen.

Wir selbst nun sehen durchaus das Phänomen "Lied im Drama"

---

1) V.Klotz: Offene und Geschlossene Form im Drama.
   S. 205ff.
2) S.152-153.

in seinen historischen Bezügen, gehen aber nach diesen Vor-
überlegungen - einer bewußten Einschränkung des Themas fol-
gend - lediglich auf bestimmte, unmittelbar vorbereitende
Anregungen und Anstöße zur Technik des Liedes in den Stücken
Brechts bis 1933 ein, so wie sie sich vor allem in den theoretischen Äußerungen Brechts widerspiegeln, von denen im
übrigen erstaunlich wenige nur zu unserer Thematik direkt
Stellung nehmen. Es geht hier um Einflüsse auf die neue Gattung des Liedes im Drama, um die entscheidenden Anregungen
zu seiner Aufnahme und seiner Verknüpfung im dramatischen
Kontext.

Die nächsten beiden Kapitel bringen dann den Versuch einer Ästhetik des "Liedes zu Stücken" in den Arbeiten Brechts
nach 1933. Der Schwerpunkt der Untersuchung liegt auf den
großen Stücken des Exils, da hier eine besondere Meisterschaft im Einsatz des Liedes erreicht wurde. Selbstverständlich sind jedoch die Lehrstücke ebenso wie die frühen Stücke
mehr oder weniger am Rande miteinbezogen. Diese eigentliche
Untersuchung des Liedes im Stück Brechts verzichtet weitgehend auf Chronologie einer inneren Entwicklung. Sie ist von
der übrigen Forschung bereits mehrfach für das dramatische
Schaffen Brechts im allgemeinen, von Zbigniew Stupinski für
den Aspekt des Liedes im besonderen schon geleistet worden.
Es geht in dieser Arbeit vielmehr um eingehendere Differenzierung, um Bestandsaufnahme im Feld des Experiments. Das
setzt allerdings die Kenntnis der theoretischen Grundlagen
des Brecht-Theaters voraus.

In Schwerpunkten, die durch den Blick auf das Lied im
Drama bestimmt sind, und auf der Basis vor allem der theoretischen Äußerungen Brechts selbst soll zunächst der ästhetische Raum bestimmt werden, in den das Lied hineingestellt
wird. Die Abschnitte über allgemein-ästhetische Anschauungen
Brechts und seine Auffassung vom Theater und die Erörterung
seiner Fabelkonzeption stellen im besonderen die Beachtung
der Bewegungsgesetze des dialektisch-materialistischen Inhalts heraus. Da Brecht das Formale den Gesetzen und Bewegungen der so begründeten Inhalte folgen läßt, müssen die
verschiedenen Erscheinungsformen immer auch unter dem in-

haltlichen Aspekt betrachtet werden, der ja zu dieser Vielfalt führte.

Im vierten Kapitel wird die eigentliche Bestimmung des
ästhetischen Standorts dieser "Lieder zu Stücken" in den Mittelpunkt der Untersuchung gerückt. Auch hier geht es wiederum nicht um Chronologie, sondern um Bestandsaufnahme. Dieses Verfahren findet seine Rechtfertigung auch hier nicht zuletzt in der Arbeitsweise Brechts, die geprägt ist durch das
wache Experiment:

> "Beinahe jede neue Aufgabe erforderte neue Methoden. Soll
> die Wirklichkeit so wiedergegeben werden, daß auf Grund
> der Wiedergabe ein gesellschaftlicher Eingriff in sie er-
> folgen kann, so müssen die Methoden schon wegen der stän-
> dig sich wandelnden gesellschaftlichen Situation, in der
> der Eingriff erfolgen muß, geändert oder ausgewechselt
> werden." (B.B. 15.314)

Brecht nannte seine Stücke "Versuche", Versuche, die er zur
Diskussion stellen wollte, wie er überhaupt die Diskussion
über alles liebte. Diese Versuche, einen eigenen Weg der Darstellung zu finden ("Wozu die Gründe sagen, zeigen Sie den
Vorschlag" (B.B.16.760), war eine seiner beliebtesten Bemer-
kungen, wenn er Regie führte!), tragen es in sich, daß sie
verändert, verbessert werden können. Ein Eingriff, das war
die eiserne Spielregel, sollte jedoch nur dann erfolgen,
wenn Klarheit über den Versuch, seine Intention und seinen
Verlauf gewonnen wurde. "Brecht glaubte nicht an 'Stimmung',
er glaubte an das Experiment. Das Experimentieren war seine
Leidenschaft", schreibt Lion Feuchtwanger[1], der Mitarbeiter
des 'frühen' Brecht. Auch die "Gesänge" sind diesem Prozeß
unterworfen. Immer wieder werden sie in Aussage und Form und
struktureller Verknüpfung überprüft, in Frage gestellt und
neu entwickelt. "Gibt es im großen ein Ungefähr, so gibt es
das nicht im kleinen." (B.B. 16.735). Ihn interessieren
nicht allein überkommene Formen, nicht allein die einmal er-
reichte verfremdende Wirkung, die von dem Wechsel der Form,
vom Übergang von der Prosa zum Vers, von dem dramatischen

---

1) L.Feuchtwanger: Bertolt Brecht. In: Sinn und Form. 2.Son-
   derheft Bertolt Brecht. Berlin 1957. (S.152-158)
   S.103.

Sprechen zum gehobenen Sprechgesang überhaupt ausgingen. Indem er die Elemente seines Theaters immer wieder auf Brauch-
barkeit untersuchte, ihre Einsatzmöglichkeiten ausweitete
und umwandelte, gelangte er zu neuen Aussageformen, zu einem
unerhörten Nuancenreichtum, den es hier aufzuzeigen gilt.
Es soll also nicht der Verlauf des Experiments, sondern
sozusagen seine einzelnen Stufen im Ergebnis protokolliert
werden. Dadurch haben wir den Vorteil einer relativen Freiheit gegenüber dem Stoff, der Fülle der Probleme, die im
Stück selbst begründet sind. Es soll also differenziert und
systematisiert werden, wo die Forschung bisher recht summarisch vorging. Klotz etwa spricht von wesentlichen Änderungen
in der dramaturgischen Verarbeitung im Laufe der Zeit[1], erwähnt aber nur einige wenige. R.Grimm stellt ebenfalls Unter-
schiede in der thematischen Verknüpfung von Anfang an fest,
doch unterscheidet er lediglich zwischen dem "allmählich aus
der Handlung heraus motivierten Übergang in den Gesang" und
der "offenen Verwandlung der Schauspieler in den Sänger" und
stellt summarisch fest: "Ebenso verhält sich das aus der
dramatischen Situation erwachsene Lied, das einen Vorgang be-
leuchtet, zu dem außerhalb des Spielgeschehens vorgetragenen
kommentierenden Song".[2] Hier soll also unsere Untersuchung
ansetzen.

Es liegt - bedingt durch unseren besonderen Ansatz -
der Schwerpunkt also auf der Beziehung des Liedes zur Fabel.
Das Lied ist Bestandteil der Fabel und erfüllt dementsprechend hier eine ganze Reihe von Funktionen. Es ist aber zugleich auch selbständiger lyrischer Ausdruck und ist somit
in der Lage, verschiedene Aussageinhalte zum Tragen zu bringen. Auch diese sollen differenziert werden. In diesen Über-
sichten zu Brechts Liedkonzeption sind immer wieder Auskünf-
te auch zum Lied im Drama allgemein anzutreffen.

Damit ist der Rahmen unserer Untersuchung abgesteckt. Weitere Überlegungen methodischer Art ergeben sich dann im

---

1) V.Klotz: a.a.O. S.115.
2) R.Grimm: a.a.O. S.61.

Schritt der Untersuchung und sind dort zu finden. Ebenso
auch die Auseinandersetzung mit der übrigen Forschung, die
allerdings nur durch Zbigniew Stupinski den Versuch einer
Gesamtdarstellung des Liedes im Stück Bertolt Brechts unternommen hat. Die vorliegende Arbeit bezieht in besonderer
Weise die theatralische Gestalt der "Gesänge" in die Betrachtung ein. Denn entscheidend für das Brecht-Drama ist einmal,
daß es ohne Brecht-Theater nur Stückwerk, unvollendet und
Partitur ist. Erst durch die Bühne erhält das Stück seine
wahre Ausprägung, nicht zuletzt durch die Modellinszenie-
rungen Brechts, die ihnen neue Dimensionen eröffnen. Brecht
war wie kaum ein anderer Dramatiker vor ihm von der Bühne
abhängig, auch im Exil sucht er immer wieder unter größten
Schwierigkeiten den Weg zu ihr. So ist es notwendig und nützlich, das gedruckte Stück und seine Regieanweisungen zu ergänzen durch seine theaterkritischen Äußerungen und durch
Berichte über seine eigene Regieführung.

Die Behandlung auch des theatralischen Aspekts in unserer
Untersuchung hat aber noch einen weiteren Grund. Sie geschieht aus der Überlegung heraus, daß die musikalische
Komponente des "Liedes zu Stücken" durchaus einkalkuliert,
ja zuweilen geradezu tragend in Aussage und Wirkung angelegt
ist. Sie muß also zwingend in unsere Überlegungen miteinbezogen werden. Es soll hier allerdings keine musikwissen-
schaftliche Untersuchung durchgeführt werden, "uns hat lediglich die dramaturgisch-bühnentechnische Funktion der Musik zu beschäftigen, wie es Walter Hinck[1] formuliert hat.
Der Bezug zu der auf theatralische Wirkung ausgerichteten
Musik schließt also unsere Überlegungen zum Phänomen Lied
im Drama Brechts ab.

Wir setzten an den Anfang dieser methodischen Überlegungen die Aufforderung Brechts an die Nachgeborenen, alle seine Gedanken umzusetzen und aufzubrauchen. In der vorliegenden Arbeit geschieht es an einem kleinen, vielleicht un-
scheinbaren Teilaspekt seines Werkes, was zudem leicht dazu
verführen könnte, im Formalistischen hängen zu bleiben. Dem

---

1) W.Hinck, a.a.O., S.110.

zu entgehen, waren diese weitgesteckten methodischen Überlegungen notwendig. Denn wichtiger erscheint es, über das Formale stets die besondere Leistung Brechts im Auge zu behalten, die der italienische Regisseur Georgio Strehler in seiner Rede auf der Abschlußveranstaltung des Brecht-Dialogs
1968 folgendermaßen formuliert:

> "... vergessen wir nie, daß vielleicht die größte und
> eindeutigste Lehre, die Brecht uns mit seinem Werk hin-
> terlassen hat, die Möglichkeit ist, mit dem widersprüch-
> lichen und sogar blutigen Material unserer Zeit 'eine
> Poesie[1]) zu machen, eine Poesie und eine Wahrheit zu fin-
> den."

---

1) Brecht-Dialog 1968. Berlin 1968. S.249.

II. VORBEREITENDE ANREGUNGEN ZUR TECHNIK DES LIEDES IM STÜCK BIS 1933

Bereits in der Einleitung wurde betont, daß der Schwerpunkt unserer Untersuchung der Lieder in den Stücken Brechts im Bereich der großen Stücke des Exils liegt. Es ist allerdings unumgänglich, die bis zu diesem zeitlichen Einschnitt, dem Jahre 1933 nämlich, relevanten geistesgeschichtlichen und ästhetischen Bezüge des Brechtschen Werkes zu überblicken, soweit sie für unsere eigentliche Thematik, nämlich das Phänomen "Lied im Drama" von Bedeutung sind. Zugleich sollen dabei alle die theoretischen Äußerungen Brechts einbezogen werden, in denen er sich in direkter Weise zu unserer Problematik äußert.

BAAL

Jene Verbindung von lyrischer und dramatisch-theatralischer Begabung, die wir bereits erwähnt haben, bestimmt in hohem Maße die dramatische Gestaltung seines Erstlings BAAL, der freilich noch stark zum lyrischen Ausdruck hinneigt. Die Feststellung Stupinskis scheint uns nicht ganz stichhaltig zu sein, in diesem Stück seien die Lieder "fast ausschließlich das Mittel der Erkenntnis" der Wirklichkeit. Das gesamte Stück ist in sich ein balladesker Körper, in dem die Lieder eher musikalisch-klanghafte Funktionen erfüllen, musikalisch-klanghafte Felder sind. Schwerlich zu widerlegen ist jedoch die These, daß die Verlegung der Auseinandersetzung des Individuums mit der Umwelt in den Bereich der Natur gleichbedeutend sei "mit dem Unvermögen, die sozialen Probleme konkret zu erfassen"[1]. Die Verlassenheit wird auf lange Zeit zum bestimmenden Motiv, die Verlassenheit zwischen Leben und Tod, Gott und Teufel, Mensch und Natur, Individuum und Gesellschaft. Hier ist kein Platz für ein hohles Heldenpathos. Heldentum ist Brecht nach dem Jahre 1915 fragwürdig geworden. Die Sinnlosigkeit des Krieges rief in ihm sinnlose

---

1) Z.Stupinski: a.a.O. S.26.

Schrecken des Untergangs wach. Hier liegt das Grunderlebnis
des jungen Brecht: der Mensch in seiner Ohnmacht und Unfähig-
keit, die Welt um ihn zu beeinflussen. Bild und Gegenbild
liefern zwei Motive: einmal das Bild der Verwesung, die da-
hintreibenden Wasserleichen inmitten der wuchernden Vegeta-
tion. Es taucht in verschiedenen Variationen beim jungen
Brecht auf. Im Kampf gegen die Natur findet er schließlich
eine neue Heroik des Sterbens. Der andere Motivkreis geht
die Gegenrichtung. Die Gewalt der maßlosen Natur tritt zurück, nimmt zuweilen bloßen Metaphercharakter an: es wird
gezeigt der maßlose Mensch, mit seiner urwüchsig zerstörenden, sich zuweilen selbst zerstörenden Kraft.

"Baal" als Metapher des zivilisatorischen Katastrophismus
ist um die Jahrhundertwende auch bei anderen Dichtern zu finden, u.a. bei Georg Heym und Paul Zech. Darüber hinaus artikuliert sich jedoch bei Brecht unter dieser Metapher ein
schwärmerischer anarchischer Lebenswille. Die Gesellschaft
wird mit der grundsätzlichen Forderung der Kreatur auf Liebe,
auf Sättigung und auf Befriedigung aller seiner Bedürfnisse
konfrontiert. Die vernichtenden Mächte, die hier beschworen
werden, sind also zugleich Gegenmächte gegen die bürgerliche
Welt, der eine ganze Generation von Dichtern und Dramatikern
in Deutschland mit der gleichen Skepsis, oft auch den gleichen Forderungen begegnete. Über diese Generation schreibt
Brecht in der Vorrede zu MANN IST MANN: "Wir kamen auf einer großen, aber nicht sehr sympathischen Welle von Anarchie,
Heeresgutschiebung, Relativitätstheorie und Amerikanismus da-
hergeschwommen." (B.B. 17.974). Diese Generation, die das
Chaos des Ersten Weltkrieges und der sich anschließenden Revolution in sich trug, griff zu Beginn der Zwanziger Jahre
nach dem Theater. Brecht bekannte sich zu dieser Generation,
suchte ihr geistiges Bild mitzuformen und ihren Ausdruck zu
prägen. Die geistige Auseinandersetzung mit Freunden und
Gegnern gehörte bereits zu seiner schöpferischen Methode,
eigene Ansichten zu formulieren und präzisierend weiterzu-
geben. Schon in seiner Augsburger Zeit entwickelte sich seine später so ausgeprägte Fähigkeit zur Teamarbeit, die in
späterer Zeit für die Art seines geistigen Arbeitens geradezu

charakteristisch wurde. Wir haben darauf noch einzugehen.
BAAL, der dramatische Erstling, der auf den ersten Blick so
ausschließlich "Ausdruck einer bestimmten Lage eines bestimmten Individuums"[1] zu sein scheint, weist allerdings
bereits Lieder auf, die eine kollektive Lebenshaltung aufzeigen, wie zum Beispiel " O r g e   s a g t e   m i r " oder
" D a s   L i e d   v o m   H o c h g e r i c h t " . Hier ist
also schon angezeigt, daß Brecht in seinen Stücken über das
individuelle Lied hinausgehen wird.

Karl Valentin

Innerhalb dieser Marginalien soll ein besonderer Hinweis
der Begegnung mit Karl Valentin gelten. Sie wird in der Forschung vielfach erwähnt, doch eigentlich nicht recht weiterverfolgt[2]. 1919 sah Brecht wohl zum ersten Mal in München
einen Auftritt Valentins. Vier Jahre zuvor hatte Valentin
die Direktion des Kabaretts "Wien-München" übernommen. Zu
dieser Zeit entstand eines seiner beliebtesten Stücke: "Die
Orchesterprobe". Es erlebte, immer wieder erweitert und vari-
iert, zahllose Aufführungen. Wir wissen, daß Brecht an diesem
Stück als Statist mitgewirkt hat. Es existiert eine Photogra-
phie davon. Drei Einakter Brechts sind unmittelbar aus dieser Begegnung mit Karl Valentin entstanden: LUX IN TENEBRIS,
ER TREIBT DEN TEUFEL AUS und DIE HOCHZEIT.

---

1) V.Klotz: Offene und geschl.Form ... S.211.
2) Eine Ausnahme ist vielleicht: H.Hoppe: Das Theater der
   Gegenstände. S.29 ff. Hoppe behandelt einmal Karl Valentin (S.29-32), zum anderen (und im Anschluß daran) Bert
   Brecht. Die Übereinstimmung in der Frage der "szenischen
   Funktion der Gegenstände", herangezogen wurden Valentins
   "Der Umzug" und "Der verhexte Notenständer"und Brechts
   "Die Kleinbürgerhochzeit" (1919), ist in der Tat verblüffend. Auf der einen Seite die 'komische Aufhebung' tra-
   ditioneller Theaterverhältnisse durch den Volksschauspieler, auf der anderen Seite die 'scheinbare Aufhebung der
   traditionellen Form' (S.23) durch den rational arbeitenden Dichter. Insgesamt wohl ein erster Versuch, die Be-
   rührungspunkte der beiden näher zu untersuchen, der tiefer dringt.

Ein direkter Einfluß über die Lieder Valentins scheint
allerdings nicht vorzuliegen. Valentin brachte seine Couplets, die doch einigen Erfolg hatten, nicht sehr oft auf
die Bühne. Erwähnenswert wäre vielleicht seine Art, Liedformen zu parodieren, vor allem das Soldatenlied. Doch das taten andere auch. Eines ist jedoch bedeutsam: In dieser Zeit
entwickelt Karl Valentin bereits einen Darstellungsstil,
wie ihn Brecht später für sein Theater forderte: er zeigte
seine Figuren, er spielte sie nicht, er verwandelte sich
nicht in sie. In der dritten Nacht des "Messingskaufs" gesteht Brecht, daß er in seiner Münchener Zeit am meisten gelernt habe "von dem Clown Valentin, der in einer Bierhalle
auftrat" (B.B. 16.598). Und er gibt hier ein konkretes Beispiel für die Hilfen, die Valentin ihm geben konnte: "Als
der Stückeschreiber sein erstes Stück aufführte, in dem eine
halbstündige Schlacht vorkam, fragte er Valentin, was er mit
den Soldaten machen sollte:"Wie sind Soldaten in der
Schlacht?" Der Valentin antwortete, ohne sich zu besinnen:
/"Weiß sans, Angst hams."_7 Also wurden die Gesichter der
Schauspieler weiß gekalkt, um ihre Angst zu zeigen." (B.B.
16.599).

"Was ist hier passiert" lautet der Titel einer Straßenszene Valentins[1]. Diese Szene erscheint noch beim späten
Brecht als "Grundmodell einer Szene des epischen Theaters"
während der zweiten Nacht des "Messingkaufs":

"Der Augenzeuge eines Verkehrsunfalls demonstriert einer
Menschenansammlung, wie das Unglück passierte. Die Um-
stehenden können den Vorgang nicht gesehen haben oder
nur nicht seiner Meinung sein, ihn 'anders sehen' - die
Hauptsache ist, daß der Demonstrierende das Verhalten des
Fahrers oder des Überfahrenen oder beider in einer sol-
chen Weise vormacht, daß die Umstehenden sich über den
Unfall ein Urteil bilden können." (B.B. 16.546)

Dies liest sich fast wie ein Bericht der vorgenannten Szene.
Und das folgende kennzeichnet zugleich die wache Beobachtungs-
gabe Brechts und seine Art, Einflüsse kritisch analysierend

---

1) Die Szene ist nicht in die Ausgabe der bei Piper erschie-
nenen Gesammelten Werke aufgenommen. Sie ist jedoch auf
Schallplatte enthalten: Ariola-Athena (Sonderauflage) 60
456.

aufzunehmen. Zugleich ist es aber nichts anderes als die
Analyse des Darstellungsstils von Karl Valentin.

"Seine (des Augenzeugen, B.T.) Demonstration würde ge-
stört, wenn den Umstehenden seine Verwandlungsfähigkeit
auffiele. Er hat es zu vermeiden, sich so aufzuführen,
daß jemand ausruft: 'Wie lebenswahr stellt er doch einen Chauffeur dar!' Er hat niemanden 'in seinen Bann zu
ziehen'. Er soll niemanden aus dem Alltag in 'eine hö-
here Sphäre' locken. Er braucht nicht über besondere
suggestive Fähigkeiten zu verfügen ... Die Vorführung
eines Straßendemonstranten hat den Charakter der Wiederholung. Das Ereignis hat stattgefunden, hier findet die
Wiederholung statt. Folgt die Theaterszene hierin der
Straßenszene, dann verbirgt das Theater nicht mehr, daß
es Theater ist, so wie die Demonstration an der Straßen-
ecke nicht verbirgt, daß sie Demonstration (und nicht
vorgibt, daß sie Ereignis) ist." (B.B. 16.547ff)

Hier ist der Einfluß von Karl Valentin also eindeutig nachweisbar, und dabei zugleich auch die Art Brechts, diesen
Einfluß zu verwerten.

Brecht führt dieses Modell einer Straßenszene später noch
weiter aus. Diese Stelle ist interessant im Hinblick auf unser Problem 'Lied im Drama':

"Leichter erkennbar als Element jeder beliebigen Demonstration auf der Straße ist der unvermittelte Übergang
von der Darstellung zum Kommentar, der das epische Theater charakterisiert. Der Straßendemonstrant unterbricht,
so oft es ihm möglich erscheint, seine Imitation mit Er-
klärungen. Die Chöre und projizierten Dokumente des epischen Theaters, das Sich-direkt-an-die-Zuschauer-Wenden
seiner Schauspieler, sind grundsätzlich nichts anderes."
(B.B. 16.554)

Hierauf wird im Zusammenhang mit der Untersuchung der Funktionen des Songs in den Stücken Brechts zurückzukommen sein.
Das Zitat mag an dieser Stelle zunächst für sich selbst sprechen.

Auf die sprachlichen Verbindungen zwischen Valentin und
Brecht wird von der Forschung des öfteren verwiesen. Da ist
der Angriff auf die Starrheit und Formelhaftigkeit der Sprache zu erwähnen. Automatisch aufgenommene Sprechzusammenhän-
ge werden mit Hilfe sprachlicher Verfremdungskunst aufge-
brochen. Die Logik vertrackter Wortspiele scheint sich selbständig zu machen. Die klar erkennbare Absurdität der umge-
wandelten sprachlichen Formen aktiviert das kritische Bewußtsein. Ebenso erhalten einfache Sprichwörter, auch bekannte Redewendungen, durch kleine Veränderungen neue und

zuweilen recht aufreizende Aspekte, bittere Lebensweishei-
ten. Diese Bewegungen werden in der Tat gesteuert durch die
Tendenz zur sozialen Kritik. Durch den Humor, durch zuweilen groteske Verzerrung werden menschliche Haltungen entlarvt, soziale Mechanismen aufgedeckt. Eine solche Technik
ist in der Geschichte des Liedes nicht unbekannt. "Ça ira"
ist wohl das bekannteste Beispiel. Eine Redensart Benjamin
Franklins ("Es wird schon gehen!") war zunächst nichts anderes als ein harmloser, sprichwörtlich gewordener Ausdruck. Hier wird er in provokatorischer Weise projiziert
auf die soziale Auseinandersetzung und wirkt plötzlich geradezu explosiv.

Auch die für Valentin so typische Erscheinung eines Dia-
logs, der aus seiner beklemmenden Kreisbewegung nicht heraus-
zukommen vermag, findet sich zuweilen bei Brecht. Max Herr-
mann-Neiße beschrieb sie in einer Kritik über Valentins Auftreten in Berlin als "spiralenförmig ins Nichts verlau-
fend".[1] Es wird durch diese Art von Dialog letzten Endes
keine Verständigung angestrebt, wir haben es eher mit einem
bloßen Parallelismus von Monologen zu tun. Die Erscheinung,
daß isolierte Monologe als Dialoge verkleidet auf die Bühne
gebracht werden, hat eine historische Entwicklung, die schon
vor Wedekind einsetzt. Hans Mayer hat darauf aufmerksam gemacht und auch die Ursache für diese Art der sprachlichen
Mitteilung aufgedeckt, die Brecht und Valentin gemeinsam
aufweisen:

> "Brecht hat mit ihm von Anfang an nicht bloß das span-
> nungsreiche Verhältnis des Außenseiters zur Umwelt ge-
> meinsam, sondern auch die Neigung zum Denken in Wider-
> sprüchen, die Weigerung, das Alltägliche und Vertraute
> zu akzeptieren." [2]

Beiden gemeinsam ist also der Wesenszug einer wachen geistigen Unruhe. Und Verfremdung ist letzten Endes nichts anderes als die "Weigerung, das Alltägliche und Vertraute zu
akzeptieren", freilich dann weiterentwickelt von einem
Stückeschreiber, der die Veränderung fordert. Die dialektische Grundhaltung wird zielgerichtet.

---

1) In: Der Kritiker. 6.Jg. 1924. Heft Sept./Okt. S.10.
2) H.Mayer: Bertolt Brecht und die Tradition. S.29.

Das Sprachliche verlassend verweisen wir noch auf eine
weitere Gemeinsamkeit, die in der theatralischen Technik zutage tritt. Die Spannung auf die Handlung nimmt bei beiden
eine weitgehend untergeordnete Funktion ein. Valentin und
Brecht streben danach, das Alltägliche durchschaubar zu machen. In Valentin begegnete Bracht darüber hinaus ein Volksschauspieler, der seine Stücke ständig veränderte, sich ganz
und gar dem Experiment verschrieben hatte. Auch hier zeigt
sich die geistige Unruhe beider: sie probten jeden Vorschlag,
bevor sie ihn akzeptierten oder verwarfen. Und sie betrachte-
ten niemals ein Stück als endgültig festgelegt, da auch das
Leben ihrer Umwelt ständigen Veränderungen unterlag. Es ist
erstaunlich, wie viel Brecht diesem Mann verdankt, den er
in einer Augsburger Kritik aus dem Jahre 1922 als "eine der
eindringlichsten Figuren der Zeit" (B.B. 15.39) vorstellte.

Brechts Begegnung mit Karl Valentin, die wir hier überblickt haben, fällt in eine Zeit seiner Entwicklung, in der
er sich sehr engagiert mit dem Theaterbetrieb seiner Zeit
auseinandersetzt. Noch als Student wird er Theaterkritiker
am "Augsburger Volkswillen", ein Theaterkritiker mit im Grunde eindeutig politischer Konzeption, dem das Formale als
Selbstzweck ein Greuel ist. In dieser Zeit liegen die beiden
Pole seiner dichterischen Potenz noch klar zutage: die stark
eklektische Seite seines kritisch sezierenden Verstandes und
die ursprüngliche Seite seiner dichterischen Sprachkraft. Im
Rückblick auf diese Zeit schreibt er in der Vorrede zu MANN
IST MANN: "Und das, was man uns fragte, war: Wie ist eure
Ästhetik? Sie war nicht imponierend. Man sah bestenfalls
Kraft, aber keineswegs klare Formen." (B.B. 17.975)

Inszenierung elisabethanischer Stücke in München

Brecht beschäftigt sich in der Münchener Zeit sehr stark
mit dem Theater Shakespeares und der Elisabethaner. In den
Tragödien will er Clowns den Umbau auf offener Szene kommentieren lassen. Eine interessante Überlegung, wenn man sich
vergegenwärtigt, daß ja einmal die lustige Person, insbesondere der Pickelhäring, das moralisierende Lied verdrängte,
ebenfalls durch unmittelbare Berührung mit dem Publikum die

theatralische Illusion aufhebend. Unter dem Datum des 1.Sept.
1920 schreibt Brecht in seinen Notizbüchern:

"Wenn ich ein Theater in die Klauen kriege, engagiere
ich zwei Clowns. Sie treten im Zwischenakt auf und machen Publikum. Sie tauschen ihre Ansichten über das
Stück und die Zuschauer aus. Schließen Wetten ab über
den Ausgang." (B.B. 15.50f.)

Noch erscheinen seine ästhetischen Überlegungen roh und unbe-
hauen, doch lassen sie schon in dieser Zeit ihre spätere
Ausformung erkennen. In seinen Notizen "Zur Ästhetik des
Dramas" äußert er sich, ebenfalls 1920:

"So widerlich die Mischung von zwei Stilarten in einem
Kunstwerk sein kann, es bedarf doch nur der Häufung des
Fehlers, daß eine echte Wirkung entsteht: Man mischt
mehr Stile. Das kolossale Format entschuldigt alles."
(B.B. 15.55)

Man wird in der Tat an MAHAGONNY erinnert. Doch welche Sicherheit des Denkens wie des Schreibens hat er in dieser
Oper inzwischen gewonnen. Man kann das den Anmerkungen ent-
nehmen, die er dem Stück beigefügt hat. Darauf wird noch
einzugehen sein. Zunächst ist folgendes festzustellen: in
dem Maße, in dem der Dramatiker an Profil gewinnt, werden
die 'Gesänge' in zunehmendem Umfang unter dem Blickwinkel
der Stücke geschrieben, für die sie vorgesehen sind.

Es ist interessanter Weise die Bearbeitung eines Stückes
von Marlowe, in das er zum ersten Mal ein Lied einfügt, das
direkt für das Stück geschrieben ist und nicht etwa bereits
in irgendeiner Form zuvor einmal veröffentlicht sei es in
Anthologien oder Gedichts-Bänden, erschienen war. Allerdings ist dieses Lied ("E d d i s   K e b s w e i b   h a t
e i n e n   B a r t   a u f   d e r   B r u s t") in seiner
"exakten Bezogenheit auf das dramatische Gesehehen"[1] in
eher konventioneller Weise verwandt. Und doch beginnt hier
eine Entwicklung, die man erkennen muß und auf die auch
Stupinski hingewiesen hat: in zunehmendem Maße wird Erkenntnis nun "auf doppelte Weise, dramatisch und lyrisch, über-
mittelt".[2] In dem Stück TROMMELN IN DER NACHT wird noch
bürgerliches Liedgut ("I c h   b e t e   a n   d i e M a c h t

---

1) Stupinski: a.a.O. S.42.
2) ebda. S.43.

d e r   L i e b e " u.a.) in grotesk-parodistischer Weise
verwandt. In der DREIGROSCHENOPER und in MAHAGONNY wird Lyrik früherer Jahre und auch fremder Provenienz umgearbeitet.
Spätestens mit MANN IST MANN jedoch, einem ausgesprochenen
Übergangsstück, werden Lieder in den späteren Fassungen eigens unter dramaturgischen Gesichtspunkten gefertigt. Dabei
muß erwähnt werden, daß Brecht auch in späterer Zeit noch
auf bewährte Lieder zurückgreift, wenn sich für ihn die Notwendigkeit dazu ergab.

Die Opernexperimente

Der häufige Einsatz von Songs in den frühen Fassungen von
MANN IST MANN kündigen die Opernexperimente der kommenden
Jahre an, die wir bereits mehrfach gestreift haben. Einige
Aspekte dieser Versuche sind auch für unsere Problematik so
interessant, daß sie kurz behandelt werden sollen. Die Frage
nach dem Verhältnis Brechts zur Musik im allgemeinen wie
auch die Frage nach der Zusammenarbeit mit verschiedenen
Komponisten spielen an dieser Stelle bereits eine gewisse
Rolle, werden aber später noch erörtert.

Brecht scheint ein eigenartiger, eigenwilliger Librettist
gewesen zu sein. Hier wäre eine eingehendere Untersuchung
sicherlich sehr nützlich. Sie hätte auszugehen zunächst einmal von diesen ersten, gemeinsam mit Kurt Weill unternomme-
nen Versuchen, die Jazz- und Tanzrhythmik der Zeit in die
sehr eigenartige Form einer "Kabarettoper" mit stark revue-
haften Zügen einfließen zu lassen. Eindeutigkeit in der
(hier bereits vorhandenen, allerdings in verschiedenen Partien sehr unklaren, zuweilen zweifelhafte Dienste leisten-
den) sozialkritischen Haltung streben die Versuche mit der
Schuloper an, die er sodann mit Eisler abschließt. Hier
geht es, präzise gesagt, nicht um Sozialkritik, sondern bereits um Klassenkampf. Mit Dessau letzten Endes sollte darüber hinaus die sozialistische, - fast wäre man versucht zu
sagen, die nachrevolutionäre große Oper entstehen. Für unseren Zusammenhang ist jedoch von besonderem Interesse die
erwähnte erste Auseinandersetzung mit der Oper. Brechts Äußerungen zu dem Problem Song bzw. Lied im Drama beginnen mit

diesen seinen Überlegungen zur Opernreform. Das ist der
Grund, warum sie besondere Aufmerksamkeit verdienen.

Die Oper stand in diesen Zwanziger Jahren im Kreuzfeuer
kritischer Auseinandersetzungen, nicht zuletzt hervorgerufen durch avantgardistische Versuche Strawinskis, Alban
Bergs und auch Hindemiths. In seinen Anmerkungen zur Oper
AUFSTIEG UND FALL DER STADT MAHAGONNY, die Brecht zuerst
1930 im 2. Heft der "Versuche" veröffentlichte, gab er zusammen mit Peter Suhrkamp eine Analyse der Situation:

> "Seit einiger Zeit ist man auf eine Erneuerung der Oper
> aus. Die Oper soll, ohne daß ihr kulinarischer Charak-
> ter geändert wird, inhaltlich aktualisiert und der Form
> nach technifiziert werden ... Es werden also - von den
> Fortgeschrittensten - Neuerungen verlangt oder vertei-
> digt, die zur Erneuerung der Oper führen sollen - eine
> prinzipielle Diskussion der Oper (ihrer Funktion!) wird
> nicht verlangt und würde wohl nicht verteidigt." (B.B.
> 17.1004) 1)

Zwei Jahre zuvor hat er bereits den eminent politischen
Aspekt seiner Reformidee in den fragmentarisch erhaltenen
Skizzen "Über eine neue Dramatik" klar und deutlich formuliert: "Der Schrei nach einem neuen Theater ist der Schrei
nach einer neuen Gesellschaftsordnung" (B.B. 15.172). Und
lapidar stellt er fest: "Die alte Form des Dramas ermöglicht es nicht, die Welt so darzustellen, wie wir sie heute
sehen. Der für uns typische Ablauf eines Menschenschicksals
kann in der jetzigen dramatischen Form nicht gezeigt werden." (B.B. 15.173). Hinter diesen ersten Opernversuchen
steht also ein - wenn auch zunächst noch nicht genau fixier-
tes - politisches Programm. Dies sollte nicht aus den Augen
verloren werden und schließlich auch Maß für die Kritik
sein, denn letzten Endes liegt hier Brechts eigentlicher Beitrag zur Diskussion um die dramatische Form der Oper in den
Zwanziger Jahren.

Die "neue Oper" sollte nach den Vorstellungen Weills und

---

1) In diesem Zusammenhang ist der Entwurf eines Offenen
   Briefes an Hindemith aus dem Jahre 1934 von Interesse.
   Brecht weist hier daraufhin, daß die Musik wie jede andere Kunst Anteil an der Entwicklung der Gesellschaft
   hat. Dies begründet hier auch seinen Aufruf an Hindemith, seine Kunst nicht dem Nationalsozialismus zur
   Verfügung zu stellen. (B.B. 18.219-221).

Brechts den Song als tragendes Element aufnehmen. Formuliert ist dieser Neuansatz als eine radikale Absage an die bürgerliche Oper. Der erste Versuch in dieser Richtung, die 1928 in Berlin uraufgeführte DREIGROSCHENOPER, erscheint noch wenig abgeklärt und prononciert, was auch in den Anmerkungen zu diesem Stück seinen Niederschlag findet. In einem Beitrag zur Augsburger Premiere am 13.1.1929 schreibt Brecht: "Da uns heute ein so großer Anlaß zur Parodie wie die Händelsche Oper fehlt, wurde jede Absicht zu parodieren aufgegeben. Die Musik ist vollständig neu komponiert" (B.B. 17.990). Hier sind jedoch bereits Zweifel anzumelden. Parodistische Elemente finden sich in diesem Stück allenthalben nicht nur in den lyrischen Einlagen. Von ebenso zweifelhaftem Wert ist die weitere Information in bezug auf die Form, die Brecht hieran anschließend gibt: "Formal stellt 'Die Dreigroschenoper' den Urtypus einer Oper dar: Sie enthält die Elemente der Oper und die Elemente des Dramas." (B.B. 17.990). Hier erhebt sich natürlich die Frage, was überhaupt unter einem Urtypus der Oper zu verstehen ist. Bei dieser Unschärfe in der Analyse des Bestehenden ist es nicht verwunderlich, daß das Produkt dieser Parodie eigentlich nicht so sehr die Oper trifft, sondern tatsächlich eher in der Nähe der Operette angesiedelt ist. Dieser Aspekt ist so verblüffend, daß er einmal weiterverfolgt werden soll.

Die Grenzen zwischen beiden Formen, Oper und Operette, sind von Beginn an fließend. Im Laufe der Entwicklung und im besonderen in der ersten Hälfte dieses Jahrhunderts hatte sich die Operette jedoch ein besonderes 'Profil' dadurch geschaffen, daß sie ein doppelt falsches Bild von den gesellschaftlichen Realitäten gab. In kaum einem anderen künstlerischen Genre wurde die Rolle der sozialen Unterdrückung derart verleugnet, der marode höfische Glanz derart liebevoll geputzt als in der Operette. Hierfür Beispiele zu geben, hieße nahezu einen Katalog der Werke zusammenstellen. Brecht jedoch urteilt noch 1929: "Die Oper scheint mir bei weitem dümmer, wirklichkeitsfremder und in der Gesinnung niedriger als die Operette" (B.B. 17.990). 1925 entsteht Alban Bergs "Wozzeck", ein Jahr zuvor jedoch Emmerich Kál-

mans "Gräfin Marizza". Am 10. November erlebt Dresden die
Uraufführung von Hindemiths "Cardillac". Im gleichen Jahr
entsteht jedoch aus Lehárs "Zarewitsch". Diese wenigen An-
haltspunkte sind sicherlich nicht exemplarisch für die Re-
pertoiregestaltung (im besonderen der Oper), an der Brecht
besonderen Anstoß nahm. Sie zeigen jedoch, wie gerade die
Form der Oper in diesen Jahren Anlaß zu lebendiger Auseinandersetzung und Entwicklung war. Die Operette allerdings be-
fand (und befindet sich auch heute noch) in einer Stagnation,
in der sich zugleich ihre innere Hohlheit und Verlogenheit
spiegelt. Hinzu kommt, daß die Operette mit ihrem pseudo-
feudalen Glanz gerade in den Jahren der Weimarer Republik
einen ungeahnten Aufschwung nahm. Publizität, Aufführungs-
ziffern und Besucherzahlen zeigten an, daß die "Oper des
kleinen Mannes" nichts an Beliebtheit verloren hatte. Hieran
mußte sich Brechts Zorn im besonderen Maße entzünden. Und
auch von Brecht wird nun die Realität in falschen Tönungen
auf die Bühne gebracht: jetzt aber mit dem einzigen Ziel,
schonungslos zu entlarven. Wie sieht aber im Formalen ein
Vergleich der Operette mit dem, was Brecht hier DREIGROSCHEN-
OPER nennt, aus. Wesentliches Merkmal der Operette ist es,
daß ein gesprochener Text die Musiknummern verbindet. Sie ist
also nicht wie der überwiegende Teil der Opern durchkompo-
niert. Dies trifft auch auf die DREIGROSCHENOPER zu. Freilich
ist dort bereits eine Neuerung zu finden, indem die beiden
Elemente Aktion und Musik durch Titel, besondere Illumination
etc. strenger voneinander getrennt erscheinen. Dabei entwik-
kelt sich die eigentliche Handlung auch hier in seltsam ver-
schlungenen Szenen, die sehr bildkräftig sind.

Ähnlich der Operette zeigt auch die DREIGROSCHENOPER eine deutliche Vorliebe für kleinere Liedformen wie Refrain-
lied, Couplet, Chanson und anderes. Gesungene Partien erscheinen in der Operette zumeist als Höhepunkt der Trivali-
tät. Auch hierin lassen sich Brecht und Weill nicht gerade
lumpen. Das "Eifersuchts-Duett" zwischen Lucy und Polly ließe sich wie so manches andere geradezu nahtlos in jede nur
denkbare Operette einfügen. Das Gleiche trifft auch auf die
mehr oder weniger bombastischen Finales zu, die die Operette

als Abschluß einzelner Akte wie auch im besonderen des
Schlußaktes liebt. Die Brecht-Weillschen Finales weisen hier
geradezu auf eine der Wurzeln des Wiener Operettenspiels
hin, nämlich auf die großartigen Schlußbilder der höfischen
Barockoper.

Die Operette liebt den Tanz. Er hat ihr Gesicht geprägt.
Bei der französischen Operette denkt man unwillkürlich an
den Cancan, wie man auch mit der klassischen Wiener Operette
sofort den Walzer verbindet. Im Laufe der Entwicklung kommt
eine Reihe weiterer Tanzformen hinzu: Märsche, Galopp,
Quadrille, eine Reihe Tänze des Balkans und anderes mehr.
Kurt Weill nun verwendet bei der Komposition nicht nur Elemente des Jazz wie Blues und Boogie, sondern auch Modetänze
seiner Zeit wie Ragtime, Jimmy und Fox.

Der Vergleich ließe sich sicherlich noch weiterführen.
Eines ist jedoch wohl bereits deutlich geworden: hier erhält
die DREIGROSCHENOPER, vor allem im Bezug auf formale Eigenheiten, eigentlich ihre schlüssigste Deutung, obwohl in den
theoretischen Äußerungen sowohl Weills wie auch Brechts immer die Rede von der "Oper" ist. Diese Nähe zur Operette wurde wohl auch schon nach den ersten Aufführungen durchaus erkannt. Die Monatsschrift "Die Szene" startete in dieser Zeit
eine Rundfrage, die neben der Frage nach der Gültigkeit der
O p e r e t t e als Gattung die Zusatzfrage stellte, ob in
der Art der DREIGROSCHENOPER "anstelle der noch kommenden
Operettenform bereits das Faktum oder der Weg einer neuen,
zeitgemäßen Umwandlung"[1] gegeben sei. Es ist nicht uninteressant, daß sich unter den zahlreichen (!) Diskussionsteil-
nehmern, die eine solche Veränderung befürworteten, auch Herbert Ihering und Kurt Weill befanden.

Die Antwort, die Brecht selbst auf diese Frage gab, ist
unwirsch und nicht gerade besonders logisch. An das Geständ-
nis, ganz und gar nichts vom Operettengewerbe zu verstehen,
schließt sich der fachmännische Rat an: "man sollte keine
Kunst in dasselbe investieren." (B.B. 17.990). Und hart-
näckig verweist er den Interpreten wiederum in Richtung Oper:

---

1) s. B.B. 17.4 Anm.

"Was 'Die Dreigroschenoper' betrifft, so ist sie - wenn
nichts anderes - eher ein Versuch, der völligen Verblödung
der Oper entgegenzuwirken." (a.a.O.).
Es sollte mit diesem Hinweis keineswegs der Versuch unternommen werden, aus der Dreigroschen-Oper eine Dreigroschen-
Operette zu machen. Doch es wäre auch ebenso verfehlt, hier
bereits eine neue Gattung "herauszuinterpretieren". In diesem Zug ist vielmehr nichts anderes als eine Art Anti-Kunst-
werk entstanden, in der Form eigentlich kaum nachahmbar. Umso mehr jedoch forderten manche ihrer Eigenheiten zur Nachahmung heraus. Beweis dafür mag sein, daß das Modell selbst
sich als nicht eigentlich wiederholbar erwies. Der Versuch
MAHAGONNY, angestrebt mit leicht variierten Mitteln (statt
Parodie hier das Element der Montage), schlug fehl. Der Song
jedoch blieb, nicht nur bei Brecht. Bei Brecht allerdings
wurde er vom Publikum geradezu gefordert als eine entscheidende Eigenheit seines Werkes.

K.L.Ammers Villon- und Rimbaud-Übersetzungen

Die Forschung hat sich - vor allem im Zusammenhang mit
der durch Alfred Kerr entfachten Plagiats-Debatte - bereits
sehr eingehend mit der Villon- und Rimbaud-Rezeption Brechts
beschäftigt. Es erübrigt sich, die Ergebnisse dieser Auseinandersetzungen um die Übernahme Klammerscher Übersetzungs-
leistungen zu wiederholen. In diesem Zusammenhang ist erstaunlicher Weise Goethe ganz übersehen worden. Gemeint ist
sein Faust-Ständchen vor Gretchens Zimmer, gesungen von Me-
phisto. Die dramatische Szenerie verlangte ein erotisch ge-
färbtes Lied mit leicht zynischem Einschlag. Goethe nahm es
aus den Liedern Opheliens. In einem Gespräch mit Eckermann
sagt er am 18.1.1825 ausdrücklich: "Warum soll ich mir die
Mühe geben, ein eigenes zu erfinden, wenn das von Shakespeare
eben recht war und eben das sagte, was es sollte."[1]
Der wichtigste Beitrag in dieser Debatte stammt im übrigen von Brecht selbst. Wir haben ihn bereits in der Einleitung zitiert. In der Abgrenzung des Phänomens Lied, zu der

---

1) J.W.Goethe: Gespräche mit Eckermann. (= Gedenkausgabe
   Bd.24). Zürich 1948. S.140.

dieser Beitrag Wesentliches lieferte, stellten wir fest, daß
Brecht hier im Grunde eine Erkenntnis formulierte, die er
bereits in der Arbeit zu seinem ersten Stück gewonnen und
in die Praxis umgesetzt hat. Gemäß dieser Erkenntnis untersteht die Lyrik in einer Theaterszene eigenen Gesetzlichkeiten, wobei der "Betonung des Gestischen" eine besondere Rolle zukommt. Die Villon-Klammer-Rezeption Brechts bietet sicherlich eine Möglichkeit, diese Eigengesetzlichkeit weiter
zu verfolgen. Sie sollte einmal genutzt werden.

Villon als eine außerordentliche Existenz am Rande, ja
außerhalb der menschlichen Gesellschaft faszinierte Brecht
- und nicht nur ihn. Die schonungslose Entlarvung seiner Umwelt, die Verachtung für die Mächtigen, sein Spott über den
Tod, der Hang zum Moralisieren: dies alles berührte Brecht
tief. Die Sprache brachte in der Vielfalt einander wider-
sprechender Ausdruckshaltungen und in der Kontrapunktik der
Töne[1] Züge, die er selbst angestrebt hatte. Demut wird durch
Ironie denunziert, Gefühle werden durch Spott geklärt. Die
Verwendung der Umgangssprache, die Grobianismen und manches
andere sind Stileigenheiten, die auch Brecht in seinen Liedern liebte.

Rudyard Kipling und Ferdinand Freiligrath

In einem eigenartigen Verhältnis zu der Tendenz der Lieder in den frühen Stücken Brechts, den Untergang des Bürgertums zu schildern, stehen jene Lieder, die unter dem Einfluß
Joseph Rudyard Kiplings (1865-1936) entstanden sind. Auch die
Menschen Kiplings stehen außerhalb der Gesellschaft. Die 'ba-
rackrooms' sind eine eigene Welt mit eigenen brutalen Lebens-
gesetzen. Der indische Dschungel mit dem Leben der englischen
Kolonialarmee geht in MANN IST MANN sogar in die dramatische
Handlung ein. Das Motiv der Heimatlosigkeit ist Angelpunkt
auch in diesem Bereich. Schumacher sagt zu Recht: "Brecht
übernimmt exotische Szenerien oder Lebensbereiche, um darin
sein antibürgerliches, von allen gesellschaftlichen Konven-

---

1) s.W.Hinck: Die deutsche Ballade von Bürger bis Brecht.
   S.128.

tionen entbundenes Lebensideal vorleben zu lassen."[1] Kipling, ebenfalls mit einem ausgeprägten Hang zum Moralisieren begabt, stellt in seinen Balladen Männer der Tat vor: nicht nur Eroberer sondern auch Soldaten, die, vom Mutterland England verraten, bis zum Letzten ihre Pflicht erfüllen. Wichtiger aber als der kolonialistisch-imperialistische Ideengehalt ist wiederum die Sprache, die Nüchternheit und Sentimentalität zugleich in sich birgt. Auch sie ist, freilich in anderer Weise als bei Villon, Umgangssprache, eine Umgangssprache, die weitgehend soldatischen Slang in sich aufgenommen hat. Brecht ist empfänglich für die rauhe Diktion, den aggressiven Ton dieser Welt. Ihn begeistert die mitreißende Rhythmik dieser Balladen.

Die Exotik vieler Lieder Brechts hat sich sicherlich zunächst an den Balladen Kiplins entzündet. Doch wäre der Hinweis zu oberflächlich, würde nicht auch die deutschsprachige Tradition angesprochen, im besonderen die Lyrik Ferdinand Freiligraths (1910-1876). Bei Freiligrath handelt es sich - ebenso wie bei Kipling - um eine reale räumliche Ferne. Er transponiert das romantische Fernweh "von einem geistigen zu einem geographischen Begriff", wie es Johannes Klein formuliert[2]. Kipling aber, selbst in Bombay geboren, lebte lange Jahre in Indien und bereiste die ganze Welt, Freiligrath dagegen kam über Europa nicht hinaus. Dies kennzeichnet bereits die verschiedene dichterische Grundhaltung.

Auch Brechts exotische Landschaften sind zunächst "Phantasmagorien" eines Menschen, der sich in den Gegebenheiten seiner Umwelt nicht zurecht finden kann. Brecht huldigt zugleich einem geradezu grenzenlosen Vitalismus, dem seine (wilhelminischem Denken kaum entwöhnte) Umgebung fassungslos gegenüber stand. Das freie, ungebundene Leben mit den Gewalten der Natur, die grenzenlosen Mächte des Werdens und Vergehens werden in seinen Liedern verherrlicht. Und in diesen Liedern kündigt sich später auch der Umbruch in dieser Auf-

---

1) E.Schumacher: Die dramatischen Versuche Bertolt Brechts. S.45.
2) J.Klein: Geschichte der deutschen Lyrik. S.566.

fassung des Exotischen an. Unter dem Datum 11.9.1921 findet
sich in seinen Notizbüchern folgende Eintragung:

"Als ich mir überlegte, was Kipling für die Nation machte, die die Welt 'zivilisiert', kam ich zu der epocha-
len Entdeckung, daß eigentlich noch kein Mensch die große Stadt als Dschungel beschrieben hat. Wo sind ihre
Helden, ihre Kolonisatoren, ihre Opfer? Die Feindselig-
keit der großen Stadt, ihre bösartige, steinerne Konsi-
stenz, ihre babylonische Sprachverwirrung, kurz: ihre
Poesie ist noch nicht geschaffen." (B.B. 18.14)

Es ist dies wohl der andere Pol seines Wesens, der ihn hier
in die Städte der Menschen zurückführt. Die exotische Welt,
die Brecht in seiner Phantasie errichtet hat, war für ihn
eigentlich immer unerreichbar. Sein eher schmächtiger Körper war doch so weit entfernt von dem Ideal an lebensstrot-
zender, gewalttätig maßloser Kraft, das er in der Oper MA-
HAGONNY und anderen Stücken gestaltete und dem er noch in
DIE HEILIGE JOHANNA DER SCHLACHTHÖFE mit der Figur des Pier-
pont Mauler kaum verhohlene Bewunderung zollt. Dieser andere
Zug seines Wesens ließ ihn, der die Freiheit mit aller Kompromißlosigkeit liebte, zu Gesetzmäßigkeiten und überschau-
baren Ordnungen streben. Die Ausschließlichkeit, die er zwar
für das maßlose Leben des Individuums forderte, schlägt um
in das rigorose Gebot der Einordnung in das Kollektiv des
Klassenkampfes. Die Exotik des Dschungels der Großstädte
stellt hier nur eine Übergangserscheinung dar.

Nur so ist also die Exotik in Brechts Werk zu deuten: sie
ist Teil seines Wesens, Ausdruck einer tiefinnerlichen Sehnsucht nach Weite und bedingungsloser Freiheit des Lebens.
Sie ist aber zugleich auch Spiegel seines Strebens nach Ordnungen und verstandesmäßig erfaßbarer Seinsbindung, die seinem Leben die Sicherheit des Standortes geben sollte. Er findet sie schließlich im Marxismus. Freiligrath, der die revolutionäre Bewegung im Volke spürte, suchte Gesang, das mitreißende Lied. Brecht dagegen hatte durch seinen Verstand
die Gesetzmäßigkeiten des sozialen Kampfes erkannt. Seine
rhythmisierten Ansprachen dienen dem Alltag einer Revolution,
nicht dem Sturm auf die Bastille. Seine Strophen sind mehr
und mehr Unterricht und Information, getragen von einer ru-
hig-sicheren Haltung der Anklage und der Forderung. Ausrufe

und Imperative, die den rhetorischen Stil Freiligraths kennzeichnen, gehören zwar auch zum Stil dieser Lieder, doch
sind sie jetzt gezielter eingesetzt, gewinnen durch den eher
sparsamen Gebrauch umso größere Kraft.

Für den späteren Brecht bedeutet Exotik und Folklore nicht
mehr Flucht vor der Wirklichkeit. Sie bedeutet für ihn nun
die Möglichkeit zu einem schärferen Erkennen der Wirklichkeit. Diese Wirklichkeit zeigt für Brecht an allen Orten
die gleichen Züge: überall finden sich die gleichen gesellschaftlichen Probleme. Doch das, was an fremden Orten demonstriert wird, appelliert an das Denken: es fordert zum Vergleich heraus und zur Kritik, Postulate des epischen Theaters. Die Distanz reinigt wiederum von Emotionen. Naturalistische Milieu-Schilderungen, auf die Brecht keinen Wert
legt, sind zurückgestellt. Wichtiger sind die Menschen und
ihre Haltungen.

Das Stück MANN IST MANN zeigt - wie bereits erwähnt -
die neue Entwicklungsstufe im Denken Brechts. (Die Frage
soll hier nur angedeutet sein, ob der Titel des Stücks trot-
zig-kritische Reflexion auf Freiligraths "Mann ist Mann ,
trotz alledem" ist.) Baal und Kragler bekennen noch einen
Subjektivismus ohne Grenzen. Galy Gay ist jedoch nicht mehr
Held der Handlung, sondern ihr Objekt. Und doch: der Schritt
ist nicht so groß, der Weg zum sozialistischen Lehrstück
erst begonnen. Letztlich sind auch Baal ebenso wie Kragler
in gleicher Weise in ein Geschehen verstrickt, auf das sie
keinen bedeutsamen Einfluß nehmen können. In MANN IST MANN
sind die Mächte, die den Menschen ummontieren zu ihrem Gebrauch, auf der Bühne sichtbar. Das ist neu und kündigt bereits das Lehrstück an, indem die Mächte zu personae dramatis werden, ebenso wie später die Kräfte der Revolution. Den
Konflikt zwischen Individuum und Gesellschaft sucht Brecht
in MANN IST MANN am Beispiel der Kolonialarmee Kiplingscher
Provenienz darzustellen. Doch genauer besehen nimmt er mit
diesem Stück eigentlich bereits Abschied von Kipling.

Zerstörung des Mythos 'Amerika': Überlegungen zum neuen
Menschen des wissenschaftlichen Zeitalters

In die Zeit seiner Hinwendung zum Marxismus fällt zugleich
die Zerstörung des Mythos 'Amerika' durch die Weltwirt-
schaftskrise. Bis zum Wallstreet-Desaster war ihm Amerika
ein Synonym für technologischen Fortschritt. Brecht bewun-
derte seine Dynamik nach dem 1. Weltkrieg, seine giganti-
schen Bauten und die ungeheure Entwicklung seines wirt-
schaftlichen Potentials: für ihn war nur hier der Sprung in
das industrielle Zeitalter vollzogen. Die hereinbrechende
Krise jedoch, die in ihren Auswirkungen die ganze westliche
Welt erschütterte, ist ihm nun ein Hinweis und zugleich ein
Beweis für die Wirksamkeit der verheerenden, im Kapitalismus
schlummernden Kräfte. Bereits 1927 sieht er in dem Amerikanismus "eine Verfallserscheinung des Alten", eine jener
krankhaften Veränderungen, "die wirkliche geistige Einflüsse
neuer Art in dem alten Körper veranlaßt haben" (B.B. 15.131).
Amerika, das ihn zunächst wegen seines exotischen Flairs und
des Dschungels seiner Großstädte - im besonderen Chikago und
New York - angezogen hatte, dient bald nur noch zur verfremdenden Darstellung deutscher Verhältnisse. In gewisser Weise
bleibt er allerdings noch lange - bei aller kritischen Abwä-
gung - der amerikanischen Welt verbunden: bestimmte Menschen-
typen, bestimmte Lebenserscheinungen hatten ihn beeindruckt,
zugleich abgestoßen und fasziniert. Trotzdem ist der innere
Bruch bereits radikal. Die Amerikanismen, die seine Lieder
vor allem noch in der Oper MAHAGONNY ganz wesentlich trugen,
verschwinden bald gänzlich, der innere Rhythmus dieser Lieder wandelt sich total. Er schreibt das Gedicht "Verscholle-
ner Ruhm der Riesenstadt New York" (B.B. 9.475) und wendet
sich in der Folgezeit anderen Traditionen zu, gewinnt neue
schöpferische Impulse u.a. in der Agitprop-Bühne und in der
Arbeiterbewegung überhaupt. 1928 besucht er die marxistische
Arbeiterschule in Neukölln.

Die Gedichte des "Lesebuchs für Städtebewohner" führen -
wie bereits erwähnt - über in einen ganz neuen thematischen
Bereich. Die Überwindung der Ekstatik im Naturbild bringt

eine neue, nüchtern verstandesklare Betrachtungsweise: der
Mensch beutet im technischen Zeitalter die Natur aus, sie
ist ihm nur als Material interessant. Mit der Stadt und
insbesondere der Großstadt als neuer Organisationsform
menschlichen Zusammenlebens verliert der Mensch den Kontakt zur Natur. Das einseitige Nutzungsverhältnis beginnt,
jedes ästhetische Empfindungsvermögen traditionellen Sche-
mas zu zerstören. Hieraus ergibt sich für die Dramen Brechts
ebenso wie für seine Lieder eine neue Grundtendenz: die Suche nach dem neuen Menschen des technischen, des wissenschaftlichen Zeitalters. Die entromantisierte Natur erhält
hier ihre neue Bestimmung als ökonomisches Potential, das
Kunstwerk aber eine neue, didaktisch orientierte Position.
Nicht umsonst steht das Stück DER KAUKASISCHE KREIDEKREIS
mit seinem Vorspiel auf dem Kolchos am Ende dieser Entwicklung.

Die Lyrik des frühen Brecht war primär nicht auf Lebens-
erfüllung gerichtet, sondern auf vegetativen Lebensgenuß.
Die Befriedigung individualistischer Neigungen, fern jeder
Gesinnungsbindung, der Haß gegen das verrottete Bürgertum,
die Unsicherheit der eigenen Position, dies alles verführte
ihn dazu, sich eine eigene Traumwelt zu schaffen. Es sollte
eine starke Welt sein, die ihm den Kampf bot, den er immer
suchte. Doch als er den Schein durchschaut hatte, trennte
er sich radikal von ihr. In einer neuen Anstrengung, die Realität zu erringen, schloß er sich dem Kommunismus an: es
entsteht das politische, das Kampflied.

Dieser Übergang läßt sich schon im sprachlichen Bereich
sehr gut verfolgen. Die gesteigerte Zahl von Verben verleiht Aktivität, die Zahl der attributiven Adjektive ver-
ringert sich schlagartig. Das possessive Pronomen kennzeichnet die Welt des Besitzes, mit der 1.pl. meldet sich der kollektive Anspruch der Unterdrückten. Die Darstellung zunehmend komplizierterer sozio-ökonomischer Vorgänge und Wech-
selwirkungen bedingen bereits eine neue Sprache, die ausschließlich beigeordnete Syntax der Augsburger Zeit wird aufgegeben. Schumacher registriert hier sehr richtig eine Ak-
zentverlagerung "von der äußeren (metrischen, reimmäßigen)

zur inneren (syntaktischen) Formgebung."[1] Die Satzstruktur
hat sich der neuen, dialektisch entwickelnden Denkweise angepaßt.

Die Überlegungen um den Menschen des neuen Zeitalters
entwickeln sich aus den frühen Stücken heraus. TROMMELN IN
DER NACHT zeigt noch das "prinzipielle Mißtrauen Brechts jeglicher Idee gegenüber, auch der der Revolution."[2] Das Stück
IM DICKICHT DER STÄDTE - in dem hier entwickelten Zusammenhang ein Übergangsstück - enthält in einer Buchausgabe Photos
mit exakten Datumsangaben. Sie ersetzen in der Demonstration
in gewisser Weise die Lieder, die hier gänzlich fehlen. Das
Stück ist letzten Endes gedacht als eine Historie von der
Selbstzerfleischung des Menschen im Kapitalismus. Und in
MANN IST MANN scheint diese Thematik einen letzten Klärungs-
prozeß durchzumachen. Brecht schreibt in einer Vorrede zu
dem Stück:

> Es "bildet sich jetzt, eben jetzt, ein neuer Typus von
> Mensch heraus, und das gesamte Interesse der Welt ist
> auf seine Entwicklung gerichtet ..... Dieser Typus Mensch
> wird nicht so sein, wie ihn der alte Typus Mensch sich
> gedacht hat. Ich glaube: Er wird sich nicht durch die
> Maschinen verändern lassen, sondern er wird die Maschinen
> verändern, und wie immer er aussehen wird, vor allem wird
> er wie ein Mensch aussehen." (B.B. 17.977)

Das Bekenntnis zum neuen Menschen wird für Brecht mehr und
mehr das Bekenntnis zu marxistischer Orientierung. Hier ist
es notwendig, einmal in aller Kürze auf das Selbstverständnis
Brechts als Marxist einzugehen. Als erster Zugang zu der politischen Lyrik der kommenden Jahre erhält diese Frage ihre
besondere Bedeutung.

Der Brecht, für den "das Chaos aufgebraucht" war, stellt
Betrachtungen an über die "Schwierige Lage der deutschen Intellektuellen". In dieser Zeit ist für ihn noch revolutionärer Intellekt ein "liquidierenden Intellekt" (B.B. 20.53).
Für einen solchen Intellekt gab es jedoch in der Parteienkon-
stellation der Weimarer Republik keine rechte Herberge. Die
linke Intelligenz bourgeoiser Herkunft hatte diese zweispäl-
tige Lage - so weit sie wachen Verstandes war - ebenso klar

1) E.Schumacher: a.a.O. S.275.
2) Stupinski: a.a.O. S.31f.

erkannt. Kurt Tucholsky schrieb in der gleichen kritischen
Weise im Jahre 1929 über die "Rolle der Intellektuellen in
der Partei", also ungefähr zur gleichen Zeit:

> "Wir haben es schwer, uns von der Grundlage unserer Er-
> ziehung, unserer Ausbildung, unserer Arbeit zu lösen.
> Man schilt uns von der Bürgerseite her: Bolschewisten.
> Man mißtraut uns von der Funktionärseite der Arbeiter-
> parteien her - niemals haben uns die Arbeiter mißtraut,
> sofern wir uns zurückhaltend und sympathisierend ange-
> schlossen haben." 1)

Brecht selbst hat diesen Zwiespalt Zeit seines Lebens in
sich getragen. Es war für ihn eine Entscheidung nicht für
die eine oder andere Klasse:

> "Wenn es für meine Klasse (die bürgerliche) noch irgend-
> eine Möglichkeit gegeben hätte, die auftauchenden Fragen
> gründlich zu lösen - ich bin überzeugt, daß ich dann nur
> wenig Gedanken an das Proletariat verloren hätte. Zu mei-
> ner Zeit konnte sie die Fragen nicht einmal mehr gründ-
> lich stellen." (B.B. 19.412).

Für ihn war es vielmehr das Bekenntnis zum Forschritt: "Zu
bestimmten Zeiten ringen die Klassen um die Führung der
Menschheit, und die Begierde, zu deren Pionieren zu gehören
und vorwärtszukommen, ist mächtig in den nicht völlig Ver-
kommenen." (B.B. 16.703). Und der "apostatische Kopfarbei-
ter" (B.B. 16.676) Brecht, der nach eigener Aussage nie etwas von Revolutionären hielt, "die nicht Revolution machten,
weil ihnen der Boden unter den Füßen brannte" (B.B. 19.411),
wird in der Tat zum Pionier marxistischen Denkens und Gestaltens auf der Bühne. Der Stückeschreiber betreibt zunächst
marxistische Studien als Grundlagenforschung für seine weiteren Stücke:

> "Mein politisches Wissen war damals beschämend gering; je-
> doch war ich mir großer Unstimmigkeiten im gesellschaft-
> lichen Leben der Menschen bewußt, und ich hielt es nicht
> für meine Aufgabe, all die Disharmonien und Interferen-
> zen, die ich stark empfand, formal zu neutralisieren.
> Ich fing sie mehr oder weniger naiv in die Vorgänge mei-
> ner Dramen und in die Verse meiner Gedichte ein. Und das,
> lange bevor ich ihren eigentlichen Charakter und ihre Ur-
> sachen erkannte. Es handelte sich, wie man aus den Texten
> sehen kann, nicht nur um ein 'Gegen-den-Strom-Schwimmen'
> in formaler Hinsicht, einen Protest gegen die Glätte und
> Harmonie des konventionellen Verses, sondern immer doch
> schon um den Versuch, die Vorgänge zwischen den Menschen

---

1) K.Tucholsky: Ges.Werke III. S.15.

als widerspruchsvolle, kampfdurchtobte, gewalttätige zu
zeigen." (B.B. 19.397).

Brecht, der sich in späterer Zeit sehr oft mit dem Ideengehalt seiner frühen Stücke auseinandersetzte, kommt hier zu
einer erstaunlich klaren (Selbst-)Analyse, die beinahe aus
der Feder eines Literaturhistorikers stammen könnte. Dahinter steht allerdings für die Folgezeit das Problem, das neue
politische Wissen, die wissenschaftliche Parteilichkeit in
die Stücke einzubringen. Der soeben erwähnte Klassenkonflikt,
den Brecht Zeit seines Lebens in sich austragen mußte, war
ihm immer bewußt. Seine "Notizen über realistische Schreibweise" (1940) erinnern stark an die zitierten Äußerungen
Tucholskys:

"Der Schreibende, der von einer Klasse zur anderen über-
wechselt, kommt nicht aus dem Nichts in ein Etwas, sondern aus einem Etwas in ein Etwas. Er kommt, ausgebildet,
ja perfekt/ion7iert in den Ausdrucksmitteln einer Klasse,
zu deren Feinden er nunmehr zählen möchte. Er hat ihre
Künste, auch ihre üblen gelernt, er ist ein Meister in
der Befriedigung ihrer Laster ..... Nicht nur in seinen
Gedanken, auch in seinen Gefühlen entsteht ein riesiger
Wirrwarr. Er weiß, daß er die Unnatur vertreten hat, aber
das war ihm natürlich. Fühlt er Zorn, so muß er nachprü-
fen, ob der Zorn da am Platz ist, sein Mitgefühl, seine
Vorstellung von Gerechtigkeit, Freiheit, Solidarität muß
er mit Mißtrauen betrachten, mit Verdacht alle seine Regungen. Seine Lage wird eher dadurch erschwert als er-
leichtert, daß die neue Welt nicht völlig anders ist als
die alte. In gewissem Sinn ist es ein und dieselbe Welt,
in der beide Klassen leben. Bestimmte Empfindungen und
Gedanken sind nur falsch in der alten Welt, nicht etwa
einfach nicht vorhanden. Für diese Leute ist der Moment,
wo das Auge sich entschleiert, vielleicht (auch das keineswegs immer) der Moment des besten Sehens, aber kaum
der des besten Zeigens." (B.B. 19.354)

Dies aber ist genau die Situation, in der sich der Autor der
Lehrstücke befindet. In aller Klarheit wird hier die eigentliche "Schwierigkeit beim Schreiben der Wahrheit" aufgezeigt.

Nach seinem Übergang zum Marxismus stellt Brecht also die
Frage nach Größe und Heldentum, nach tragfähigen und nützlichen Taten mit völlig neuem Akzent: er sucht den neuen dramatischen Helden, der über das Kunstwerk hinaus in den Ent-
wicklungsgang der Gesellschaft eingreifen, die Rolle eines
subjektiven Faktors im Geschichtsprozeß spielen kann. Diese
Bemühungen sind kennzeichnend für die Periode der Lehrstücke.
Ausgehend von Überlegungen, in welcher Weise die Einheitlich-

keit kollektiven revolutionären Handelns auf der Bühne darstellbar ist, münden diese Überlegungen ein in die Gestaltung der Mutter Pelagea Wlassowa, die innerhalb der Partei
in beispielhafter Weise aufklärend und aktivierend für die
Veränderung der Welt tätig ist. Hier ist auch folgerichtig
der Ton des Liedes völlig verändert, wie Klaus Schuhmann
sagt: "didaktisch und hymnisch zugleich."[1] Diese Beobachtung scheint mir sehr wichtig.

Auffällig wird dieser Entwicklungsschnitt erst, wenn man
z.b. das " L i e d   d e r   S e e r ä u b e r j e n n y "
zum Vergleich heranzieht. Die vage Hoffnung auf eine gewalt-
same Änderung der Unerträglichkeit menschlicher Existenz
weicht tätigem, wenn auch gefahrvollem Einsatz für eine bes-
sere Zukunft in der MUTTER. Das neue Lied wendet sich nicht
mehr an den bourgeoisen Zuhörer, der verhöhnt und entlarvt
werden soll. Es sind vielmehr Ansprachen an das neue Publikum, wie es jetzt heißt: an das "Publikum des wissenschaftlichen Zeitalters" (B.B. 15.188). Dieser neue Zuhörer soll
zugleich aufgeklärt und gewonnen werden. Die Provokation
bleibt, doch sie erscheint nüchterner, wenn - auf dem Boden
marxistischer Theorie - die Zusammenhänge geschichtlicher und
privater Ereignisse in ganz anderer Weise die Bühne erfüllen.
Provoziert wird nur noch durch diese neue, eben die sozialkritische Betrachtungsweise, diesen ungewohnten Aspekt, unter den das scheinbar vertraute Sein gestellt wird. Brecht
nannte dies den "Verfremdungs-Effekt". Er liebte es außer-
ordentlich, wie Piscator in diesen Jahren feststellt, "Dingen
ein Etikett aufzukleben, noch bevor der Inhalt festlag."[2]
Es sind in der Tat Etikette wie "Gestus", "Verfremdung" und
"Episches Theater", aus denen heraus er in der Folgezeit seine eigene Bühnensprache im weitesten Sinne entwickeln sollte.

In konsequentem Fortschreiten bedeutete das die Aufgabe,
für den kritischen Zuschauer den neuen Schauspieler zu entwickeln. In dem "Dialog über die Schauspielkunst" aus dem

---

1) K.Schuhmann: Die Entwicklung des Lyrikers Bertolt Brecht.
   S.416.
2) E.Piscator: Das politische Theater. S.181.

Jahre 1929 sind die Zusammenhänge bereits klar erkannt und
die einzuschlagende Richtung in aller Kürze angedeutet:
"-Wie sollten sie denn spielen?
-Für ein Publikum des wissenschaftlichen Zeitalters.
-Wie also?
-Ihr Wissen zeigend.
-Welches Wissen?
-Der menschlichen Beziehungen. Der menschlichen Hal-
tungen. Der menschlichen Kräfte.
-Gut, das sollen sie wissen. Aber wie sollen sie es
zeigen?
-Bewußt darbietend. Schildernd."
(B.B. 15.188)

Erwin Piscator

In diesen Jahren des Umbruchs und der Neuorientierung ist
die Begegnung mit dem Regisseur Erwin Piscator von entscheidender Bedeutung, nicht zuletzt auch für die Ausformung des
Liedes. Hier zeigt sich wiederum ein Prozeß der Auseinandersetzung und der kritischen Rezeption, wie er - freilich
auf einer anderen Stufe - schon bei der Begegnung mit Karl
Valentin zu beobachten war.

Die Notate und Beiträge aus dem Gesamtwerk Brechts, die
sich mit den Experimenten Piscators beschäftigen, ergeben
ein sehr anschauliches Bild, in welcher Weise sich die Zusammenarbeit beider entwickelte. Gerade die Experimentier-
freudigkeit Piscators mußte Brecht in höchstem Maße ansprechen. Im "Messingkauf" berichtet er:

"Während der ersten Aufführungen gingen Piscator und der
Stückeschreiber im Hof herum, wie gewöhnlich während der
ersten Aufführungen, und besprachen, was in den Proben
erreicht und was verfehlt worden war, ziemlich unwis-
send, was drinnen nun passierte, denn es wurde viel noch
im letzten Augenblick geändert, was jetzt improvisiert
werden mußte. In diesem Gespräch entdeckten sie das Prinzip des beweglichen Tabulariums, seine Möglichkeiten für
die Dramatik, seine Bedeutung für den Darstellungsstil.
So gab es oft Resultate der Experimente, welche das
Publikum nicht zu Gesicht bekam, weil Zeit und Geld fehl-
te, aber sie erleichterten doch die weiteren Arbeiten
und änderten wenigstens die Ansichten der Experimentato-
ren selber." (B.B. 16.596, Anm. 1)

Zunächst jedoch nahm Brecht begierig alle Neuerungen in
sich auf, die Piscator in den kostspieligen Versuchen dieser
Jahre erprobte. Es war bereits die Rede von dem 'beweglichen
Tabulatorium'. Durch ständig wechselnde Losungen, die ent-

weder projeziert oder aber auf Plakaten bzw. Transparenten
gezeigt wurden, konnte man "immerfort sich ändernde Situationen kenntlich machen, zeigen, wie das eine Moment noch besteht, während sich das andere schon geändert hat" (B.B.
16.596). Brecht verwendet sie nicht nur in MAHAGONNY, sondern auch bei den großen Chören und Aufmärschen der MUTTER.
Das gesprochene wie auch besonders das gesungene Wort erhält
so seinen besonderen Akzent. Den gleichen Zweck erfüllen
auch die "Songembleme". Sie sind zwar in der mittelbaren Aussage beschränkter, ermöglichen aber insgesamt einen wirkungs-
volleren dramaturgischen Duktus.

In der gleichen Richtung wirkte ebenfalls die Projektion.
Sie ermöglichte formal gesehen das Mitspielen des Bühnenhin-
tergrundes. Beim Vortrag eines Liedes etwa ging von dokumentarischen Photos eine entscheidend wichtige Wirkung aus:
durch den visuellen Eindruck wurde die Aussage in besonderer
Weise erhärtet. Dabei trat zugleich ein weiterer Effekt ein,
den Brecht mit sicherem Instinkt sofort erkannte:

> "Die sprechenden Figuren werden dadurch, daß das Milieu
> in seiner ganzen Weite photographiert wird, unverhält-
> nismäßig groß. Während das Milieu auf immer gleicher Flä-
> che, nämlich die der Leinwand, zusammengedrängt oder er-
> weitert werden muß, also zum Beispiel der Mount Everest
> in immer verschiedenem Format erscheint, bleiben die Fi-
> guren stets gleich groß." (B.B. 15.134)

Und er notiert an dieser Stelle gleichsam abschließend:

> "Die Verwendung des Films als reines Dokument der photo-
> graphierten Wirklichkeit, als Gewissen, hat das epische
> Theater noch zu erproben." (B.B. 15.135f.)

All diese Versuche - es sind hier nur die erwähnt, die im
Zusammenhang mit der Untersuchung des Liedes von besonderem
Interesse sind - haben im Grund nur das eine Ziel: den Zuschauer aus seiner Illusion zu reißen, die naturalistische
Wirklichkeitsidentifikation aufzulösen. Hier berühren sich
die Zielsetzungen Brechts und Piscators. Doch existiert noch
eine weitere Gemeinsamkeit, die Brecht erst in späteren Jahren in zunehmendem Maße erkennen sollte: die Steigerung des
Szenischen, Gegenwärtigen in das Historische, Allgemeingül-
tige, frei von Zufälligkeiten und routinierter Selbstverständlichkeit. Gesellschaftliches Sein - und darin liegt das
Politikum - wird auch von Piscator als wiederholbar und damit

in verstärktem Maße nachvollziehbar und änderbar dargestellt.

Brecht sollte sich erstaunlicher Weise zunächst einmal dem allgemeinen Urteil anschließen, das in den Versuchen Piscators nur das vordergründig Sichtbare erfaßte, eben die Technifizierung der Bühne. Die folgende Notiz (etwa aus dem Jahre 1927) steht für manche andere Äußerung:

> "Man neigt gegenwärtig dazu, den Piscatorschen Versuch der Theatererneuerung als einen revolutionären zu betrachten. Er ist es aber weder in bezug auf die Produktion noch in bezug auf die Politik, sondern lediglich in bezug auf das Theater." (B.B. 15.139)

Erst der Abstand des Exils ermöglichte ihm hier ein distanzierteres und differenzierteres Urteil. Und wie um diese frühere Oberflächlichkeit vergessen zu machen, bezeichnet er Piscator nun als den "einzigen fähigen Dramatiker außer ihm" (B.B. 16.598), als einen der "bedeutendsten Theaterleute der Zeit" (B.B. 15.237), ja sogar als den "großen Baumeister des epischen Theaters" (B.B. 15.316). In seinem theoretisierenden Versuch "Der Messingkauf" setzt er sich noch einmal in eingehender Weise mit dem Theater Piscators auseinander. Was hier nun zu lesen ist, erscheint wie eine Revision des zitierten Urteils aus dem Jahre 1927:

> "Seine Liebe zur Maschinerie, die ihm viele vorwarfen und einige allzu hoch anrechneten, zeigte er nur, soweit sie ihm gestattete, seine szenische Phantasie zu betätigen. Er bewies durchaus Sinn für das Einfache - was ihn auch veranlaßte, den Schauspielstil des Stückeschreibers als seinen Intentionen am besten dienend zu bezeichnen -, da das Einfache seinem Ziel entsprach, nämlich in großer Weise das Getriebe der Welt bloßzulegen und nachzubauen, so daß seine Bedienung erleichtert würde."
> (H.B. 16.597)

Auch hier klingt die eifrige Rivalität eines, der das gleiche Ziel verfolgt, noch in gewisser Weise nach. Doch wird an dieser Stelle das besondere Verdienst Piscators klarer gesehen, das in dem unablässigen Bemühen besteht, soziale Zusammenhänge in die Dramaturgie einzubeziehen, den soziologischen Aspekt dramatischen Gestaltens sichtbar zu machen. Und Brecht gibt hier auch die Begründung, warum er diesen wichtigsten Ansatz im Piscatorschen Experiment erst in so später Zeit erkannte:

> "Der Piscator machte vor dem Stückeschreiber politisches Theater. Er hatte am Krieg teilgenommen, der Stückeschrei-

ber jedoch nicht. Die Umwälzung im Jahre 18, an der beide teilnahmen, hatte den Stückeschreiber enttäuscht und den Piscator zum Politiker gemacht. Erst später kam der Stückeschreiber durch Studium zur Politik."
(B.B. 16.598)

Und man ist versucht zu ergänzen: zu einer neuen Sicht des Piscatortheaters. Weiter ist in der dritten Nacht des "M e s- s i n g k a u f s " zu lesen:

> "Die eigentliche Theorie des nichtaristotelischen Theaters und der Ausbau des V-Effekts ist dem Stückeschreiber zu- zuschreiben, jedoch hat vieles davon auch der Piscator verwendet und durchaus selbständig und original. Vor al- lem war die Wendung des Theaters zur Politik Piscators Verdienst, und ohne diese Wendung ist das Theater des Stückeschreibers kaum denkbar." (B.B. 16.598f.)

Insgesamt gesehen treten nun in den Äußerungen des Brecht der späten Dreißiger Jahre ganz andere Beobachtungen in den Vordergrund, die er am Piscator-Theater als erwähnens- und entwicklungswert ansieht. Da heißt es in einem Vortrag "Über experimentelles Theater", den er im Jahre 1939 vor schwedischen und finnischen Studenten hielt:

> "Die Bühne hatte den Ehrgeiz, ihr Parlament, das Publi- kum, instand zu setzen, auf Grund ihrer Abbildungen, Statistiken, Parolen politische Beschlüsse zu fassen. Die Bühne Piscators verzichtete nicht auf Beifall, wünsch- te aber noch mehr eine Diskussion. Sie wollte ihrem Zu- schauer nicht nur ein Erlebnis verschaffen, sondern ihm noch dazu einen Entschluß abringen, in das Leben tätig einzugreifen." (B.B. 15.290f.)

In diesem Vortrag bezeichnete er die Experimente Piscators als den radikalsten Versuch, dem Theater einen belehrenden Charakter zu geben: "Ich habe an allen seinen Experimenten teilgenommen, und es wurde kein einziges gemacht, das nicht den Zweck gehabt hätte, den Lehrwert der Bühne zu erhöhen." (B.B. 15.289). Und er zeigt hier schließlich auch den Grund für das Scheitern dieser Versuche auf, auf den noch einzuge- hen sein wird. Er ist nach seiner Ansicht darin zu suchen, daß sich der Zorn der heraufziehenden politischen Reaktion eben an dem politischen Gehalt dieses Theaters, seinem Ver- such, das politische Bewußtsein zu wecken und zu schulen, entzünden mußte. Das kommerzielle Theater erwies sich hier als eine völlig untaugliche Basis. Brecht versucht daher,sein Ziel auf einem anderen Weg zu erreichen, wie an den ersten Lehrstücken deutlich zu erkennen ist. Er versucht, auf das

Theater in seiner herkömmlichen, am Kapital orientierten
Form zu verzichten. Er machte dabei aus der Not eine Tugend,
denn letzten Endes schlossen sich auch vor ihm mehr und mehr
die bestehenden Bühnen aus Furcht vor nationalsozialistischen Repressalien. Er entwickelt den Piscatorschen Ansatz
eines lehrhaften politischen Theaters weiter, indem er nun
das lehrhafte Theater dem Laien selbst anvertraut, unter
dem Etikett: "Prinzip des lehrhaften Lernens."

Eines jedoch bleibt, und zwar aus dem Zwang heraus, in
dem jedes moderne Lehrtheater steht, das versucht, die komplizierten sozio-ökonomischen Abläufe im menschlichen Zusammenleben durchschaubar zu machen: es ist der Zwang zur Kollektivarbeit. Piscator stand vor der Notwendigkeit, für seine
Theater neue Stücke zu entwickeln. Dies mußte angesichts der
Vielschichtigkeit der gewünschten Ergebnisse eben in Kollektivarbeit geschehen[1]. Brecht, der selbst in einem solchen
Piscatorschen Kollektiv nicht nur einmal mitgewirkt hat, berichtet:

> "Es arbeitete ein ganzer Stab von Dramatikern zusammen
> an einem Stück, und ihre Arbeit wurde unterstützt und
> kontrolliert von einem Stab von Sachverständigen, Histo-
> rikern, Ökonomen, Statistikern." (B.B. 15.291)

Und eine Reihe dieser Mitarbeiter erscheint ebenso als Mitarbeiter bei vielen Stücken Brechts, so unter anderen die
Schriftsteller Gasbarra und Lenia, die Komponisten Weill,
Eisler und Edmund Meisel, als Bühnenbildner George Grosz
und John Heartfield. Noch eindrucksvoller wird diese Zusam-
menstellung, wenn man noch die Zahl der Schauspieler einbezieht, die, von der Piscatorbühne kommend, später den typischen Brecht-Stil prägen halfen: Leonhard Steckel, Curt Bois,
Ernst Busch und manche andere. Das, was Brecht besonders
nach dem 2. Weltkriege am Schiffbauerdamm-Theater in so ein-

---

1) Mit Brecht bildeten Felix Gasbarra und Leo Lenia ein Ar-
   beitsteam, das für Piscator und sein Theater tätig war.
   Sie bearbeiteten einmal das Stück Tolstois: "Rasputin
   oder die Verschwörung der Zaren" (Arbeitstitel: "Rasputin,
   die Romanows, der Krieg und das Volk, das gegen sie aufstand".) Ein zweites Stück "Die Abenteuer des braven Soldaten Schweyk" wurde am 24.1.1928 am Nollendorf-Theater
   aufgeführt. Brecht ist vom Thema des Schweyk eigentlich
   nie mehr ganz losgekommen.

drucksvoller Weise gelang, blieb Piscator letzten Endes versagt: eine solche Kollektivarbeit auch wirklich fruchtbar
werden zu lassen. In seinem Buch "Das Politische Theater",
das zuerst im Jahre 1929 erschien, berichtet Piscator, daß
die Arbeit seines Kollektivs eigentlich nie so ganz seinen
Erwartungen entsprach. Wertvolle Hinweise lieferten die Mitarbeiter des Kollektivs nicht innerhalb des Kollektivs
selbst, sondern als Berater, wie sie eigentlich jede Bühne
kennt. "Es war ein Experiment", so schreibt er, "das notwendig zum ersten Jahr der Piscatorbühne (1927/28), B.T.) gehörte, und das ich mit mehr Erfolg zu wiederholen hoffe."[1]
Diese Hoffnung sollte sich für ihn nicht erfüllen. Die Zäsur
des Nationalsozialistischen Regimes bedeutete auch hier das
Ende eines hoffnungsvollen Ansatzes. Brecht dagegen gelang
es selbst im Exil, immer eine Reihe von engen Mitarbeitern
an sich zu binden, - Komponisten, Schauspieler und Bühnenbildner. Ausschlaggebend allerdings in dieser Art der Kollektivarbeit war immer die künstlerische Persönlichkeit Brechts
mit ihrer faszinativen Kraft, eigene, geschlossene Arbeits-
räume zu schaffen.

Das Kollektiv war für ihn zunächst ein Stab sachverstän-
diger Mitarbeiter. Darüber hinaus jedoch gebrauchte er es
praktisch als ein erstes Publikum, das ihm Argument und Gegenargument lieferte, mit dem er sich direkt - in Ablehnung
oder Zustimmung - auseinandersetzen konnte. Es ist bei seiner
eigenartigen Persönlichkeit mit ihrem Trieb zum Lehrhaften
nicht verwunderlich, daß das Brechtsche Kollektiv so ganz anders aussieht. Es gleicht eher einer Mischung von Berater-
team und einem um den Meister als Mittelpunkt gescharten
Studier- und Forschungsteam. Das Bild aus dem Labor des Galileo Galilei erscheint geradezu autobiographisch gestaltet
zu sein.

Von besonderem Interesse für unseren Zusammenhang ist die
Stellung des Musikers innerhalb des Brechtschen Teams. Sie
hatte mit den ersten Opernexperimenten eine entscheidende
Wandlung durchgemacht, wenn wir zum Vergleich einmal in die

1) E.Piscator: a.a.O. S.141.

Dramen- und Theatergeschichte zurückblicken. Musik erscheint in weitem Maße integriert in das Gesamtkunstwerk. Also war auch folgerichtig nach Ansicht Brechts die Mitarbeit des Musikers bereits bei der Entstehung des dramatischen Kunstwerkes, um so mehr aber noch bei seiner theatralischen Ausformung, dringend erforderlich. Auch hier haben wir also eine deutliche Weiterentwicklung von Ansätzen, wie sie das Piscatorsche Theater in so eindrucksvoller Weise geliefert hat.

Damit könnte der Hinweis auf Erwin Piscator und den Einfluß auf die Entstehung und Ausformung der Lehrstücke sowie des Liedes im Stück abgeschlossen sein. Es gilt allerdings im folgenden einen weiteren Einflußbereich anzusprechen, bei dem wir wiederum auf die Spuren Piscators treffen: es ist der Bereich der Agitprop-Arbeit, auf den bereits hingewiesen wurde. Die drei stärksten literarischen Kräfte, die direkt für ein solches Arbeitertheater schrieben, Brecht, Gustav von Wangenheim und Friedrich Wolf, allesamt sind sie durch die Schule Piscators gegangen. Durch Piscator lernte Brecht das russische Revolutionstheater Meyerholds kennen, durch ihn gerät er in die Diskussion um die wesentlichen theatralischen Probleme des Agitationstheaters. Das Lehrstück ist dann nicht denkbar ohne die Auseinandersetzung um das sogenannte "große Stück" gegenüber kurzen Agitpropformen, die besonders gegen Ende der zwanziger Jahre auf allen einschlägigen Konferenzen und in allen sozialistischen Zeitschriften sehr heftig geführt wurde. Brecht erkannte sehr wohl, daß hier die Grenze der "Proletarischen Revue" erreicht war. Aus ihr konnte das große proletarische Drama nicht erwachsen. Die Grenze war im übrigen da erreicht, wo über den politischen Tageskampf, über die Agitation hinaus Deutung menschlichen Zusammenlebens, Darstellung wirklichen Lebens zu geben war. Dies war einer Form, die aus dem Tageskampf geboren war, nicht möglich. Die Entwicklung, durch die engstirnige Haltung des ATBD, aber auch durch die Bedrängnis der politischen Verhältnisse vor 1933 noch beschleunigt, führte zu Formalismus und Schematismus. Lebendige Darstellungen des Klassenkampfes blieben dieser Bewegung - von ganz wenigen Ausnahmen einmal abgesehen - versagt. Genau darin aber sah Brecht in den kom-

menden Jahren in zunehmendem Maße seine besondere Aufgabe.
Piscators Verhältnis zur proletarischen Theaterbewegung
war immer stark umstritten. Doch es ist eine Tatsache, daß
seine Bühne der Bewegung wichtige Impulse vermittelt hat.
Die Diskussion um die Frage, ob Piscator den Weg Brechts
"weniger beeinflußt als vielmehr nur bestätigt"[1] hat, erscheint uns ebenfalls müßig. Brecht selbst hat sich zu diesem Einfluß, wie wir gesehen haben, bekannt.

Die Agitpropbewegung

Die Beziehung Brechts zum Agitproptheater[2] ist noch
weitgehend ungeklärt. Dies gilt sowohl in unmittelbarer Hinsicht, was seine persönliche Mitarbeit betrifft, als auch in
mittelbarer, was Einflüsse auf dramatische Gestaltung und
Spielweise betreffen. So erwähnt unter anderem Käthe Rühlicke-
Weiler, daß Brecht "Errungenschaften des Agitproptheaters"[3]
übernahm, es fehlt aber jeder Hinweis, welche nun gemeint
sind. Sie erwähnt, daß Brecht begann, "Songs und Szenen für
Agitproptruppen zu schreiben" und Arbeiterversammlungen zu
besuchen. Mehr ist jedoch nicht zu erfahren. Auch Ernst Schumacher[4] spricht lediglich Brechts Mitarbeit an der "Roten
Revue" des Kommunistischen Jugendverbandes an, die unter dem
Titel "Wir sind ja sooo zufrieden!" lief. Im übrigen lehnt
er aber eine "Verwandschaft der Sache nach" völlig ab. Helge
Hultberg[5] übt daran Kritik. Allerdings kommt auch er über
die Erwähnung der bloßen, zudem bereits bekannten Tatsache,
daß Brecht sich für die Arbeitsweise der Agitproptruppen in

---

1) F.Hennenberg: a.a.O. S.197.
2) Hier ist auf ein Buch zu verweisen, das umfangreiches Material bietet, leider aber nicht mehr in unsere Arbeit einbezogen werden konnte: Fr.Wolfgang Knellesen, Agitation
   auf der Bühne. Das politische Theater der Weimarer Republik. Emsdetten 1970.
3) K.Rühlicke-Weiler: Die Dramaturgie Brechts. S. 14.
4) s. Lit.-Verz.
5) s. Lit.-Verz.

besonderem Maße interessierte, keineswegs hinaus. Doch nicht
nur innerhalb der Brecht-Forschung ist man in dieser Beziehung kaum über Andeutungen hinausgekommen. Auch die Untersuchung von Klaus Pfützner[1] über das "revolutionäre Arbeitertheater in Deutschland 1918-1933" sowie die beiden Doku-
mentationen zum Arbeitertheater von Hofmann/Oswald[2] geben
wenig Aufschluß. Die Mitarbeit Brechts an Agitpropunterneh-
men wird zwar erwähnt, doch nicht näher umrissen. Von den
Beiträgen Brechts wird lediglich das bekannte "Solidaritäts-
lied" erwähnt, das zuweilen als Abschluß solcher Agitprop-
veranstaltungen gesungen wurde.

Brecht hat aber - und daran führt kein Weg vorbei - entscheidende Anregungen von dem Spiel der Agitproptruppen
empfangen, Anregungen vor allem für den Einsatz des Liedes
in der politischen Auseinandersetzung. Das ist Grund genug,
uns hier kurz mit diesem Einfluß auseinanderzusetzen. Letzte
Klarheit allerdings müßte eine einschlägige Untersuchung leisten, die an dieser Stelle einmal angeregt sei.

Im März 1919 gründete Erwin Piscator im Zusammenwirken mit
revolutionären Gruppen das "Proletarische Theater". Man kann
dieses Unternehmen als den ersten geschlossenen Versuch bezeichnen, in Deutschland ein neues, ein revolutionäres, politisches Theater zu machen. Dieses neue Theater sollte einer
bewußten Betonung und Propagierung des Klassenkampfgedankens
dienen:

> "Hier handelte es sich nicht um ein Theater, das Proleta-
> rische Kunst vermitteln wollte, sondern um bewußte Pro-
> paganda, nicht um ein Theater für das Proletariat, son-
> dern um ein proletarisches Theater." [3]

Aufgabe dieses Theaters sollte es sein, in das politische
Tagesgeschehen einzugreifen, politische Aktionen zu initi-
ieren. "Wir verbannten das Wort 'Kunst' radikal aus unserem
Programm, unsere 'Stücke' waren Aufrufe, mit denen wir in
das aktuelle Geschehen eingreifen und 'Politik treiben'
wollten"[4].

---

1) s. Lit.-Verz.
2) s. Lit.-Verz.
3) E.Piscator: a.a.O. S.47.
4) ebda.

Das erste Stück, das das "Proletarische Theater" im Jahre
1920 in die Säle und Versammlungslokale der Berliner Arbei-
terviertel brachte, war die Kollektivbearbeitung von Gorkis
"Rußlands Tag". Diese Vorlage beschäftigte sich mit westli-
chen Einmischungsversuchen in den Ablauf der sowjetischen Revolution und sprach Piscator gerade durch diese Aktualität
der Ereignisse in besonderem Maße an. Das Stück, das unter
seiner Regie dann geformt wurde, weist bereits in verblüffender Weise wesentliche Formelemente des späteren Agitationstheaters auf. Zu erwähnen sind Gestaltungsmittel expres-
sionistischer Herkunft, die auch in späterer Zeit dem Agita-
tionsspiel eigentümlich sind: der rasche Wechsel der Spielor-
te, das demonstrative szenische Arrangement, auf das im Zusammenhang mit Brecht noch eingegangen werden muß, der deklamatorische Aufruf, das Pathos des Schreis der Unterdrückten.
Darauf hat Klaus Pfützner in seiner Untersuchung des Arbei-
tertheaters bereits hingewiesen. Zu erwähnen ist weiterhin
die Technik der dramatischen Montage, in der das Lied eine
besondere Rolle spielt. Sie führt in der weiteren Entwicklung einmal zur Auflösung großer dramatischer Zusammenhänge
überhaupt, zum andern aber auch zu der Form der "politischen
Revue". Das Montagemäßige ist nicht in erster Linie dadurch
bedingt, daß man "bei einfachsten Mitteln und immergleichen
Thesen, Abwechslung bieten mußte"[1], wie J.Rühle meint. Eine
solche Erklärung ist sicherlich zu einseitig. Diese Technik
ergibt sich vielmehr zwanghaft aus dem Bestreben, die Gesamtheit sozio-ökonomischer Struktur und innerhalb dieser die
Vielfalt der Beziehungen zwischen den Menschen auf der Bühne
sichtbar zu machen. Und schon in diesem ersten Stück unternahm Piscator den Versuch, die einzelnen szenischen Partien
mehr oder weniger nahtlos in ein dramaturgisches Gerüst einzufügen, das dem Ganzen den notwendigen Zusammenhalt geben
sollte:

> "In 'Rußlands Tag' war es eine Landkarte, die sofort schon
> aus der geographischen Situation heraus, die politische
> Bedeutung des Schauplatzes klarmachte. Das war nicht
> mehr einfach 'Dekoration', sondern zugleich sozialer,

---

1) J.Rühle: Theater und Revolution. S.151.

politisch-geographischer oder wirtschaftlicher Aufriß."[1]
Auch das findet sich in späterer Zeit (nicht nur bei Brecht)
wieder, samt dem damit verbundenen didaktischen Grundzug der
Agitation. (Es sei hier nur erinnert an den Panzerwagen bei
der Inszenierung von FURCHT UND ELEND DES DRITTEN REICHES).
Und bald begegnen wir dem Versuch, dem Lied bzw. den Liedern
solche dramaturgischen Funktionen zuzuweisen.

Die Versuche des "Proletarischen Theaters" scheiterten,
nicht zuletzt auch am Widerstand der Kommunistischen Partei, wie Piscator andeutet:

> "Statt zu erkennen, daß hier, grundsätzlich getrennt von
> aller bisherigen Produktion, etwas im Entstehen war, das
> neben den selbstverständlichen, propagandistischen Zie-
> len u.a. auch den bürgerlichen Begriff der Kunst aufhob
> und eine neue (proletarische) Kunst zumindest in den
> Grundzügen umriß, legten die Kritiker der ROTEN FAHNE
> an unsere Arbeit Maßstäbe, die sie von der bürgerlichen
> Ästhetik bezogen, und verlangten von uns Leistungen, die
> sich mit dem bürgerlichen Begriff identifizierten." [2]

Piscator erkannte, daß hier eigentlich bürgerliche Kunst
für den proletarischen Straßenkampf gefordert wurde. Die
Illusion, eine große, eigene sozialistisch-revolutionäre
Dramatik über Nacht aus dem Boden stampfen zu können, war
noch allzu verbreitet. So scheiterte dieser erste Ansatz zunächst, doch sollte er sehr bald weitergeführt werden (nicht
nur von Piscator!) und zu einem gewichtigen politischen Faktor in der Arbeit der Kommunistischen Partei werden.

All diese stilistischen Eigentümlichkeiten aber, die in
diesem ersten Versuch "Rußland erwacht" von Piscator entwickelt wurden, sollten in der Folgezeit für die neue Agi-
tationskunst richtungsweisend sein. Richtungsweisend wirkte
sich aber auch der Einfluß des Kabaretts aus, das bis zum
Ausbau der Agitpropbewegung wohl die einzige künstlerische
Form für eine aggressive Sozialkritik auf der Basis der Aktualität des Tageskampfes darstellte. Die Schauspieler, die
für Piscators Arbeit geeignet waren, und die Schriftsteller,
die für die Arbeit in seinem Kollektiv geeignet waren, sie
hatten denn auch fast alle für das Kabarett gearbeitet oder

---

1) Piscator: a.a.O. S.49.
2) ebda. S.51.

waren zu gleicher Zeit auch dort noch weiter tätig. Dieser
Einfluß des Kabaretts ist in der deutschen Agitproptruppen-
bewegung bis zum Ende der Zwanziger Jahre zu verfolgen. Satirische Couplets und kommunistische Kampflieder stehen nebeneinander, Pathos und Satire begegnen sich in eigenartiger
Weise. Zuweilen leben sie in einem fruchtbaren Widerstreit,
zuweilen schlägt das Pendel zu der einen oder zu der anderen Seite aus. Die Agitproptruppen aber - das kann hier
nur angedeutet werden - bringen im Laufe der Jahre mehr oder
weniger eigenständige Formen der Produktion hervor, die ihrer Kunst ein unverwechselbares Gesicht gaben. Da hier das
Lied als Instrument der Aufklärung und Agitation in recht
unterschiedlicher Weise eingesetzt wurde, sollen diese Formen kurz umrissen werden.

Das einfache N u m m e r n p r o g r a m m verrät die
größte Nähe zum Kabarett, von dem es sich eigentlich nur
durch den verstärkten, eindeutigen Akzent auf der politischen Agitation und oft auch durch den Ort seiner Präsenta-
tion abhebt. Es setzt sich hier zusammen aus Kurzszenen,
kleineren Sprechchören, "Lebenden Bildern", Aufrufen, aktuellen Nachrichten, die sogleich mit Kommentar versehen wurden,
und einer ganzen Reihe anderer Formen. Die einzelnen Nummern
und Auftritte einer solchen Veranstaltung wurden zuweilen
durch eine gemeinsame Thematik (etwa die "Fürstenabfindung"
oder der Abtreibungsparagraph § 218) verbunden, zuweilen wurde ihnen aber auch eine kleine Fabel unterlegt, indem Szenen
einer einfachen und lehrhaften Handlung die einzelnen Nummern
verknüpften. Die Lieder - es handelt sich in diesen Programmen
überwiegend um satirische Neutextierungen von Schlagern und
im besonderen um Kampflieder - sind in sich geschlossene
Stücke, ebenfalls mit Nummerncharakter.

In der nummernartigen Aneinanderreihung der Programmbei-
träge lag zugleich die Stärke und die Schwäche einer solchen
Veranstaltung. Die journalistische Aktualität ergab eine große
politische Schlagkraft im Tageskampf. Auf der anderen Seite
zerstörte die agitative Aktualität beinahe jeglichen Kunst-
wert der Aufführungen, das heißt simplifizierende Oberflächlichkeit in der Gestaltung sozialer Verhältnisse und in der

Darstellung der Klassengegensätze, überaus rascher Verlust
jeglichen Aussagewertes auf seiten der Texte, dem ein oft
recht flüchtiger Eindruck auf der Seite des breiten Publikums entsprach.

Das trifft in gewisser Weise auch auf die Form der R o -
t e n   R e v u e   zu, in der das musikalische Element eine
weitaus stärkere Funktion erhielt. Im Dezember 1924 insze-
nierte Piscator für den Reichstagswahlkampf der KPD die "Revue Roter Rummel", kurz "RRR" genannt. Er übernahm dabei
Elemente des bourgeoisen Amüsiertheaters, wie es in dieser
Zeit von Haller, Charell und Klein aus Amerika und Paris nach
Berlin importiert wurde: rascher Fluß, lockerer Aufbau, Ensemble verschiedener Darbietungsformen; Piscator schreibt
dazu:

> "Die Revue kennt keine Einheitlichkeit der Handlung, holt
> ihre Wirkung aus allen Gebieten, die überhaupt mit dem
> Theater in Verbindung gebracht werden können, ist ent-
> fesselt in ihrer Struktur und besitzt zugleich etwas un-
> geheuer Naives in der Direktheit seiner Mitteilung.
> /.....7 Diese Form rein politisch zu verwenden war seit
> langem eine Vorstellung von mir; ich wollte mit einer
> politischen Revue propagandistische Wirkungen erzielen,
> stärker als mit Stücken, deren schwerfälliger Bau und de-
> ren Probleme, zu einem Abgleiten ins Psychologisieren
> verführend, immer wieder eine Mauer zwischen Bühne und
> Zuschauerraum aufrichteten." 1)

Wie mit Eisenhämmern, so schreibt Piscator weiter, sollte
jede Nummer der Revue niederschlagen. Es sollte kein Ent-
weichen aus dem Trommelfeuer der Agitation mehr geben, die
Anklage in immer neuen Beispielen vorgetragen werden unter
"skrupelloser Verwendung aller Möglichkeiten: Musik, Chanson, Akrobatik, Schnellzeichnung, Sport, Projektion, Film,
Statistik, Schauspielerszene, Ansprache". Zwei Figuren, der
Prolet und der Bourgeois, gehen durch das ganze Stück. Sie
kommentieren die Vorgänge auf der Bühne und geben diesen dadurch ihren Zusammenhang.

Diese neue, geschlossenere Form der Revue löste eine erstaunliche Bewegung über ganz Deutschland aus, von Piscator
immer wieder mit neuen Impulsen und Anregungen versehen. 1925
bringt er gemeinsam mit Felix Gasbarra die historische Revue

---

1) Piscator: a.a.0. S.65.

"Trotz alledem!" heraus. Er spricht hier von einem "dokumentarischen Drama". Zum ersten Mal bildet das politische
Dokument textlich und szenisch die alleinige Grundlage:

> "Die ganze Aufführung war eine einzige Montage von authen-
> tischen Reden, Aufsätzen, Zeitungsausschnitten, Aufrufen,
> Flugblättern, Fotografien und Filmen des Krieges und der
> Revolution, von historischen Personen und Szenen." 1)

Dokument ist hier im besonderen der Film, wie er auch im
russischen Agitationstheater verwandt wurde. Allerdings
schreibt Piscator, daß ihm die Verhältnisse des sowjetrussi-
schen Theaters in dieser Zeit fast unbekannt gewesen seien -
"die Nachrichten über Aufführungen usw. drangen immer noch
sehr spärlich zu uns."2) Auf der Stufe des "dokumentarischen
Dramas" gewinnt Piscator zunehmend die Überzeugung, daß die
Karrikatur, die plakative, stereotyp wiederholte These ganz
einfach zur Erstarrung im Klischee führt. Piscator will dagegen den wissenschaftlichen Beweis setzen:

> "Der überzeugende Beweis kann sich nur auf eine wissen-
> schaftliche Durchdringung des Stoffes aufbauen. Das kann
> ich nur, wenn ich, in die Sprache der Bühne übersetzt,
> den privaten Szenenausschnitt, das Nur-Individuelle der
> Personen, den zufälligen Charakter des Schicksals über-
> winde. Und zwar durch Schaffung einer Verbindung zwi-
> schen der Bühnenhandlung und den großen historisch wirk-
> samen Kräften." 3)

Brecht nennt das - wir erwähnten es bereits - das neue Theater des wissenschaftlichen Zeitalters.

Auf dieser neuen Stufe des Agitationstheaters erhält das
Lied natürlich eine ganz andere Funktion. Es ist nicht mehr
nur Stimmungsträger und Kampfaufruf, es wird auch zum Träger der Argumente. Kommen wir auf unsere These zurück, daß
Agitpropbewegung wie Lehrstück immer im Widerstreit von Pathos und Satire stehen: hier ist ganz deutlich der Versuch
einer Ausbalancierung auf dem Boden einer engagierten Wissen-
schaftlichkeit.

Der S p r e c h c h o r , jene dritte Form des Agitationstheaters, ist zunächst nichts anderes als chorische De-

---

1) Piscator: a.a.O. S.73.
2) ebda.S.71.
3) ebda.S.71f.

klamation revolutionärer und sozialkritischer Gedichte, die
durch thesenhafte Losungen verbunden wurde. Die Einstudie-
rung erfordert viel Zeit, so daß sich diese Chöre auf die
Dauer als sehr unbeweglich erwiesen. Dennoch brachten sie im
Laufe der Zeit eine Reihe interessanter und bedeutsamer Experimente zustande. Hier ist vor allem die Arbeit Gustav von
Wangenheims zu erwähnen. 1924 führte er mit der "Proletarischen Spielgemeinschaft Berlin" das Stück "7000" auf, in
dem er versuchte, den Sprechchor bewegungsmäßig aufzulok-
kern. Wichtig wurde hierfür der Gestus. Gestische Mittel entwickelte v.Wangenheim vor allem in seinem "Chor der Arbeit".
Zugleich wurde auch das chorische Sprechen aufgelöst: Einzelsprecher und Sprechgruppen treten in dialogische Beziehung
zueinander (Kollektivreferat). In dem Stück "7000" versucht
er darüber hinaus, auch den Zuschauer in das Bühnengeschehen
mit einzubeziehen, indem er einen Chor und Einzelsprecher unter die Zuschauer verteilt. Sie tragen die Aussage des Stük-
kes, den Appell an die proletarische Einheit in das Publikum hinein, in dieser Weise Gefühle der Solidarität weckend.
Chorisches Mitsprechen der Zuschauer sollte dadurch erreicht
werden, daß der Chor jeweils den letzten Satz des Parts des
Einzelsprechers wiederholt. Radikaler in dieser Beziehung
gibt sich Brecht später bei seinen Schulopern und Lehrstük-
ken: hier fordert er ein Theater ohne Zuschauer, ein Theater
der Akteure, die wechselweise ihre Rollen spielen, um spielend die Regeln der Revolution zu lernen. Insgesamt gesehen
wird das Gewebe des Sprechchors zunehmend komplizierter. Man
versuchte, dieser Entwicklung zu entgehen, indem man beweg-
lichere, kleinere Chöre bildete. Diese wurden schließlich
eingesetzt innerhalb der Revue oder eines Nummernprogramms,
als Abschluß einer Szene oder als Kommentar im Szenengesche-
hen. Seltener bestreitet der Chor später noch eigene Nummern
im Programm. Lediglich zu großen Feiern (z.Bsp. den großen
Oktoberfeiern) wurde er noch als Massenchor eingesetzt. Hier
diente er jedoch eher zur Dokumentation der Macht und zur
Stärkung der eigenen Reihen in diesem Bewußtsein. In der
dialektischen Beziehung von Pathos und Satire schlägt hier
das Pendel ganz offensichtlich in die Richtung des großen

revolutionären Pathos.

Mit diesen immer perfekter ausgebildeten Instrumenten der
Agitation und Propaganda, die wir soeben überblickt haben,
werden die einzelnen Truppen der Bewegung zu einem immer be-
deutungsvolleren politischen Machtfaktor. Nach dem aufsehen-
erregenden Auftreten der "Blauen Blusen" und den großen Erfolgen der Unternehmungen Piscators wächst die Zahl der Truppen in ganz enormer Weise. 1930 werden allein in den Groß-
städten mehr als 200 Agitproptruppen gezählt. 1928 bereits
steht der gesamte Apparat des Arbeiter-Theater-Bundes (ATBD)
unter der Führung der kommunistischen Partei. Auf der 1.
Reichskonferenz 1930 in Berlin hält der Dramatiker Friedrich
Wolf, Begründer des "Spieltrupps Südwest", in Stuttgart des
Referat über "Die Kunst als Waffe". Die Agitproptruppe wird
als Instrument der Partei anerkannt. Piscator hatte sich allerdings inzwischen von der Bewegung zurückgezogen.

Ein wesentliches Ziel, das man sich gesteckt hatte, wurde
in den Jahren vor 1933 nicht erreicht: die Begründung einer
eigenen revolutionären Dramatik. Die Klage darüber, bereits
von Piscator im Zusammenhang mit seinem "Proletarischen Theater" erhoben, ist durchgehend vernehmbar. Das revolutionär-
proletarische Theater bleibt in den Anfängen stecken. Die
Partei, die eifersüchtig über ihre Stellung als alleinige Trä-
gerin der Revolution wachte, forderte eine Literatur, die
"partei"-lich war, das heißt unbedingt linientreu, an den
Tageskampf und an die für ihn herausgegebenen Thesen und
Parolen gebunden. Dichterische Vertiefung war suspekt, ein
Darstellen partei-immanenter Probleme, die zu offenen Diskussionen hätten führen können, weitgehend unerwünscht, zuweilen mit doktrinärer Engstirnigkeit bekämpft. Hier offen-
barte sich ein Klischeedenken, das für eine freie revolutionäre Bewegung gefährlich wurde. Das instrument-gewordene Theater konnte so seiner ihm gestellten Aufgabe der Agitation und
Propaganda nur schwerlich gerecht werden. Der lehrhafte Akzent, den die Forderung nach Steigerung des "Lehrwertes"
hineingebracht hatte, zeitigte bald überaus negative Folgen:
die Programme wurden allzu trocken und blutleer, die "didaktische Schablone" stieß auf die Dauer ab. Die Dokumentation

Hoffmanns bringt folgende sehr eindeutige Kritik:

"Der Inhalt der aufgeführten Stücke ist meistens primi-
tiv - und das nicht nur vom literarischen, sondern auch
vom politischen Standpunkt. Komplizierte soziale Prozesse werden darin vereinfacht. Der überaus vielseitige soziale Prozeß mit seinen reichhaltigen Nuancen, die im gegenwärtigen Stadium des Klassenkampfes in den kapitalistischen Ländern - und besonders den im Faschisierungs-
prozeß begriffenen Ländern - eine keineswegs nebensäch-
liche, sondern häufig eine entscheidende Rolle spielen,
dieser Prozeß reduziert sich in diesen Stücken auf den
einfachen Kampf zweier Lager, die mechanisch gegenübergestellt werden .... Die unveränderliche Darstellung des
Feindes als lächerliche und grobe Karrikatur und des Re-
volutionärs als eines moralisierenden, sündenfreien
Klugschwätzers, der am Schluß die 'Internationale' singt,
kann schwerlich den modernen proletarischen Zuschauer
zufriedenstellen." 1)

In dieser Situation stößt Brecht zu der Bewegung. Seine Lehrstücke stellen dann eine Weiterführung dieser Agitations-
kunst und zugleich ihren letzten Höhepunkt vor dem Einbruch
des Nationalsozialismus dar. Seine unmittelbare Mitarbeit an
der Agitpropbewegung wird wohl niemals so eng gewesen sein
wie etwa diejenige Friedrich Wolfs bei der "Spielgruppe Südwest". Für den Spielplan 1927/28 stand eine Revue von Brecht
mit dem Titel "Weizen" auf dem Spielplan Piscators. Sie wird
jedoch nicht aufgeführt. Dagegen bringen die Badener Musik-
festspiele das "kleine Mahagonny" am 17. Juli 1927. Die Schauspieler, die die Songs "demonstrierten", trugen, wie E. Schumacher berichtet, Plakate mit sich, auf denen bestimmte Prinzipien der Ausbeutung, der Unsicherheit und der allgemeinen
Anarchie der Gesellschaft zu lesen waren.[2] In dieser Zeit
kommt Brecht in näheren Kontakt mit der führenden Agitproptruppe Berlins, "Das rote Sprachrohr". (Die gleichnamige
Zeitschrift der unter Leitung Maxim Vallentins stehenden
Truppe gehört zu den interessantesten Dokumenten der Bewegung). Der Komponist Hanns Eisler fungiert hier als Klavier-
spieler, Bertolt Brecht als literarischer Mitarbeiter. 1930
wird die Revue "USSR - Für die Sowjetmacht!" herausgebracht,

---

1) Hoffmann/Hoffmann-Oswald: Deutsche Arbeiter-Theater 1918-
   1933. S.633.
2) E.Schumacher: a.a.O. S.264.

eine szenische Reportage über den Aufbau des Sozialismus in
der Sowjetunion. Es ist die erste echte Szenenmontage und zu-
gleich der Versuch, die Vorherrschaft der agitatorischen
Kurzszene abzulösen. Lieder anfeuernden und auffordernden
Charakters unterbrechen immer wieder die Szene. Es wird das
"Komsomolzenlied" in deutscher Übersetzung gesungen. Die
Lieder führen aus dem Referat zu Propaganda und Agitation.
Nachdem die Erfolge und Siege der Sowjets aufgezählt sind -
sie werden in Bildern dargestellt -, singen alle:

> "Denn dem Sowjetland
> hält keiner Stand!
> Reihen abgezählt!" 1)

Es dominieren das Ausrufezeichen und der Imperativ. Die Ver-
luste werden nur erwähnt, sie zählen nicht. So singt die
Truppe, die durch den Zuschauerraum auftritt, das Stoßbri-
gadenlied:

> "Wir schaffen's, rote Stoßbrigaden,
> Den Sozialismus bauen wir!" 2)

Im nächsten Jahr, 1931, folgt die bereits erwähnte Revue
"Wir sind ja sooo zufrieden!". Helene Weigel singt eine Balla-
de gegen den § 218, Ernst Busch das "Lied vom SA-Proleten".
Kurze Szenen zeichnen eine kleinbürgerliche Familie. Und
1932 produziert Brecht den ersten und einzigen Agitpropfilm
"Kuhle Wampe". Dieser halbdokumentarische Film zeigt das Le-
ben der Berliner Arbeiterklasse in der Wirtschaftskrise.
Hanns Eisler schreibt die Musik zu diesem Film. Neben den
Schauspielern Helene Weigel und Ernst Busch wirken noch das
"Rote Sprachrohr", die "Gruppe junger Schauspieler" und 4000
kommunistische Arbeitersportler mit. Der Film wird bereits
kurz nach dem Anlaufen aus politischen Gründen verboten: der
Nationalsozialismus läßt nicht mehr mit sich spaßen. Im fol-
genden Jahr muß Brecht Deutschland verlassen.

Später schreibt Brecht einmal über die Agitpropkunst dieser Zeit, die wir soeben kurz überblickten:

> "Wo sie (die Arbeiter, B.T.) selber dichteten und Theater
> machten, waren sie hinreißend originell. Die sogenannte
> Agitpropkunst, über die nicht die besten Nasen gerümpft
> werden, war eine Fundgrube neuartiger künstlerischer Mit-

---

1) Hoffmann/Hoffmann-Oswald: a.a.O. S.480.
2) ebda. S.489.

tel und Ausdrucksarten. In ihr tauchten längst verges-
sene großartige Elemente echt volkstümlicher Kunstepochen
auf, den neuen gesellschaftlichen Zwecken kühn zugeschnitten." (B.B. 19.329)

Das Moment der Parteilichkeit bei der Formung wie bei der
Darstellung der Stücke, hier konnte er es studieren. Die
Szene 8 des "GUTEN MENSCHEN VON SEZUAN" zeigt das Portrait
des Arbeiterverräters Sun als williges Werkzeug der Ausbeutung. Das Portrait, vorgestellt von seiner Mutter, erinnert
an die Form des lebenden Bildes, wie es im Agitprop beliebt
war. Die Szene kulminiert im Lied, im "Lied vom achten Elefanten", gesungen von den geschundenen Arbeitern. Mit kräf-
tigen Strichen wird eine Situation des Klassenkampfes dargestellt. Der aggressive Ton stützt den Gestus des Liedes. Es
ist klar, wo Brecht diese Technik studieren konnte. Ihn reiz-
te hier die Verbindung verschiedenartiger Ausdrucksmittel,
wie in diesem Beispiel das 'lebende Bild', der Bericht, die
Pantomime, das Lied und die Musik. All das finden wir in dieser Szene wie auch in vielen anderen wieder. Und an anderer
Stelle finden wir auch - selbstverständlich für Brecht - die
t h e o r e t i s c h e Erfassung und Verarbeitung all dieser Einflüsse. So charakterisiert er, nicht zuletzt unter dem
Eindruck der Spielweise der Agitproptruppen, seine "epische
Darstellungsweise" folgendermaßen:

"Das epische Theater bedient sich denkbar einfachster,
den Sinn der Vorgänge übersichtlich ausdrückender Gruppierungen. Die 'zufällige', 'Leben vortäuschende',
'zwanglose' Gruppierung ist aufgegeben: Die Bühne spiegelt nicht die 'natürliche' Unordnung der Dinge. Das an-
gestrebte Gegenteil natürlicher Unordnung ist natürliche
Ordnung. Die ordnenden Gesichtspunkte sind geschichtlich-
gesellschaftlicher Art." (B.B. 17.1037)

Das aber bedeutet nichts anderes als die für Agitprop charakteristische Parteilichkeit bei der Formung wie bei der
Darstellung der Stücke.

Die in den Jahren nach 1929 einsetzenden Lehrstücke sind
Versuche, die Ergebnisse der Agitpropbewegung in literarische Formen eingehen zu lassen. Ohne Zweifel war die Zeit
reif für das große sozialistische Drama, dessen Aufgabe es
gewesen wäre, den gesellschaftlichen Prozeß der Ausbeutung
in seinen typischen Situationen wiederzuspiegeln. Die Machtergreifung Hitlers und der Nationalsozialisten bedeutete das

vorläufige Ende dieser Ansätze. Brecht sollte es jedoch zuvor noch gelingen, ein solches großes Stück zu schreiben, allerdings bereits eher die bittere Notwendigkeit der Emigration als die der Revolution vor Augen: es ist das Stück DIE MUTTER nach dem Roman Maxim Gorkis. In dieses Stück sind alle Elemente des Agitptroptheaters geradezu nahtlos eingegangen. "In formaler Hinsicht", so stellt auch Pfützner in seiner bereits erwähnten Untersuchung der Arbeitertheaterbewegung fest, "vereint die 'Mutter' die wirkungsvollsten Elemente der Agitpropbühne auf hohem dichterischem Niveau: die Spielszene, den Kollektivbericht (1.Mai-Bericht), die Erzählung, den Kommentar in der Form des Songs, des Liedes, ferner das Kampflied. Die ausgeprägte Musikalität gibt manchen Teilen den Charakter eines Oratoriums."[1] Das Wort, das gesprochene und gesungene Wort, bleibt stets dominierend. Und darin zeigt sich die ganze Überlegenheit der Gestaltungsweise Brechts und zugleich auch die der "grossen Form": hier konnte der (szenische) Beweis zu der (oft gesungenen) Lösung treten, und die Überzeugungskraft wurde erheblich gesteigert. Zugleich gelingt hier Brecht etwas, was in der Agitpropbewegung bisher selten war: er spricht bestimmte Probleme der deutschen Arbeiterbewegung an, wie etwa den Reformismus, das Bündnis mit der Intelligenz, die theoretische Schulung der Agitationskader, und gestaltete sie im Lied. So ist dieses Stück in vielerlei Hinsicht zugleich Höhepunkt und Ende einer Bewegung, die dem Theater sehr viele fruchtbare Impulse gab. Brecht stellt schließlich lebendige, bei aller Typik individuell gestaltete Menschen auf die Bühne - ein Verdienst sicherlich auch der großen Kunst Helene Weigels. Denkt man an die Szene, in der die Witwe Pelagea Wlassowa gegen die Unterstützung des Krieges durch die Frauen agitiert, so wird klar, daß hier noch einmal die für die Agitpropkunst so bezeichnende Dialektik zwischen Satire und Pathos fruchtbar wurde.

---

1) K.Pfützner: a.a.O. S.467.

Lehrstück und Schuloper

Die Form des Lehrstücks, mit der sich Brecht in den Jahren 1929 bis 1933 auseinandersetzt, ist immer in dieser soeben angedeuteten engen Beziehung zum Agitationstheater zu sehen. John Willett hat in seiner Brecht-Monographie in sehr verdienstvoller Weise dargelegt, wie in den Zwanziger Jahren diese Form wieder aufkommt. Die ersten französischen Neuanfänge sowie die spätere deutsche Aufnahme bei den Musikfestspielen von Donaueschingen und später Baden-Baden werden sehr bündig entwickelt.[1] Brecht selbst hat dann versucht, das Lehrstück und die Schuloper auch in Deutschland dem politischen Theater nutzbar zu machen. Der 'nichtaristotelische' Dramentyp, an dem er experimentiert, ist durchaus nicht neu. Neu ist nur, daß das Lehrtheater Reflexionen für das Diesseits anstellt. Willett weist im übrigen darauf hin, daß das Lehrstück in Deutschland immer eine Art Ritual gewesen sei, dazu "bestimmt, gewisse allgemeine soziale und gesellschaftliche Tugenden zu lehren".[2] Ein solches Ritual ist auch bei Brecht zuweilen spürbar, so etwa in DIE MASS-NAHME, wo die Auslöschung eines Menschen (paradoxer Weise unter dem Vorzeichen einer humanistischen Revolutionierung der Welt) vollzogen wird, des lehrhaften Beispiels wegen. Doch auch bei Brecht tritt das Rituelle mehr und mehr zurück, die moralische Reflexion und die Lehre treten an seine Stelle. Und wie beim traditionellen Lehrstück kann man auch bei Brecht die Beobachtung machen, daß der Wechsel der Mitteilungsebene, also der Wechsel von der Handlung zur Reflexion, zum Kommentar usw., niemals frei ist von der Gefahr, das innere Gefüge eines Stückes zu stören, indem die reflektierenden Partien das szenische Geschehen überwuchern. Daran ist letzten Endes der Irrtum nahezu aller Moralisten der Bühne beteiligt, Reflexion im Zuschauer werde allein oder in erster Linie durch ein Vor-Reflektieren auf der Bühne angeregt. Die Folge war oft genug Überdruß und Müdigkeit

---

1) J.Willett: Das Theater Bertolt Brechts. S.117-130.
2) ebda. S.106.

auf seiten des Publikums, hervorgerufen durch den unduldsamen Purismus im Hinblick auf die eigene Lehre.

Die Pädagogien des 17.Jahrhunderts brachten bereits jene "Umfunktionierung der Kunst in eine pädagogische Disziplin", wie sie Brecht in den Heften seiner "Versuche" als das anzustrebende Ziel des neuen Theaters bezeichnet hat. Später präzisiert Brecht, wen er mit diesen Lehrstücken ansprechen will. Es sind jene "Schichten, 'die noch nicht dran waren', die unzufrieden mit den Verhältnissen sind, ein ungeheuer praktisches Interesse am Lesen haben, sich unbedingt orientieren wollen, wissen, daß sie ohne Lernen verloren sind - das sind die besten und begierigsten ...." (B.B. 15.267)

Wir haben bereits erwähnt, daß Brecht im Zusammenhang mit dem Lehrstück das "Prinzip des lehrhaften Lernens" entwickelt. An anderer Stelle kennzeichnet er es als den Versuch, die Zuschauer "zugleich zu Tätigen und Betrachtenden zu machen" (B.B. 17.1022). Hier heißt es unmißverständlich, doch keineswegs neu und originell, was die Tradition des Lehrstücks angeht:

> "Das Lehrstück lehrt dadurch, daß es gespielt, nicht dadurch, daß es gesehen wird. Prinzipiell ist für das Lehrstück kein Zuschauer nötig, jedoch kann er natürlich verwertet werden. Es liegt dem Lehrstück die Erwartung zugrunde, daß der Spielende durch die Durchführung bestimmter Handlungsweisen, Einnahme bestimmter Haltungen, Wiedergabe bestimmter Reden und so weiter gesellschaftlich beeinflußt werden kann." (B.B. 17.1024)

Wo jedoch - wie hier - eine Identifikation von Agierendem und Betrachtendem bis zur Identität angestrebt wird, ist es stets von Interesse zu prüfen, welche Personen und - wichtiger noch - welche Kollektivbereiche hier auftreten, in welcher strukturellen Durchformung sie innerhalb der Lehrstücke vorgestellt werden. Gehen wir einmal aus von MANN IST MANN als dem Übergangsstück. Hier erscheint, noch sozusagen als Kollektiv negativer Prägung, die Kolonialarmee, eine verrottete Maschinerie sinnlosen Mordens. In der HEILIGEN JOHANNA DER SCHLACHTHÖFE ist es die Heilsarmee, ihr gegenübergestellt eine mehr oder weniger heterogene Arbeiterschaft, mehr oder weniger klassenbewußt. Im FLUG DER LINDBERGHS, einem modernen Technizismus huldigend, ist es das technologische Kollektiv von Monteuren, Konstrukteuren, Metereologen und Pi-

loten. Im LEHRSTÜCK VOM EINVERSTÄNDNIS ist die Rede von der
'Menge', im JASAGER von den 'Weggefährten'. Erst in dem
Stück DIE MASSNAHME (1930) tritt konkret die 'Partei' als
Kollektiv auf, als Synonym für den kämpfenden Proletarier.
Strukturell wird der Mensch als aus eigenem unkontrollier-
tem Antrieb Handelnder abgebaut. An der Stelle des heroischen Impulses erscheint die soziale Konstellation, die ökonomische Situation schreibt nahezu zwingend das Handeln vor,
indem es die Entscheidung zugleich fordert als auch schon
weitgehend determiniert. Hier wird eine gewisse Gefährdung
materialistischen Denkens evident: ein logisch-rationales
Weltbild sucht die Welt in ihrer Totalität zu erfassen und
erkennbar zu machen. Der humanistische Auftrag liegt darin,
dem Menschen ein Höchstmaß an innerer Freiheit, Unabhängigkeit von materieller Not und von allem Numinosen zu gewähren.
Dabei wird der Mensch jedoch sofort in einen neuen Zwang
hineingestellt: ein nahezu mechanisch berechnetes Weltge-
schehen trägt in sich einerseits die Möglichkeit der Einflußnahme, die Möglichkeit der Veränderbarkeit der Verhältnisse,
in letzter Konsequenz also die Möglichkeit der Selbstbefreiung des Menschen. Andererseits aber erfaßt die begrenzte Ratio des Menschen stets und immer nur Teilaspekte seines
Seins, eben im Bereich seiner Erkenntnismöglichkeit. Hier
ist nach unserer Überzeugung letzten Endes nur die Abstraktion des Seins zu greifen, die sich dann in Gesetzen dieser
Art niederschlägt: "Das gesellschaftliche Sein bestimmt das
Denken." (B.B. 17.1010). Natürlich enthält dieses aus der
Betrachtung eines durchaus wesentlichen Teilaspektes des
Seins, eben der sozialen Existenz abgeleitete Gesetz auch
eine (Teil-)Wahrheit, die allerdings in manchen Lehrstücken
generalisiert wird. In diesem theoriegefüllten Raum von Argument und Gegenargument, von bloßer sozialer Funktionalität
fehlt auf weiten Strecken - und das ist die bezeichnende
Folge - die befreiende, revolutionäre Aktion auf der Bühne.
  Gemeinsames Thema der frühen Lehrstücke ist das Problem
des "Einverständnisses", das heißt der absoluten Unterordnung unter die Idee der sozialistischen Revolution. Damit
eng, auffällig eng verbunden erscheint das Problem der

Auflösung der Individualität, eines der Grundprobleme im
Denken Brechts. Das Ritual des Einverständnisses legt die
kompromißlose Disziplinierung als die andere Konsequenz offen. Seine ersten, durchaus unsicheren Schritte zur Wirt-
schaftswissenschaft bringen ein neues Formelement in das
Lehrstück ein: die belehrende Demonstration sozio-ökonomischer Mechanismen der kapitalistischen Welt. "Ich wurde ein
wenig doktrinär, weil ich dringend Belehrung brauchte",
schreibt er später in seinen Notizen (B.B. 19.414). Mit dem
Stück DIE HEILIGE JOHANNA DER SCHLACHTHÖFE wird bereits eines der großen Themen des Moralisten Brecht angesprochen:
die Verkehrung der Moral im Herrschaftssystem der Ware, der
Verlust der menschlichen Würde im Kapitalismus. Schon hier
erscheint die lehrhafte Tendenz in die Form des großen Schauspiels gekleidet. Doch erst das letzte Stück dieser Reihe,
die MUTTER, überschreitet die traditionelle Begrenzung des
Lehrstücks. Nach dem Übergang zum Berufstheater, bleibt das
Lehrstück allerdings nur dann wirksam, wenn der Schauspieler selbst zu lehren und zu lernen bereit ist. Ein solches
Stück konnte Brecht daher nur wirklich schlüssig auf der
Bühne gestalten, weil er solche Schauspieler wie Helene Weigel oder Ernst Busch zur Verfügung hatte. Brecht schreibt:

"Das Stück 'Die Mutter', im Stil der Lehrstücke geschrieben, aber Schauspieler erfordernd, ist ein Stück anti-
metaphysischer, materialistischer, nichtaristotelischer
Dramatik. Diese bedient sich der hingebenden Einfühlung
der Zuschauer keineswegs so unbedenklich wie die aristotelische und steht auch zu gewissen psychischen Wirkungen, wie etwa der Katharsis, wesentlich anders."
(B.B. 17.1036)

Hier wird deutlich, daß die Einfühlung der Zuschauer für
ihn wiederum etwas durchaus "Bedenkliches" war, etwas, das
ihn in der kommenden Zeit immer mehr beschäftigen sollte.
Hultberg hat richtig erkannt, daß Brecht die mitschöpferi-
sche Phantasie des Zuschauers auch in seiner Spätzeit - zumindest im Theater - verdächtig war. Das Mitgehen des Publikums fordert er vor allem im politischen, weniger aber im
ästhetischen Bereich. Er formuliert das so:

"Die Montage, das Unorganische soll nicht den synthetischen, sondern den analythischen Sinn des Publikums wek-
ken, Brecht appelliert an den Intellekt, nicht an die

Phantasie. Daher das grelle Licht auf der Bühne, der
Verzicht auf Schattierungen." 1)
Dem ist mit gewissen, an anderer Stelle noch zu erörternden
Einschränkungen zuzustimmen. Welchen Stellenwert Brecht diesem Sinn für Analyse beimaß, geht aus der Sorgfalt hervor,
mit der er die vorgeführten Abbildungen gestaltet und kritischer Reflexion unterworfen hat. Die Verantwortlichkeit, die
er für die gesellschaftliche Wirkung jeder einzelnen, vorgeführten Szene fühlte, geht so weit, daß er tiefgreifende
Veränderungen im Werk oder in der Inszenierung vornimmt,
wenn sich einmal eine solche geplante Wirkung nicht ein-
stellt. Wenn Werner Mittenzwei das epische Theater Brechts
als einen Versuch kennzeichnet, "mit Wissen verbundene, ge-
sellschaftsverändernde Empfindungen"[2] zu erregen, so sind
damit vor allem jene Stücke charakterisiert, die durch das
letzte der Lehrstücke, durch DIE MUTTER erst ermöglicht wurden. Hier erst erfährt das Thema der "Auslöschung der Individualität" eine echte positive Auslegung, eben in der Gestalt der Revolutionärin Pelagea Wlassowa. Im Zentrum steht
menschliches Schicksal, das der Mutter und damit aufs eng-
ste verknüpft auch das ihres Sohnes. Und konkret, wie auch
in DIE HEILIGE JOHANNA wird aufgezeigt, wer hier Schicksal
ist: der Mensch selbst, nicht nur der ausbeutende, sondern
auch der, welcher sich ausbeuten läßt. Die Veränderung der
Verhältnisse, weniger die Verklärung im revolutionären Pathos, der Klassenkampf zur Befreiung des Menschen von der
Unterdrückung durch den Menschen wird gestaltet. Die Realität dieses Kampfes wird unmittelbar szenisches Ereignis, die
"Gesänge" sprengen die dramatischen Grenzen. Sie sind gedacht als eine Art Fußnote im dramatischen Geschehen. Die
Idee der "Literarisierung" des Theaters erfährt eine neue
Ausprägung. Die Titelprojektion bedeutet hier durchaus eine
Vorausschau, ein Vorblättern des Zuschauers, der Song ein
Rückblättern und Durchdenken des Gesagten. Brecht spürte
sehr wohl die Grenzen, die dieser Idee durch die besondere
Eigenart des Theaters gesetzt ist, die eben von der zeitli-
chen Abfolge einer Vorstellung bestimmt wird. Helge Hult-

1) H.Hultberg: a.a.O. S.197.
2) s.in: Brecht-Dialog 1968. S.26 ff.

bergs Kritik trifft hier nicht ganz zu[1].

Das politische Lied. Das Kampflied

Die Frage der rein tagespolitischen Dichtung ist, das sei
hier gleich festgestellt, eher in bezug auf den Lyriker
Brecht von Interesse. In den Stücken selbst ist die Zahl
solcher Lieder verschwindend gering, sieht man einmal von
den Hitler-Chorälen ab. Versuche Brechts, Lieder durch Um-
dichtungen oder mit Hilfe von Zusatzstrophen zu aktualisie-
ren, wurden wohl von ihm selbst wieder fallengelassen. Harry Buckwitz, der in seinen Inszenierungen sehr viel für die
Durchsetzung Brechtscher Stücke geleistet hat, schreibt, daß
er nach langen Erwägungen Liedtexte, die Brecht aus Anlaß
der ersten Nürnberger Prozesse (1949) für die DREIGROSCHEN-
OPER geschrieben hat, nicht in seine Inszenierung aufgenommen hat.

"Ich ließ schon einige Darsteller diese Verse singen,
empfand dann aber, daß diese aufgesetzten Aktualitäten
wie ein falscher Zungenschlag wirkten, so daß ich auf
sie verzichtete. Meines Wissens sind die Strophen auch
noch in keiner Inszenierung der 'Dreigroschenoper' ein-
geblendet worden und als ich mit Brecht darüber sprach,
hatte er selbst das Gefühl, daß die Aufnahme dieser
Strophen in die 'Dreigroschenoper' kein Gewinn darstellen würden." [2)

Was uns also im Zusammenhang mit dem politischen Lied und
dem Kampflied interessieren kann, sind weniger unmittelbare
Einflüsse auf Form und Struktur des Liedes im Stück. Interessant ist vielmehr die Auffassung des Liedes als Instrument
des Klassenkampfes und der politischen Aufklärung. Übrigens
weist Brecht selbst auf die enge Verbindung seiner Tätigkeit
als Propagandist und Verfasser von Kampfliedern mit der des
Stückeschreibers hin. In seinem Beitrag "Über reimlose Lyrik mit unregelmäßigen Rhythmen" (B.B. 19.395ff.) betont er
allerdings, daß er in dieser Zeit seine "Hauptarbeit auf dem
Theater verrichtete" (B.B. 19.398).

---

1) H.Hultberg: a.a.O. S.110.
2) Brief von Buckwitz an Ulla Lerg-Kill vom 13. Juni 1960
   in: U.Lerg-Kill. a.a.O. S.270.

In den Zwanziger Jahren litt die kommunistische Bewegung
unter einem empfindlichen Mangel an wirklich zündenden
Kampfliedern. Die Frage und schließlich die immer dringli-
chere Forderung nach dem proletarischen Liederdichter wird
nahezu ebenso häufig gestellt wie die nach dem proletarischen Bühnenschriftsteller, zuweilen sogar in gleichem Atemzug. Die Dokumentation L.Hoffmanns zum Arbeitertheater bringt
u.a. die Rede Hans Käbnicks, die er unter dem Titel "Was
fordert die proletarische Bühne vom proletarischen Schriftsteller" auf der erwähnten ersten Internationalen Arbeiter-
theaterkonferenz hielt. Käbnick beschwor die Autoren:

> "Und vergeßt nicht das proletarische Kampflied: Wenig
> gute, neue Kampflieder gibt es, fast gar keine mit ei-
> gener Melodie. Und auf hunderten Demonstrationen will
> die kommunistische Jugend singen! Ist das keine Ver-
> pflichtung für den proletarisch-revolutionären Schrift-
> steller?" 1)

Auch Brecht kam dieser Verpflichtung, aus welchen Gründen
auch immer, nur sehr zögernd nach. Politische Gedichte
schrieb er zwar bereits seit 1926 für die satirische Zeitschrift "Der Knüppel", für die auch Erich Weinert, Friedrich Wolf, Kurt Tucholsky und George Grosz arbeiteten. Mit
der "Ballade vom Stahlhelm", so meint Klaus Schuhmann, hebt
Brecht die Trennung zwischen realen Gesellschaftsproblemen
und seinem künstlerischen Schaffen zum ersten Mal bewußt
auf: "Seine politischen Interessen stimmen bereits mit den
Kampfzielen der Arbeiterklasse und ihrer marxistischen Partei überein."2) In den Jahren des politischen Kampfes und
der Auseinandersetzungen mit dem Nationalsozialismus war es
Brecht mehr und mehr bewußt geworden, daß es nun einfach
nicht mehr möglich war, die Attitüde des unbeteiligten Beob-
achters gesellschaftlicher Umwandlungen einzunehmen, die
"Haltung des rauchend Beobachtenden". Der Dichter hat sich
zu engagieren, die Zeit verlangt die Entscheidung. Und Brecht
engagiert sich mit aller Eindeutigkeit. In den Liedern der
Lehrstücke erscheint plötzlich die Du-Anrede an ein Mitglied
des Kollektivs, den proletarischen Genossen. Damit war der

---

1) Hoffmann/Hoffmann-Oswald: a.a.O. S.274.
2) K.Schuhmann: a.a.O. S.330.

erste Schritt hin zum Kampflied getan. Aber erst später gelingen ihm solche großen Lieder, in gemeinsamer Arbeit mit Hanns Eisler, das "Einheitlied" (B.B. 9.652) und das "Sichellied" (B.B. 8.369) sind die beiden bekanntesten dieser Produktion. Nachdem er am 28.2.1933, einen Tag nach dem Reichstagsbrand, mit seiner Familie Deutschland verlassen hatte, flieht er aus Dänemark, muß er Europa verlassen und trifft 1941 in Californien ein. Er glaubte nicht mehr an die Möglichkeit einer raschen Rückkehr in die Heimat.

Ruhelos hatte Brecht zunächst Deutschland umkreist, der Kampf gegen das nationalsozialistische Verhängnis hatte seine ganze Kraft in Anspruch genommen. Nun erst wird ihm die ganze bedrückende Last seiner Lage bewußt, als politisch und literarisch engagierter Dichter Emigrant in einem fremden, dazu noch verhaßten gesellschaftlichen System leben zu müssen:

> "... ich sitze doch hier als Verbannter, und man hat mir vor allem andern meine Leser und Zuhörer weggenommen, deren Sprache ich schreibe, und das sind nicht nur Menschen, denen ich Dichtungen ablieferte, sondern Menschen, denen mein tiefstes Interesse gilt. Ich kann nur an Menschen schreiben, für die ich mit interessiere: da sind Dichtungen genau, was Briefe sind." (B.B. 18.251)

Ulla Lerg-Kill weist mit Recht darauf hin, daß diese "abrupt veränderte gesellschaftliche Situation... für ihn, dessen Arbeiten Korrespondenz zu einem inspirierenden und reagierenden Publikum waren, dessen Schaffen sich in einer von ihm beobachteten und in ihrer Entwicklung verfolgten gesellschaftlichen Umrahmung vollzog, zwangsläufig Wandlungen mit sich bringen"[1] mußte. Dieser Ansatz - bei dem Brecht der Emigrationszeit sicherlich besonders fruchtbar und von vielschichtigem Interesse, nicht nur für die Publizistik- und Literaturwissenschaft - kommt hier zu einer in ihren menschlichen Konsequenzen sicherlich erschütternden Feststellung:

> "Nicht nur die äußeren Schwierigkeiten, sondern auch der Abbruch des Publikumskontakts, das Fehlen gesellschaftlicher Teilhabe, die nicht durch Kommunikationskanäle zu überbrückende Entfernung von seinem deutschen Rezipientenkreis, hatten naturgemäß eine Reduzierung seiner politischen Aktivität zur Folge. Brecht schuf sich im

---

1) U.Lerg-Kill: a.a.O. S.42.

Exil kein eigentlich neues Publikum. Er dachte und
schrieb weiterhin an Deutsche." 1)
Der Weg, den der politische Lyriker nimmt, zeichnet sich
natürlich auch in seinem Werk ab. Der Rhythmus des Denkens
und Sagens, des Erklärens eher als des Singens, zuweilen
der Tonfall nüchtern-sachlicher Begeisterung prägen das
L e h r g e d i c h t . In den C h ö r e n treten die Arbeiter als geschlossene Gruppe, gleichsam als eine Person
auf, äußerlich gekennzeichnet auch durch Reim und (oft) durch
festen Rhythmus. Es wurde erwähnt, daß plötzlich die Du-Anrede an den proletarischen Genossen da ist. In der B a l -
l a d e formuliert Brecht den Appell an die Menschen, die
Aufforderung zur Tat. Das aktuelle Geschehen bestimmt die
Form wie auch den Inhalt. Die Aufforderung zum Denken steht
für ihn in diesem gleichen Zusammenhang, gibt ihm jedoch die
Möglichkeit dichterischer Vertiefung von Erkenntnissen, Ein-
drücken und Empfindungen. In der C h r o n i k sucht er
den Beweis für die Gegenwart in epischer Breite und in tie-
ferer gedanklicher Durchformung zu führen. Sprechender als
alles andere ist die Tatsache, daß wir aus den Jahren 1931-
1933 keine solchen Chroniken aus der Feder Brechts kennen.
Diese Form war ihm erst in dem Abstand des Exils wieder möglich.

---

1) U.Lerg-Kill: a.a.O.

III. UMRISSE DER DRAMATISCH-THEATRALISCHEN THEORIE

IN DEN ARBEITEN NACH 1933

"Ein Mann mit einer Theorie ist verloren. Er muß mehrere
haben, vier, viele! Er muß sie sich in die Tasche stop-
fen wie Zeitungen, immer die neuesten .... Man muß wissen, daß es viele Theorien gibt, hochzukommen, auch der
Baum hat mehrere, aber er befolgt nur eine von ihnen,
eine Zeitlang." (B.B. 18.10)

In dieser Notiz bekennt der junge Brecht seine Vorliebe für
die Theorie, er konnte sie nie verleugnen. Die Notiz stammt
vom 9. September 1920: Brecht ist Kritiker am Augsburger
"Volkswillen". Inzwischen nach München übergesiedelt, sucht
er mit Ungestüm den Aufstieg. Seine Stücke BAAL und TROM-
MELN IN DER NACHT sind zwar bereits niedergeschrieben, doch
die Bühnen sind noch nicht so weit, sie auch zu spielen. Unter dem Datum des 29. Mai 1921 notiert Brecht ein Gespräch
mit Cas(par Neher) über Marees. Und wieder beschäftigt ihn
der Gedanke, daß Erfolg und Theorie miteinander irgendwie
verknüpft seien: "Schließlich wird eine gute Theorie, eine
konsequente Beschränkung und ein ideologischer Eigenwille,
einiges Talent vorausgesetzt, auf die Dauer immer einigen
Erfolg haben." (B.B. 18.13).

Mit zunehmender Abklärung theoretischer Vorstellungsinhalte, aber auch mit zunehmender Meisterschaft im Technischen des Schreibens und Inszenierens ändert sich das Bild
grundlegend. Theorie bleibt für Brecht nicht das vordergrün-
dige Mittel zum Zweck, sie wird ihm bald in einem enormen
Ausmaß Grundlage seiner ganzen geistigen Arbeit. Als Ergeb-
nisprotokoll, als Reflexion beim Schreiben und Inszenieren
hat sie sowohl eine schöpferische als auch eine klärend-
erklärende Funktion. "In der Praxis muß man einen Schritt
nach dem anderen machen - die Theorie muß den ganzen Marsch
enthalten." (B.B. 15.196).

Das ästhetische Denken Brechts ist von seinem Wesen her
praxisgebunden, gebunden vor allem an seine eigenen Arbeiten. Nahezu immer ist die Theorie konkret auf das Theater
bezogen und natürlich auch zugleich auf das Stückeschreiben.
So stehen seine theoretischen Überlegungen insgesamt der
Kritik näher als dem bloßen theoretischen Kalkül. Man könnte

sicherlich mit Recht sagen, sein ästhetisches Verfahren sei
die Kritik. Hier vereinigt sich die ihm eingeborene Vorliebe
für scharfsinniges Theoretisieren mit seiner Neigung zur analysierenden Bestandsaufnahme, die wir bereits erwähnt haben.
Nahezu alle theoretischen Äußerungen Brechts haben den
einen, für ihn allerdings äußerst wichtigen Zweck: das eigene Werk zu erklären, verständlich zu machen, spielbar zu
machen. Brecht nimmt damit eigentlich eine Kritikerstellung
ein zwischen seinem eigenen Werk und seinem Publikum. Indem
er die Werte (seltener die Schwächen) aufzeigt, eine mögli-
che Analyse der Wirkungsursachen bereits vorwegnimmt und so
in ihrer Richtung festlegt, will er die Verbreitung und die
Wirksamkeit dieses Werkes vorbereiten, sucht er das Publikum durch Empfehlung (seltener durch Ablehnung) zu kritischer Stellungnahme und eigener Durchdringung anzuregen.
Der Gestus der Belehrung verdeckt dabei kaum den Versuch,
beides, Kritik und Stellungnahme, zu steuern und zu beeinflussen.

Damit sind wichtige Prämissen angedeutet, unter denen im
folgenden die kurze Darstellung der ästhetischen Grundein-
stellung Brechts in den Jahren nach 1933 entwickelt werden
soll. Es gilt hier, die dramatisch-theatralische Theorie
wenigstens in Umrissen zu verdeutlichen, um in dieser Weise
den Raum abzustecken, innerhalb dessen der Standort des Liedes zu bestimmen sein wird.

1. Die allgemeinästhetischen Anschauungen

Ästhetik als ein Bereich ungebundenen künstlerischen Schaffens und zweckfreien Wohlgefallens, so wie es sich das Bil-
dungsbürgertum geschaffen hatte, war Brecht schon lange zutiefst verdächtig, ja verhaßt. Ende der Zwanziger Jahre
schreibt er innerhalb der "Forderungen an eine neue Kritik":

> "Wir leben in einer Situation, wo etwas ästhetisch glän-
> zend Geformtes falsch sein kann. Das Schöne darf uns
> nicht mehr als wahr erscheinen, da das Wahre nicht als
> schön empfunden wird. Man muß dem Schönen durchaus miß-
> trauen." (B.B. 18.113)

Immer wieder betont er, daß Kunst mehr sei als nur "ver-

hüllte Moral", "verschönertes Wissen" (B.B. 16.645). Die
Wirklichkeit des Industriekapitalismus und der faschisti-
schen Gewalt sei doch unmöglich im Rahmen des "Schönen" zu
interpretieren. Zu diesem Begriff des "Schönen" hat Brecht
im übrigen ein überaus "widersprüchliches" Verhältnis. Erst
in den Jahren des Exils wird vieles, das durch den kämpfe-
rischen Standpunkt überpointiert erscheint, wieder in nach-
denklich differenzierender Weise ins Lot gerückt. "Es wird
sich herausstellen", so schreibt er (wohl im Jahre 1935)
über "Lyrik und Logik", "daß wir nicht ohne den Begriff
Schönheit auskommen. Es ist keine Schande, diesen Begriff zu
benötigen, aber es macht doch verlegen." (B.B. 19.386). Indem dieser Begriff in enge Verbindung mit einem politisch
verstandenen, funktionalen Begriff des Wahren gebracht wird,
erhält er einen neuen Akzent, wird so wieder einsetzbar. Einsetzbar natürlich im konkreten politischen Bereich, denn alle
seine Überlegungen zur Kunst versuchen ja den engen akade-
misch-literarischen Kreis zu verlassen, in dem sich die zeitgenössische Kunst hoffnungslos verfangen hatte.

Brechts Kritik an der idealistischen Ästhetik setzt stets
mit besonderer Heftigkeit dort ein, wo diese leugnet, daß
Kunst Manifestation der Wirklichkeit sei. Er weist auf den
schreienden Gegensatz hin, daß Tausende für Gemälde ausgege-
ben werden, während Kinder in der gleichen Welt hungern müssen. Die Kunstwerke haben dieses Elend nicht verhindern können, also sind sie nach seiner Meinung in hohem Maße mit-
schuldig an diesen Zuständen: "Der gleiche Geist, der jene
Kunstwerke geschaffen hat, hat diesen Zustand geschaffen"
(B.B. 18.77). Kunst ohne politische Relevanz ist nach seiner
Überzeugung gerade in diesem Jahrhundert ein Verbrechen. Daraus leitet er sein grundsätzliches Postulat an die neuen
Künstler und an die neue Kunst ab:

> ".... eine neue Kunst wird endlich ihren Gebrauchswert
> nennen und angeben müssen, wozu sie gebraucht werden
> will. Und man wird einem Maler hoffentlich nicht ge-
> statten, Bilder nur zu malen, damit sie gerührt ange-
> klotzt werden." (B.B. 18.77).

Die Frage nach dem Standort des Dichters - schon in Aristoteles 'Poetik' Anlaß für weitgreifende Erörterungen - war im

Laufe der Geschichte und mit zunehmender artifizieller Ver-
feinerungen der Anschauungen immer mehr in den Hintergrund
getreten. Hier wird sie neu gestellt.

Brecht glaubt an die Fähigkeit der Kunst zur Repräsenta-
tion gesellschaftlicher Prozesse, an ihre Fähigkeit, soziale
Auseinandersetzungen zu beeinflussen. Nur als Manifestation
der Wirklichkeit gewinnt sie nach seiner Überzeugung ihre
gesellschaftliche Effektivität zurück. Auch die Kunst muß
in dieser Zeit der Entscheidungen sich entscheiden, so stellt
er in den Jahren des Exils fest:

> "Sie kann sich zum Instrument einiger weniger machen, die
> für die vielen die Schicksalsgötter spielen und einen
> Glauben verlangen, der vor allem blind zu sein hat, und
> sie kann sich auf die Seite der vielen stellen und ihr
> Schicksal in ihre eigenen Hände legen. Sie kann die Men-
> schen den Rauschzuständen, Illusionen und Wundern auslie-
> fern, und sie kann den Menschen die Welt ausliefern. Sie
> kann die Unwissenheit vergrößern, und sie kann das Wissen
> vergrößern. Sie kann an die Gewalten appellieren, die ih-
> re Kraft beim Zerstören beweisen, und an die Gewalten,
> die ihre Kraft beim Helfen beweisen." (B.B. 18.218)

Für den Künstler gibt es nach seiner Ansicht keine Möglichkeit in dieser Zeit, unparteiisch und von der gesellschaftlichen Umwelt losgelöst zu arbeiten. Auch wenn er nicht Partei nimmt und nicht den Kampf der unterdrückten Klassen um
ihre Befreiung unterstützt, bezieht er eine Stellung, eine
feindliche Stellung im Klassenkampf. Der Künstler steht unter dem unerbittlichen Zwang, die Wahrheit zu schreiben,
selbst wenn sie für ihn gefährlich werden kann. In dem Beitrag 'Fünf Schwierigkeiten beim Schreiben der Wahrheit', den
er als Antwort auf eine Rundfrage am 12. Dezember 1939 im
'Pariser Tagblatt' veröffentlichte, beschreibt er diese ge-
fährdete künstlerische Existenz in dieser Zeit:

> "Er muß den Mut haben, die Wahrheit zu schreiben, obwohl
> sie allenthalben unterdrückt wird; die Klugheit, sie zu
> erkennen, obwohl sie allenthalben verhüllt wird; die
> Kunst, sie handhabbar zu machen als eine Waffe; das Ur-
> teil, jene auszuwählen, in deren Händen sie wirksam
> wird; die List, sie unter diesen zu verbreiten."
> (B.B. 18.222)

Im wesentlichen geht es also Brecht darum, die Schranken
zwischen Kunst und Leben, die das idealistische Denken auf-
gerichtet hatte, radikal einzureißen. Mit allen Mitteln -
wohlgemerkt: in erster Linie künstlerischen Mitteln - ver-

sucht er, Bühne und Drama aus dem Bereich der sogenannten
'Schönen Künsten' bzw. 'Schönen Wissenschaften', die sich
eben wesentlich mit der Darstellung des 'Schönen' beschäftigen, herauszubringen. Er möchte ais als eher 'technische
Künste' einsetzen, Künste also, die praktische Nützlichkeit
verfolgen. Wenn die Antike von ärztlicher Kunst, von der
Strategie als Feldherrnkunst, von handwerklichen Künsten und
in diesem Zusammenhang eben auch von den "Schönen Künsten"
sprach, so war damit ein gesellschaftlicher Bereich abgesteckt, an dem die einzelnen Künste in gleicher Berechti-
gung teilhatten. Brecht nimmt darauf sicherlich Bezug, wenn
er in seinen "Notizen über realistische Schreibweise" 1940
schreibt:

> "Es wäre viel nützlicher, den Begriff 'Kunst' nicht zu
> eng zu fassen. Man sollte zu seiner Definition ruhig
> solche Künste wie die Kunst des Operierens, des Dozie-
> rens, des Maschinenbaus und des Fliegens heranziehen.
> Auf diese Weise geriete man weniger in Gefahr, von etwas,
> genannt 'Bezirk der Kunst' zu faseln, von etwas sehr
> eng Umgrenztem, von etwas, was sehr strenge, wenn auch
> sehr dunkle Doktrinen erlaubt." (B.B. 19.350)

Hier wird offensichtlich auf den antiken, im ästhetischen
Sinne vorklassischen Begriff der 'téchne' angespielt, er erhält bei Brecht neue Bedeutung. Künstlerische Technik bedeutet hier nicht in oberflächlicher Weise die Wissenschaft
des Kunstverfertigens, sie bedeutet vielmehr die Erarbei-
tung eines das gesamte soziale Sein durchdringenden Wissens,
das sich dann in Kunst manifestiert. Der 'Poetik' oder der
'Lehre des Verfertigens' steht hier wieder das Wissen im weitesten Sinne zugeordnet, sie ist wieder im ursprünglichen
Sinne eines vernunftbegleiteten Machens oder Bewirkens gebraucht, wie es im lateinischen 'ars' und dem griechischen
'techne' steckt.

Es ist also nur folgerichtig, wenn ihn ästhetische Probleme der Kunst nur insofern interessieren, als sie den öffentlichen Aufgabenbereich der Kunst erhellen und auszufül-
len helfen. Brecht erkennt die Abhängigkeit der Kunst von
den sozio-ökonomischen Bedingungen. Das verlagert den Blickwinkel von Grund auf. Die Kunst wird in ihrer zeitlichen Gebundenheit stehend erkannt, wie er ja auch die ästhetischen
Werte bald in ihrer Geschichtsbedingtheit enthüllt. Das

Gleichnis vom "Messingkauf" (B.B. 16.507) gibt - in freilich
überspitzter Formulierung - den Anhaltspunkt, in welcher Weise eine Neuorientierung vollzogen werden soll: der neue Inhalt, die neue Aufgabe der Kunst bedingt eine dialektische
Aufhebung früherer Errungenschaften. "Alles Formale, was
uns hindert, der sozialen Kausalität auf den Grund zu kommen,
muß weg; alles Formale, was uns verhilft, der sozialen Kausalität auf den Grund zu kommen, muß her." (B.B. 19.291), lautet die kategorische Forderung.

Indem er die Ästhetik als eine Form bürgerlicher Dekadenz
insgesamt ablehnt, kann Brecht allerdings nicht verhindern,
daß er hier wiederum eine ästhetische, also eine ganz bestimmte künstlerische Haltung, einnimmt. Unter dem Datum des
27. Juni 1920 notiert er, "daß das Wesen der Kunst Einfachheit, Größe und Empfindung ist und das Wesen ihrer Form Kühle" (B.B. 18.6). Die Forderung nach Einfachheit beschäftigt
ihn immer wieder. Doch bald stellt er fest, daß es (auf der
Bühne) mit bloßer Einfachheit nicht getan sei. Es geht um die
Abbildung einer komplizierten Wirklichkeit, deren vielfältige
Verknüpfungen und Kausalitäten für den Menschen zwar immer
einsichtiger werden, von ihm aber dennoch eine ungleich größere Denkanstrengung verlangen. In einem Beitrag über das
Interesse an der Kunst, der wohl aus dem Jahre 1938 stammt,
wird das so formuliert:

> "Zu unserer Zeit ist die Tiefe eines Gedankens meßbar nur
> an der Tiefe der sozialen Schicht, an die sie noch rüh-
> ren. Es handelt sich nicht um Einfachheit (wie sollte
> sich in einem Raum, der erfüllt ist von Zwiespalt, etwas
> einfach gestalten), es handelt sich um Kompliziertheit -
> also muß jede Nuanciertheit vernichtet werden." (B.B.
> 18.260).

Brecht zieht daraus die Konsequenz: er will an die Stelle
ästhetischer Maßstäbe bürgerlich-idealistischer Provenienz
solche des revolutionären Gebrauchswertes gesetzt wissen. Zu
Beginn der Dreißiger Jahre schreibt er in den Forderungen an
eine 'neue Kritik':

> "Die ästhetischen Maßstäbe sind zugunsten der Maßstäbe des
> Gebrauchswertes zurückzustellen. Die Möglichkeit, eine
> neue Ästhetik zu schaffen, ist zu verneinen ..."
> (B.B. 18.113)

Und in dem Aufsatz über 'Weite und Vielfalt der realistischen

Schreibweise', 1938 niedergeschrieben, sagt Brecht ohne Um-
schweife: "Wir leiten unsere Ästhetik, wie unsere Sittlich-
keit, von den Bedürfnissen unseres Kampfes ab." (B.B. 19.
349). Was hier formuliert wird, ist im Grunde nichts anderes als eine Ästhetik der revolutionären Aktivität, basie-
rend auf der marxistischen Analyse der gesellschaftlichen
Realität. Die marxistisch-leninistische Vorstellung von den
Abläufen gesellschaftlicher Auseinandersetzungen wird ihm
Orientierungshilfe für seine gesamte künstlerische Arbeit.
Hier sah Brecht den einzigen konkreten Ansatz, eine Gesell-
schaftsform zu schaffen, die der modernen Industriegesell-
schaft angepaßt ist. Dieser Versuch mußte den Künstler nach
seiner Ansicht zur Mitarbeit verpflichten, seine ganze künstlerische Arbeit disziplinierend:

> "Man kann heute die Wirklichkeit nicht ohne Kenntnis des
> Marxismus und sozialistische Haltung erkennen und auf
> Grund der Erkennung verändern helfen." (B.B. 19.545)

Kunst, sagt der Philosoph im 'Messingkauf', ist zunächst
nichts anderes als Geschicklichkeit, Geschicklichkeit in der
"Nachbildung vom Zusammenleben der Menschen" (B.B. 16.644).
Bereits zu Beginn, und zwar schon in der ersten Nacht des
'Messingkaufs' gesteht er, daß er von einer unersättlichen
Neugier besessen sei, alles über dieses 'Zusammenleben der
Menschen'zu erfahren:

> "Ich will immer wissen, wie ihre Unternehmungen zustande
> kommen und ausgehen, und ich bin darauf aus, einige Ge-
> setzlichkeiten darin zu erkennen, die mich instand set-
> zen könnten, Voraussagen zu machen." (B.B. 16.509)

Die marxistische Gesellschaftswissenschaft gibt ihm die Möglichkeit, diese Gesetzmäßigkeiten zu verfolgen und darzustellen. Im 'Kleinen Organon für das Theater' greift Brecht auf
Lenins Schrift 'Zur Frage der Dialektik' zurück und entnimmt
hier folgendes Zitat:

> "Bedingung der Erkenntnis aller Vorgänge in der Welt in
> ihrer 'Selbstbewegung', in ihrer spontanen Entwicklung,
> in ihrem lebendigen Sein ist die Erkenntnis derselben
> als Einheit von Gegensätzen." (B.B. 16.707)

Die Übernahme dieses Ansatzes in die ästhetische Welt bedeu-
tet: das Kunstwerk hat die Möglichkeit, die dialektischen
Gesetze des sozialen Getriebes aufzudecken. Nur indem der
Künstler diese Möglichkeit ausschöpft, kann er seinen Auf-

trag zur Überwindung der dialektischen Widersprüche erfüllen, durch Vermittlung von Erkenntnis. Seine Kunst hat auf
breitester politischer Basis realistisch zu sein. Das aber
heißt für Brecht:

"den gesellschaftlichen Kausalkomplex aufdeckend / die
herrschenden Gesichtspunkte als die Gesichtspunkte der
Herrschenden entlarvend / vom Standpunkt der Klasse aus
schreibend, welche für die dringendsten Schwierigkeiten,
in denen die menschliche Gesellschaft steckt, die breitesten Lösungen bereithält / das Moment der Entwicklung betonend / konkret und das Abstrahieren ermöglichend."
(B.B. 19.326)

Dieses Prinzip wird mit äußerster Konsequenz verfolgt. Die
auffällige dramatische Einheit seiner Stücke etwa wird durch
die gesetzmäßig ablaufenden Prozesse bestimmt, die hier wie-
dergegeben werden. Spöttisch glossiert Brecht das Mißtrauen
der bürgerlichen Ästhetik gegenüber dem Einsatz wissenschaftlichen Denkens in der Kunst[1]. Er räumt zwar ein, daß auch
ungeordnete, d.h. nicht den marxistischen Gesetzlichkeiten
folgende Darstellungen von Gewinn sein könnten, schränkt jedoch ein:

"aber für uns besteht der Verdacht, allzu subjektive Darstellungen der Welt erzielten asoziale Wirkungen."
(B.B. 16.707)

Gerade dem Naturalismus wirft Brecht vor, daß er die gesellschaftlichen Zustände 'als natürliche' erklärt hat[2]. Das
Mitleid aber hat in keinem Falle eine wirksame verändernde
Kraft: nach seiner Vorstellung lähmt es den Empörten und verhindert die Empörung, damit aber eine wichtige Funktion der
Kunst verratend, Anstoß zu tätiger Einflußnahme, zur Veränderung zu geben.

In seiner Untersuchung zum 'Theater Bertolt Brechts' ver-
tritt John Willett die Ansicht, daß Brecht nach dem GALILEI
"sein Werk mehr mit naturwissenschaftlichen als mit politischen Begriffen"[3] interpretiert. Ich möchte es anders sehen:
innerhalb der soziologischen Erkenntnisgrundlage Marxismus
wird von ihm die geradezu mathematisch-naturwissenschaftliche

---

1) s. u.a. B.B. 19.350.
2) s. B.B. 18.256.
3) J.Willett, a.a.O. S.165.

Methodik in der Analyse und Darstellung gesellschaftlicher
Phänomene, die wir als den verdienstvollen historischen Ansatz dieser Wissenschaft von der menschlichen Gesellschaft
ansehen können, aufgegriffen und für seine Kunst nutzbar gemacht. Man kann einem Mathematiker erklären, so sagt Brecht
einmal, was die 'Iphigenie' beweist, "und wenn man es von
irgendeinem Werk nicht sagen kann, dann ist es kein bedeu-
tendes Werk, weil es nichts bedeutet" (B.B. 11.385, Lyrik
und Logik). Das heißt nichts anderes, als daß das Gesetz der
Logik auch und gerade für die Kunst Geltung haben muß, wenn
sie wahr und glaubhaft sein will. "Die Schau zerfällt unter
den Strichen der Physik", so schreibt er in dieser Zeit,
"konkret Wahrnehmbares darf nur mit konkret Wahrnehmbarem
ergänzt, also nicht seine Zeichen mit anderen Zeichen berei-
chert werden." (B.B. 18.260). Bereits an anderer Stelle wurde
Brechts Vorliebe für die Teamarbeit erwähnt. Hier nun erweist
sich ihre schlichte Notwendigkeit. Eine so verstandene Wis-
senschaftlichkeit in der Kunst kann eben nur bewältigt werden in kollektiver Arbeit, die in gegenseitiger Kontrolle
und vergleichender Betrachtungsweise Beobachtung an Beobachtung zu fügen in der Lage ist.

Die Apperzeption einer solchen Kunst setzt allerdings eines voraus, und das ist die Schulung der Kritikfähigkeit.

"Ohne die Fähigkeit des kritischen Geniessens kann die
proletarische Klasse überhaupt nicht das Erbe der bürgerlichen Kultur antreten. Der historische Sinn, ohne den
zu haben sie hier nicht kritisieren kann, ist ein Sinn
für Kritik, das muß einleuchten." (B.B. 19.393)

Der 'lustvolle Zweifel' und in dessen Gefolge 'die Leidenschaft zur Kritik': im 'Messingkauf' werden beide als wesen-
haft zur Kunst gehörig angesehen. Gemeint ist hier der Zweifel der unterdrückten Massen und ihre engagierte Kritik an
den bestehenden Verhältnissen. Brücken für eine solche 'proletarische Kritik', die der Stückeschreiber zur Verfügung
stellt - das sei hier kurz angemerkt -, ist einmal die Wahl
einfacher Erlebniswelten, zum anderen die Bevorzugung einfacher volkstümlicher Liedformen, aber auch die Einbeziehung
volksläufiger Sprichwörter und vieles andere mehr. Eine solche Kritik, so sagt Brecht, verschafft ein gänzlich anderes

Vergnügen an der Kunst, Vergnügen an der Entdeckung und Beobachtung der dialektischen Bewegungsgesetze und Vergnügen über
die plötzlich sich eröffnenden Perspektiven des Eingriffs und
der Veränderung.

Der Brecht der Lehrstücke hatte eine Kunst gefordert, die
Wissen gestaltet und Wissen vermittelt, eine Kunst der Dokumentation und der Aufklärung. Daran ändert sich im Grunde
genommen in den Jahren des Exils recht wenig. Und doch ist
dieses Wenige von solch entscheidender Bedeutung, daß sich
in gewisser Weise auf dieser Basis die dichterische Kraft
Brechts noch einmal voll entfalten konnte. Wiederum in der
4. Nacht des 'Messingkaufs' finden wir, bezeichnenderweise
unter der Überschrift "Die fröhliche Kritik" eine wichtige
Äußerung, die diese Behauptung erhellen mag. Auf die Frage
des Dramaturgen "Du meinst, für das Wissen gibt es keine
künstlerische Form?" antwortet der Dichter-Philosoph:

> "Das fürchte ich! Warum sollte ich die Sphäre des Geahn-
> ten, Geträumten, Gefühlten stillegen wollen? Die gesell-
> schaftlichen Probleme werden von den Menschen auch so be-
> handelt. Ahnung und Wissen sind keine Gegensätze. Aus
> Träumen werden Pläne, die Pläne gehen in Träume über.
> Ich sehne mich und mache mich auf den Weg, und gehend
> sehne ich mich. Die Gedanken werden angedacht, die Ge-
> fühle angefühlt. Aber da gibt es Entgleisungen und Kurz-
> schlüsse. Es gibt Phasen, wo die Träume nicht zu Plänen
> werden, Ahnung nicht Wissen wird, Sehnsucht sich nicht
> auf den Weg macht. Für die Kunst sind das schlechte Zei-
> ten, sie wird schlecht. Die Spannung zwischen Ahnen und
> Wissen, welche die Kunst ausmacht, reißt ab. Das Feld
> entlädt sich sozusagen." (B.B. 16.641)

Dies ist eine der bedeutsamsten Aussagen Brechts zum Wesen
der Kunst: Kunst lebt aus der Spannung zwischen Ahnung und
Wissen. Sie geht also über bloße Wissenschaft, über Begriff
und Erkenntnis hinaus, indem sie sinnliche Anschauung, Empfindung, Handlung und Charaktere gibt. Geahntes, Geträumtes,
Gefühltes wird nicht mehr negiert, sondern erhält einen besonderen Stellenwert im Aufbau einer Welt, wie sie durch die
menschliche Erfahrungs- und Erkenntnistätigkeit gestaltet
werden soll. Traum, Ahnung und Sehnsucht erhalten nur dann
ihre Bedeutung, wenn sie sich 'auf den Weg machen', wenn sie
dazu eingesetzt werden, das Leben und diese Welt menschlicher
zu gestalten. Man kann also mit Recht sagen, daß die künstle-

rischen Anschauungen hier gereifter und vertiefter erscheinen.

Kehren wir an den Beginn unserer Gedanken zu den allgemeinästhetischen Anschauungen Brechts zurück. Wir erwähnten, daß er die idealistische Forderung nach Autonomie der Künste strikt ablehnt. Nach seiner Rückkehr aus dem Exil taucht dieses Problem der Selbständigkeit und Freiheit künstlerischen Schaffens wieder auf. Die Behandlung, die es nun erfährt, zeigt allerdings deutlich den Weg der Veränderung auf. Brecht erscheint die in der Ästhetik oft geforderte Selbständigkeit künstlerischen Arbeitens immer nur dann sinnvoll, wenn sie ihre spezifische Freiheit in der Erfüllung eines gesellschaftlichen Auftrages sieht, Freiheit also zu verantwortungsbewußtem Handeln. Es sei ein Privileg der Künste, an der Bewußtseinsbildung der Nation teilzunehmen, schreibt Brecht im Jahre 1955, nunmehr in der DDR lebend:

> "Bei großen Umwälzungen gesellschaftlicher Art erfüllen sich die Menschen nicht gleichzeitig und gleichmäßig, nicht sofort und in allen Schichten mit dem neuen Bewußtsein. Das Alte wirkt noch beträchtliche Zeit nach, und es ist im Kampf mit dem Alten, daß das Neue sich durchsetzt. Ein verhältnismäßig kleiner fortschrittlicher Teil des Volks schafft die neuen Pläne und Institutionen, und Massen von Menschen leben sich zögernd und in den Zügeln ihrer Vorurteile knirschend ein."
> (B.B. 16.931)

Hier entwickelt Brecht sein künstlerisches Ethos, wie es ihm durch die Zeit, durch das Leben in dem ersten sozialistischen Staat in Deutschland auferlegt wird.

Brecht hat die Forderung nach Freiheit und Selbständigkeit der Künstler in der Erfüllung ihres gesellschaftlichen Auftrages in diesen Jahren immer wieder betont. In einem sehr scharfen Aufsatz, der unter dem Titel 'Die Künste in der Umwälzung' am 21. August 1953 im 'Neuen Deutschland' erschien, schreibt er mit ungewöhnlicher Offenheit seinen Beitrag zur Kulturdiskussion in der DDR:

> "Es war die unglückliche Praxis der Kommissionen, ihre Diktate, arm an Argumenten, ihre unmusischen administrativen Maßnahmen, ihre vulgärmarxistische Sprache, die die Künstler abstießen (auch die marxistischen) und die Akademie hinderten, auf dem Gebiet der Ästhetik eine vorbildliche Position zu beziehen. Gerade die Realisten unter den Künstlern empfanden gewisse Forderungen der

Kommissionen und der Kritik eher als Zumutung."
(B.B. 19.541)

Und Brecht fährt mit schonungsloser Kritik fort:

"Es mag für administrative Zwecke und mit Rücksicht auf
die Beamten, die für die Administration zur Verfügung
stehen, einfacher sein, ganz bestimmte Schemata für
Kunstwerke aufzustellen. Dann haben die Künstler 'lediglich' ihre Gedanken (oder die der Administration?) in
die gegebene Form zu bringen, damit alles 'in Ordnung'
ist. Aber der Schrei nach Lebendigem ist dann ein Schrei
nach Lebendigem für Särge. Die Kunst hat ihre eigenen
Ordnungen. (B.B. 19.542)

Brecht zeigt hier auf, wie gefährlich der befohlene oberflächliche Optimismus für den Aufbau der neuen, menschen-
würdigeren Gesellschaft ist:

"Es ist nötig, die zukunftsträchtigen Züge des gesellschaftlichen Lebens herauszuarbeiten. Aber Schönfärberei
und Beschönigung sind nicht nur die ärgsten Feinde der
Schönheit, sondern auch der politischen Vernunft. Das Leben der werktätigen Bevölkerung, der Kampf der Arbeiterklasse um ein sinnvolles und schöpferisches Leben ist ein
beglückendes Thema der Kunst. Aber das bloße Vorkommen
von Arbeitern und Bauern auf der Leinwand hat mit diesem
Thema wenig zu tun."
(B.B. 19.541)

Kunst ist nicht dazu befähigt, schreibt Brecht bereits nach
zwei Jahren seiner Arbeit unter dem stalinistischen Regime
der DDR, "die Kunstvorstellungen von Büros in Kunstwerke umzusetzen. Nur Stiefel kann man nach Maß anfertigen. Außer-
dem ist der Geschmack vieler politisch geschulter Leute ver-
bildet und also unmaßgeblich" (B.B. 19.545). Nach seiner
Ansicht ist also ästhetische Reglementierung, wie etwa der
Kampf gegen 'Formalismus' oder die Forderung nach 'soziali-
stischem Realismus' keineswegs die Aufgabe der Politik[1].
Voller Ungeduld gegenüber der Engstirnigkeit mancher Funk-
tionäre schreibt er in dem gleichen Beitrag:

"Der sozialistische Realismus darf nicht als Stil behandelt werden, und wer nicht ästhetisch geschult genug ist,
diesen Satz zu begreifen, bedarf, bevor er administriert,
der Schulung, und die soll ihm zuteil werden."
(B.B. 19.545)

Sache der Gesellschaft und der sie repräsentierenden Funk-

---

1) vgl. dazu Hanns Eisler: Im Gespräch mit Bunge: "Überpo-
litisierung in der Kunst führt zur Barbarei in der
Ästhetik." (H.Bunge: Fragen sie mehr über Brecht. S.38)

tionäre ist nach seiner Ansicht in erster Linie, ja ausschließlich die Aufgabenstellung, die Erstellung der politischen Leitlinie, nicht aber die Lieferung ästhetischer
Schemata zu ihrer künstlerischen Ausgestaltung. Und damit
ist zugleich die Möglichkeit der Kritik aufgezeigt, die Politik und Gesellschaft an der Kunst über kann und üben soll.
Kunst, so hatten wir als eine Grundforderung Brechts herausgestellt, ist Teil des proletarischen Kampfes um Freiheit
und Menschlichkeit. Bietet eine so verstandene Kunst für
diesen Kampf nur Scheinlösungen anstelle der erkannten Wahr-
heiten des Klassenkampfes, so müssen sie als soziale Scheinlösungen, nicht aber als ästhetische Irrtümer bekämpft werden:

> "Es mag manchen Politiker überraschen, aber die Sprache
> der Politik ist den meisten Künstlern verständlicher als
> ein schnell zusammengestelltes Vokabular, das nur apo-
> diktische Behauptungen nebuloser Art bietet."
> (B.B. 19.542)

Wenn die Kunst das Leben abspiegelt, so sagt Brecht in § 73
des 'Kleinen Organon für das Theater', tut sie es mit besonderen Spiegeln: "Die Kunst wird nicht unrealistisch, wenn
sie die Proportionen ändert, sondern wenn sie diese so ändert, daß das Publikum, die Abbildungen praktisch für Einblicke und Impulse verwendend, in der Wirklichkeit scheitern
würde." (B.B. 16.698). -

Fassen wir zusammen: Brecht lehnt überkommene ästhetische Anschauungen ab, die die Ungebundenheit künstlerischen
Schaffens proklamieren. Die neue Kunst, die er fordert, gewinnt in der Erfüllung ihres besonderen gesellschaftlichen
Auftrags neue Möglichkeiten, als Manifestation der Wirklichkeit gewinnt sie ihre gesellschaftliche Effektivität zurück.

Kunst vermag aufzuzeigen, daß die Welt durchschaubar ist,
und gibt statt dumpfer Schicksalsgläubigkeit den Anstoß zur
tätigen Einflußnahme. In diesem Sinne vermittelt sie Wissen
und zwar auf der Basis der marxistischen Analyse der gesellschaftlichen Realität. Aber sie unterscheidet sich wesentlich von bloßer Wissenschaft: sie gibt über Begriff und Erkenntnis hinaus sinnliche Anschauungen, Empfindung, Handlung
und Charaktere, das sinnliche Sein selbst und zugleich den

Anstoß zu dessen Beherrschung.

Kunst stellt der Politik eine besondere Fähigkeit zur
Verfügung: sie ist fähig und in der Lage, politischen Ideen
Leben und Anschauung zu vermitteln. "Und es ist Kunst nötig,"
so sagt Brecht, "damit das politisch Richtige zum menschlich
Exemplarischen werde." (B.B. 19.527). Nur in Freiheit und
Selbständigkeit allerdings vermag sie ihren so verstandenen
gesellschaftlichen Auftrag zu erfüllen.

2. Umrisse der dramatisch-theatralischen Theorie

In der vorangestellten kurzen Charakterisierung der Art, in
der Brecht seine theoretischen Gedanken entwickelt, haben
wir bereits angedeutet, daß er immer konkret die ihm im
Grunde angemessenste Kunstausübung, eben Drama und Theater,
vor Augen hatte. Umso interessanter ist es, nach den allgemein-ästhetischen Anschauungen nun die dramatisch-theatralische Theorie selbst zu verfolgen.

Der junge Augsburger Kritiker wirft dem bestehenden, konventionellen Theater seine mittelmäßige Unverbindlichkeit und
später seine ideologische Orientierungslosigkeit vor. Dieses
Theater bleibt nach seiner Ansicht wirkungslos für die Realität des Zuschauers wie für dessen weiteres Handeln. Diese
Art Unterhaltung, beschränkt auf den Illusionsraum des Theaters, ist Verschleierung der Wirklichkeit, sie leistet der
Flucht aus den realen Gegebenheiten Vorschub. Brecht erkennt
sehr bald, daß einem solchen Theater nur durch eine umfassende, tiefgreifende Revolutionierung geholfen werden kann, eine Revolutionierung, die sowohl von der Aufmachung, der Regie her zu erfolgen hat, als auch vor allem durch die dramatische Produktion selbst gestützt werden müßte. In seiner
'Betrachtung über die Schwierigkeiten des epischen Theaters',
nach John Willett wohl die "erste, rein theoretische Äußerung"[1], schreibt Brecht im Jahre 1927:

"Die totale Umstellung des Theaters darf natürlich nicht
einer artistischen Laune folgen, sie muß einfach der

---

1) J.Willett: a.a.O. S.156.

totalen geistigen Umstellung unserer Zeit entsprechen."
(B.B. 15.131)
Nach den Experimenten um MANN IST MANN, DREIGROSCHENOPER
und MAHAGONNY hat Brecht dies immer deutlicher artikuliert.
Immer deutlicher ist ihm auch die Richtung klargeworden, aus
der eine solche "totale geistige Umstellung" nur erfolgen
konnte. Er sagt ganz klar, daß der Griff zu den neuen Mitteln, wie Jazz, filmische Produktionen, das Einblenden von
Liedern u.a.m., noch keine Revolutionierung des Theaters
bedeute, so politisch wertvoll sie bisher für die Ideen revolutionärer Geister auch gewesen sei. Ein solches Theater
ist noch nicht in der Lage, ein passives, weil eben nur re-
produzierendes Publikum zur Aktivität zu bringen.

Im 'Messingkauf' gibt Brecht eine bissige Charakterisierung der Guckkastenbühne. Sie ist zugleich auch eine tref-
fende Charakterisierung der bestehenden Verhältnisse und
sei daher hier angeführt:

"Der Schauspieler: Du verstehst, das Publikum sieht, sel-
      ber ungesehen, ganz intime Vorgänge. Es ist ge-
      nau, als ob einer durch ein Schlüsselloch eine
      Szene belauscht unter Leuten, die keine Ahnung
      haben, daß sie nicht unter sich sind. In Wirk-
      lichkeit arrangieren wir natürlich alles so,
      daß man alles gut sieht. Dieses Arrangement
      wird nur verborgen.

Der Philosoph: Ach so, das Publikum nimmt dann still-
      schweigend an, daß es gar nicht im Theater
      sitzt, da es anscheinend nicht bemerkt wird.
      Es hat die Illusion, vor einem Schlüsselloch
      zu sitzen. Da sollte es aber auch erst in den
      Garderoben klatschen."
(B.B. 16.578)

Wo aber setzt Brecht seinen Hebel in der Umwälzung dieser
bestehenden Verhältnisse an? Eines ist und bleibt erstaunlich: Brecht unternimmt im Grunde nur wenig, dieses Guckka-
sten-System - er bezeichnet es als die "letzte Form bürger-
lich-naturalistischen Theaters" - zu verändern, vielmehr alles, um es mit schauspielerischen und bühnentechnischen Mitteln vergessen zu machen. Er sucht die Trennung von Bühne
und Zuschauerraum aufzuheben, indem er das Geschehen ganz
auf den Zuschauer orientiert durch Verfremdungseffekte,
durch den Gestus, durch Szenentitel und nicht zuletzt

wiederum durch die "Gesänge". Das ist das Verblüffende: die
dramatisch-theatralische Theorie Brechts ist im wesentlichen gekennzeichnet durch diesen einen Ansatz, der in den
Nachträgen zur Theorie des 'Messingkaufs', niedergeschrieben
im August 1940, wie folgt kurz und bündig umrissen wird:
"Die Theorie ist verhältnismäßig einfach. Betrachtet wird
der Verkehr zwischen Bühne und Zuschauerraum, die Art
und Weise, wie der Zuschauer sich der Vorgänge auf der
Bühne zu bemächtigen hat." (B.B. 16.651)
Es ist also im Grunde der Ansatz vom Wesen des Theatralischen her. Brecht nennt es den "Verkehr zwischen Bühne und
Publikum" und besinnt sich damit auf das Eigentliche des
Bühnenkunstwerkes: die Aufführung auf der Bühne und die kor-
respondierende Aufnahme durch das Publikum. Beides ist als
eine Einheit gedacht, auf die auch das Drama abzustimmen ist.
Heute ist ein solcher Ansatz fast zur Selbstverständlichkeit
geworden. Bühne wie Drama haben gleichsam den mündigen Zuschauer wiederentdeckt. Dies ist, das muß man sich ins Ge-
dächtnis zurückrufen, nicht zuletzt auch ein Verdienst der
Arbeiten Bertolt Brechts. Man wird sich der Bedeutung dieser
Tatsache erst voll bewußt, denkt man nur an die Bühnenpraxis
der Jahrhundertwende und auch noch der späteren Jahre. Wir
werden sehen, wie dieser Ansatz, dieser neue Akzent auf dem
Wesen des Theatralischen immer wieder wirksam wird.

Der Dramatiker Peter Hacks sagt in seinem Essay 'Über
Lieder zu Stücken' über die Eigenart dramatischen Arbeitens:
"Der Dramatiker redet wie ein Mann, der auf dem Markt redet. Die Leute kommen nicht zu ihm, sondern auf den
Markt. Will er ihre Aufmerksamkeit erregen, muß er sie
von Sachen unterhalten, die sie alle angehen. Was alle
angeht, das ist die Wirklichkeit in ihren großen welt-
bewegenden Punkten." 1)
Das heißt: Dramatik hat Öffentlichkeitscharakter, muß also
Dinge behandeln, die von öffentlichem Interesse sind. Das
atheistische Theater, so stellt Hacks Lehrmeister Brecht sehr
richtig fest, ist dabei folgerichtig auf die Darstellung der
menschlichen Beziehungen angewiesen (B.B. 15.174). Es ist
interessant zu sehen, daß er sich in diesem Zusammenhang
durchaus der Tatsache bewußt ist, daß es sich immer im Grunde

---

1) P.Hacks: a.a.O. S.421.

um "Säkularisierung der alten kultischen Institution" (B.B. 16.657) handelt, wenn von Erneuerungen des Theaters die Rede ist. Die Darstellung der menschlichen Beziehungen auf dem Theater ist nicht Selbstzweck. Sie muß, so fordert Brecht, Erkenntnisse besonderer Art ermöglichen. Das Lehrstück war die radikalste Konsequenz dieser Forderung: Erkennen als Handlung mit den Mitteln der Anschauung.

Das konsequente Verfolgen von Gedanken der marxistischen Gesellschaftstheorie spielt natürlich auch und gerade in der dramatisch-theatralischen Theorie des Exils eine zentrale Rolle. Gemäß der Ansicht, die Brecht nach langen Studien gewonnen hat, ist sie allein in der Lage, soziale Beziehungen in Gesetzmäßigkeit, Verlauf und Entwicklung aufzuzeigen und durchschaubar zu machen. Hier allerdings zieht er bereits eine weitere Lehre aus den Lehrstücken. Er hat erkannt, daß die Bühne nur das Verhalten einzelner untereinander - und nicht etwa das ganzer Massen - darstellen kann. Das heißt, der Stückeschreiber erhält durch die marxistische Methode nur Rüstzeug zu seiner künstlerischen Arbeit. Darin liegt zugleich die besondere Freiheit seiner Gestaltungsweise. Die Unterhaltung des Philosophen mit dem Dramaturgen im 'Messingkauf' gibt diese neue Erkenntnis wieder:

> "Diese Lehre beschäftigt sich vornehmlich mit dem Verhalten großer Menschenmassen. Die Gesetze, welche diese Wissenschaft aufstellte, gelten für die Bewegungen sehr großer Einheiten von Menschen, und wenn auch über die Stellung des einzelnen in diesen großen Einheiten allerhand gesagt wird, so betrifft auch dies eben für gewöhnlich nur die Stellung des einzelnen eben zu diesen Massen."
> (B.B. 16.530)

Für den Dramatiker stellt sich also das Problem, daß sich die Gesetze der marxistischen Klassiker gar nicht so nahtlos auf die Bühne bringen lassen. Wir werden darauf noch im Zusammenhang mit der Fabel näher eingehen müssen. Im 'Messingkauf' wird zunächst einmal in der sich anschließenden "Ausführung des Philosophen über den Marxismus" (B.B. 16.531ff.) das für Brecht und seine Theatertheorie Wesentliche so formuliert:

> "Die marxistische Lehre stellt gewisse Methoden der Anschauung auf, Kriterien. Sie kommt dabei zu gewissen Beurteilungen der Erscheinungen, Voraussagen und Winken für die Praxis. Sie lehrt eingreifendes Denken gegenüber der Wirklichkeit, soweit sie dem gesellschaftlichen Ein-

griff unterliegt, Die Lehre kritisiert die menschliche
Praxis und läßt sich von ihr kritisieren."
(B.B. 16.531)
Dies ist der wesentliche Schlüssel zum Verständnis der späten Stücke, aber auch zum Verständnis der Lieder und ihrer
Funktionen in diesen späten Stücken. Eingreifendes Denken
gegenüber der Wirklichkeit bedeutet ja für das Theater nichts
anderes, als diese Wirklichkeit als eine veränderliche, ver-
änderbare anzusehen und in dieser Weise auf der Bühne darzu-
bieten. Die Veränderbarkeit ist für den Marxisten - das hatten wir gesehen - auf ihrer Widersprüchlichkeit begründet.
In Abwandlung des Leninschen Satzes sagt Brecht über ein
solches "dialektisches Theater":

> "In den Dingen, Menschen, Vorgängen steckt etwas, was sie
> so macht, wie sie sind, und zugleich etwas, was sie an-
> ders macht."
> (B.B. 16.925)

Keine andere Grundlage aber hat ein Stück wie die Chronik
von der 'Mutter Courage und ihren Kindern', nicht anders zu
interpretieren ist etwa das " L i e d   v o n   d e r   g r o -
ß e n   K a p i t u l a t i o n " , das die Courage dem wüten-
den Soldaten zusingt, ehe sie selbst klein beigibt: Widerga-
be der Widersprüchlichkeiten der Wirklichkeit, die so der Kritik des Zuschauers und der kritischen Veränderung durch den
Zuschauer ausgesetzt wird. In der zweiten Nacht des 'Messingkaufs' finden wir ein Gespräch des Philosophen mit dem Dramaturgen über die "Wissenschaft". Da sagt der Philosoph:

> "Wir fühlen uns nicht mehr verpflichtet, die dumpfen Ah-
> nungen, unterbewußten Kenntnisse, übermächtigen Gefühle
> und so weiter auszudrücken. Aber unsere neue Aufgabe er-
> fordert allerdings, daß wir, was zwischen den Menschen
> vorgeht, in aller Breite, Widersprüchlichkeit, in dem
> Zustand der Lösbarkeit oder Unlösbarkeit vorlegen. Es
> gibt nichts, was nicht zur Sache der Gesellschaft ge-
> hört. Die klar bestimmten, beherrschbaren Elemente haben
> wir vorzuführen in ihrer Beziehung zu den unklaren, unbe-
> herrschbaren, so daß also auch diese in unserem Theater
> vorkommen."
> (B.B. 16.572)

Im Zusammenhang mit den allgemein-ästhetischen Überlegungen
Brechts haben wir bereits die Verflechtung des marxistisch-
gesellschaftswissenschaftlichen Denkansatzes mit der naturwissenschaftlich analysierenden Arbeitsweise erwähnt. Hier
kommen wir noch einmal darauf zurück. In den 'Notizen über eine
realistische Schreibweise' (1940) (B.B. 19.349ff.) wendet

sich Brecht mit Heftigkeit dagegen, ein solches Verfahren
als unkünstlerisch zu bezeichnen. Er verwahrt sich gegen
den Vorwurf, eine solche Abbildung stelle die Welt dem Zuschauer 'so kahl' dar, sie entfremde den Menschen dieser
Welt. Eine solche Analyse gesellschaftlicher Vorgänge vermag
nach seiner Ansicht nur das wiederzugeben, was die Wirklichkeit in ihrer Struktur enthält: ist sie kahl und unmensch-
lich, so wird sie eben als so beschaffen erkannt und dargestellt. Das Theater - das ist seine unverrückbare Überzeugung - hat nicht die Funktion, dem Zuschauer eine schöne Welt
des Scheins vorzugaukeln; auch nicht die Funktion, den Menschen in eine Welt einzupassen, die bereits vergeben, unver-
änderbar, schon in fremdem Besitz sei, in die man sich nur
noch 'auf Widerruf' einmieten könne (B.B. 19.356). Nicht die
Lektüre des "Kapitals" habe die Künstler unfruchtbar gemacht,
sagt er an anderer Stelle, sondern das Kapital selbst.

Auch die Frage nach dem sozialen Nutzen und der gesellschaftlichen Effizienz des Theaters sieht er in diesem Zusammenhang. Diese Frage ist ja im Grunde die Triebfeder aller
seiner theoretischen Arbeiten - und nicht nur dieser. In dem
erwähnten Gespräch über das Verhältnis der theatralischen
Kunst zu der Wissenschaft im 'Messingkauf' sagt der Philosoph:

"Die Physiker sagen uns, daß ihnen bei der Untersuchung
der kleinsten Stoffteilchen plötzlich ein Verdacht ge-
kommen sei, das Untersuchte sei durch die Untersuchung
verändert worden. Zu den Bewegungen, welche sie unter
den Mikroskopen beobachten, kommen Bewegungen, welche
durch die Mikroskope verursacht sind. Andrerseits werden
auch die Instrumente, wahrscheinlich durch die Objekte,
auf die sie eingestellt werden, verändert. Das geschieht, wenn Instrumente beobachten, was geschieht erst,
wenn Menschen beobachten."   (B.B. 16.576f.)

Die 1928 von dem Physiker Werner Heisenberg entwickelte "Un-
bestimmtheitsrelation" bezeichnete im übrigen auch Eisler
im Gespräch mit Hans Bunge als ein "Leibgericht" für den
materialistischen Dialektiker[1].

Das neue Theater Brechts - so haben wir bisher festgestellt - bedient sich bei der Darstellung der Wirklichkeit
der dialektischen Bewegungsgesetze, welche diese Wirklichkeit

---

1) s. H.Bunge: a.a.O. S. 153.

nach marxistisch-leninistischer Anschauung als eine Einheit
von Widersprüchen sieht. Die Erkenntnis der gesellschaftlichen Motorik, die diesen Widersprüchen zugrunde liegt, eröffnet dem Zuschauer die Möglichkeit zu eingreifendem Denken, das heißt zur Veränderung der bestehenden Mißverhält-
nisse. Damit ist der Grundriß dieses Gebäudes abgesteckt.
Oder sagen wir es anders: Die Bühne hat ihren Raum, aber sie
ist noch nicht mit Leben erfüllt.

Gehen wir noch einmal von dem Ansatz aus, den wir als
Grundlage Brechts Theoretisierens erkannt haben: es ist der
Ansatz vom Theatralischen her. Er war bisher nur latent spürbar. Brecht gewinnt, indem er unter diesem Ansatz zu erkannten Grundzügen des herkömmlichen Theaters Gegenpositionen
formuliert, eine neue Begrifflichkeit, die den Vorteil hat,
daß sie aus ihrer inneren dialektischen Spannung heraus gei-
stig produktiv sein kann. Wir beschränken uns hier bewußt auf
die Begriffe "Einfühlung" und "Verfremdung", "Unterhaltung"
und "Lehrwert". Anhand dieser Begriffe läßt sich bereits das
für unsere weitere Untersuchung Wesentliche herausarbeiten.

Im Mai 1935 sieht Brecht in Moskau den chinesischen Schauspieler Mei Lan-fang. Ihn fasziniert das hohe Maß an Sach-
verständnis und Mitgehen, das die chinesische Schauspielkunst dem Zuschauer abfordert. Dies ist nicht nur darauf zurückzuführen, daß eine ganze Reihe von Symbolen eingesetzt
wird, deren Bedeutung erst den Sinn des dargestellten Vorgangs erhellt. Hinzu kommt, daß der Schauspieler in einer
ähnlichen Technik arbeitet, die Brecht selbst für sich Verfremdungstechnik nannte und hier in hoher schauspielerischer
Vollendung vorgeführt sah. Mei Lan-fang spielt, indem er dem
Zuschauer zeigt, daß er sich dessen Existenz voll bewußt ist
und ihm etwas zeigen, vorführen will. Brecht erkennt sofort
das Zentrale dieser Kunst und notiert als das 'Besondere',
das aus diesem Theater der Chinesen zu lernen sei: das Bemühen,
eine wahre Zuschaukunst hervorzubringen (B.B. 15.428). Und
er schreibt an anderer Stelle, wohl nicht zuletzt unter dem
Eindruck dieses Erlebnisses:

> "Die theatralischen Künste stehen vor der Aufgabe, eine
> neue Form der Übermittlung des Kunstwerkes an den Zu-
> schauer auszugestalten. Sie müssen ihr Monopol auf die

keinen Widerspruch und keine Kritik duldende Führung
des Zuschauers aufgeben und Darstellungen des gesellschaftlichen Zusammenlebens der Menschen anstreben, die
dem Zuschauer eine kritische, eventuell widersprechende
Haltung sowohl den dargestellten Vorgängen als auch der
Darstellung gegenüber ermöglichen, ja organisieren."
                                              (B.B. 15.245)

Das bedeutet nichts anderes als das Experiment, die Einfühlung in den theatralischen Künsten weitgehend zur Diskussion zu stellen. Ziel dieser Diskussion ist es allerdings
nicht, die Illusion wiederum in ihre alte Funktion zurückzuführen, sondern ihr einen neuen Stellenwert zu geben:

> "Die Einfühlung ist nicht die einzige der Kunst zur Ver-
> fügung stehende Quelle der Gefühle." (B.B. 16.656)

Diese These - wir finden sie im 'Messingkauf' - ist zunächst
einmal Endglied einer denkerischen Entwicklung, die von der
Möglichkeit einer völligen Aufgabe der Einfühlung ausging,
dann aber in den Jahren des Exils zu der Erkenntnis gelangte, daß das zentrale Problem im Grunde doch gar nicht hier
lag. Es ging nicht um Vernichtung von Illusion und Einfühlung, Verfremdung ist nicht gleichzusetzen mit Aufhebung der
Einfühlung, obwohl sie manchmal mit diesem Mittel arbeitet.
Es handelt sich vielmehr um eine entscheidend neue Haltung
der Wirklichkeit gegenüber, die auch den Bereich der Einfühlung einer Veränderung unterzieht. Verfremdung ist Orientierung, oder besser gesagt Reorientierung in dem scheinbar
verwirrenden Getriebe der Umwelt. Verfremdung soll dem Zuschauer nicht Verwirrung der Gefühle, sondern die Freiheit
zum eigenen Gedanken und auch zu eigenem bewußtem Fühlen geben. Verfolgen wir noch einmal insgesamt diesen Gedanken,
so wie er im 2. Nachtrag zum "Messingkauf" von Brecht formuliert wurde:

> "Das Theater, das mit seinem V-Effekt eine solche stau-
> nende, erfinderische und kritische Haltung des Zuschau-
> ers bewirkt, ist, indem es eine Haltung bewirkt, die
> auch in den Wissenschaften eingenommen werden muß, noch
> kein wissenschaftliches Institut. Es ist lediglich ein
> Theater des wissenschaftlichen Zeitalters. Es verwendet
> die Haltung, die sein Zuschauer im Leben einnimmt, für
> das Theatererlebnis. Anders ausgedrückt: Die Einfühlung
> ist nicht die einzige, der Kunst zur Verfügung stehende
> Quelle der Gefühle."   (B.B. 16.656)

An dieser Stelle taucht im Zusammenhang mit Einfühlung
und Verfremdung - wie eigentlich fast immer bei dem Brecht
dieser Zeit - der Begriff der Wissenschaften, des wissenschaftlichen Zeitalters auf. Verfremdung ist die Hilfe, die
dem Zuschauer geboten wird, in seinem Bestreben, Gesetzlichkeiten, um es naturwissenschaftlich auszudrücken, zu erkennen und in den Griff zu bekommen. Sie löst den Schleier der
"Selbstverständlichkeit", der die Wahrnehmung und das Verständnis verhindert. In ähnlicher Weise etwa, wie ein Mikro-
skop dem Auge des Wissenschaftlers Dinge erschließt, die
sonst seiner begrenzten Erkenntnisfähigkeit entgehen würden.

Vertiefen wir das Gesagte, indem wir nun - nach "Einfühlung" und "Verfremdung" - die beiden Begriffe "Lehrwert" und
"Unterhaltung" in die Betrachtung einbringen, die in Brechts
Denken durch ihren (scheinbaren) Antagonismus lange Zeit eine recht fruchtbare Rolle spielten. Blicken wir zurück. In
der Periode der Lehrstücke, so hatten wir gesehen, sucht
Brecht die Basis zu verändern: er will dem Zuschauer nicht
Illusion sondern Wissen geben. Nicht die Einfühlung konnte
diesem Zuschauer ein solches Wissen vermitteln, sondern die
verfremdete Konfrontation mit der Wirklichkeit. Dazu mußte
diese Wirklichkeit konkret mit wissenschaftlichen Mitteln
erfaßt, auf der Bühne gestaltet und der Kritik des Zuschauers ausgesetzt werden. In diesen Experimenten der Lehrstücke
studierte Brecht die Wirkung eines so gestalteten Bühnenge-
schehens auf den Zuschauer sehr genau, die Analyse gibt dem
Bühnenpraktiker zwingende Hinweise. 1940 berichtet er in dem
Vortrag "Über experimentelles Theater" darüber vor schwedischen Studenten:

"Je mehr das Publikum nervenmäßig gepackt war, desto weniger war es imstande zu lernen. Das heißt: Je mehr wir
das Publikum zum Mitgehen, Miterleben, Mitfühlen brachten, desto weniger sah es die Zusammenhänge, desto weniger lernte es, und je mehr es zu lernen gab, desto weniger kam Kunstgenuß zustande. Dies war die Krise: Die
Experimente eines halben Jahrhunderts, veranstaltet in
beinahe allen Kulturländern, hatten dem Theater ganz
neue Stoffgebiete und Problemkreise erobert und es zu
einem Faktor von eminenter sozialer Bedeutung gemacht.
Aber sie hatten das Theater in eine Lage gebracht, wo
ein weiterer Ausbau des erkenntnismäßigen, sozialen
(politischen) Erlebnisses das künstlerische Erlebnis

ruinieren mußte. Andererseits kam das künstlerische Erlebnis immer weniger zustande ohne den weiteren Ausbau
des erkenntnismäßigen ...." (B.B. 15.294f.)
Die Lehrstücke also mit ihrer Tendenz, "aus dem Genußmittel
den Lehrgegenstand zu entwickeln und gewisse Institute aus
Vergnügungsstätten zu Publikationsorganen umzubauen" (B.B.
17.1016) erreichten plötzlich eine Grenze, an der sie nicht
mehr in der Lage waren, ihren Zweck, ihren Auftrag zu erfüllen. Erstaunlicherweise war diese Grenze zugleich auch jene,
die im Künstlerischen nicht ungestraft überschritten werden
kann - bei Strafe ihrer Selbstaufgabe, aber auch jeglicher
Wirksamkeit. Brecht spricht dies nicht nur an der eben zitierten Stelle aus. Wir hatten ja bereits in anderem Zusammenhang über dieses Problem des unkünstlerisch Nur-Tenden-
tiellen, das keinerlei artistischen Reiz mehr hat, noch po-
etischem Anspruch gerecht wird, gesprochen. "Werke und Aufführungen solcher Art", sagt Brecht, "mögen auch ihre Wirkungen haben, aber es können kaum tiefe sein, auch nicht in politischer Richtung." (B.B. 17.1239).
Der Versuch der Lehrstücke also, das Lehrhafte auf Kosten
der Einfühlung, oder brechtisch abwertend des "Kulinarischen",
immer stärker zu betonen, fand seine Grenze dort, wo der Zuschauer dieser Lehren müde wurde, nicht mehr bereit war, den
lehrhaften Gestus auf der Bühne zu akzeptieren. Peter Hacks,
selbst Brecht-Schüler, schreibt in seinem Essay "Über Lieder zu Stücken" in diesem Sinne: "Kommt er (der Autor, B.T.),
um mich zu belehren, empört er mich ."[1] Brecht zog in den
Jahren des Exils die notwendigen Folgerungen aus den Experimenten um das Lehrstück und war nun wachen Geistes bereit,
sie in den neuen Experimenten wiederum anderen Formen zuzu-
führen. So berichtet er in seinem Vortrag "Über experimentelles Theater":

"Die Entwicklung drängte auf eine Verschmelzung der beiden Funktionen Unterhaltung und Belehrung. Wenn die Bemühungen einen sozialen Sinn bekommen sollten, so muß-
ten sie das Theater am Schluß instand setzen, mit künstlerischen Mitteln ein Weltbild zu entwerfen, Modelle des
Zusammenlebens der Menschen, die es dem Zuschauer ermöglichen konnten, seine soziale Umwelt zu verstehen und

---

1) P.Hacks: a.a.O. S.423.

sie verstandesmäßig und gefühlsmäßig zu beherrschen."
(B.B. 15.294f.)
Zunächst einmal ist festzuhalten, daß Brecht sich auf das
Künstlerische zurückbesinnt, wenn er hier die Unterhaltung,
damit in gewissem Umfang auch die Illusion und die Einfühlung, wiederum in seine künstlerischen Überlegungen einbezieht. Zum anderen: Einfühlung, das heißt hier Identifikation, wird als gesellschaftliches Phänomen erkannt und erfährt so seine Einordnung und Unterordnung. Darin liegt der
wesentlich neue Bezug von Bühne und Publikum in den Auffas-
sungen Bertolt Brechts. Wir kennzeichneten dies ja zu Beginn unserer Überlegungen bereits als den Ansatz vom Wesen
des Theatralischen her, der das Denken Brechts auf dem Gebiet des Dramatischen bestimmt.

Veränderung der Gesellschaft durch Unterhaltung: das ist
ein eigenartiger Gedanke, wenn man sich nicht vor Augen
führt, wie Brecht diesen Begriff Unterhaltung faßt. Eben als
Unterhaltung der "Kinder des Wissenschaftlichen Zeitalters",
die ihr Vergnügen darin finden, in wissenschaftlicher Weise
die Probleme ihres Zusammenlebens anzugehen.

"Das Theater des wissenschaftlichen Zeitalters vermag die
Dialektik zum Genuß zu machen. Die Überraschungen der
logisch fortschreitenden oder springenden Entwicklung,
der Unstabilität aller Zustände, der Witz der Widersprüchlichkeiten und so weiter, das sind Vergnügungen
an der Lebendigkeit der Menschen, Dinge und Prozesse,
und sie steigern die Lebenskunst sowie die Lebensfreu-
digkeit." (B.B. 16.702)

Der wissenschaftlich geschulte Zuschauer bringt eine Eigen-
schaft mit, die ihn von dem bisherigen Publikum abhebt: es
ist die Fähigkeit zum eigenen Urteil, zur Kritik. Deshalb
muß das Theater, das für einen solchen Zuschauer spielt,
einen anderen Charakter annehmen. Es muß eine solche kritische Haltung den Vorgängen gegenüber ermöglichen durch einen besonders gestalteten Handlungsaufbau. Wir werden uns
darüber noch genauer orientieren müssen im Zusammenhang mit
der Erörterung von Struktur und Funktion der Fabel. Hier
wollen wir nur kurz erwähnen, in welcher Weise in theatralischer Hinsicht eine solche Haltung der Darstellung (auf
der Bühne) gegenüber ermöglicht bzw. organisiert wird. Es
sind dies u.a. der Umbau auf offener Bühne, das Zeigen der

Lichtquellen und die gleichmäßige Ausleuchtung, die "Gesänge" selbst, aber auch die sichtbare Vorbereitung für das Vortragen der "Gesänge", die Musiker auf der Bühne, der zum Zuschauer gewandt singende Spieler. In dieser Weise ist also der Zuschauer als Partner des vorgeführten Spiels angesprochen und einbezogen in den Gesamtvorgang Theater.

Bereits in den Anmerkungen zu dem letzten der Lehrstücke DIE MUTTER finden wir eine Betrachtung Brechts über die 'Abneigung gegen das Lernen und Verachtung des Nützlichen' aus dem Jahre 1936, in der Brecht seine neue Ansicht formuliert. Die Trennung von "lehrreich" und "unterhaltsam" ist nach seiner Ansicht eine durchaus bürgerliche Trennung.

> "Es mag überraschen, daß hier eine Degradierung des Lernens schlechthin beabsichtigt ist, indem es nicht als Genuß vorgestellt wird. In Wirklichkeit wird natürlich der Genuß, indem er so sorgfältig von jedem Lehrwert entlehrt wird, degradiert." (B.B. 17.1069)

Damit aber ist der Weg frei zu einer Rehabilitierung der Unterhaltung, wie wir sie denn auch in den §§ 1 und 3 des 'Kleinen Organon' (in ähnlicher Weise jedoch auch bereits im 'Messingkauf') finden.

> "§ 1
> Theater besteht darin, daß lebende Abbildungen von überlieferten oder erdachten Geschehnissen zwischen Menschen hergestellt werden, und zwar zur Unterhaltung. Dies ist jedenfalls, was wir im folgenden meinen, wenn wir von Theater sprechen, sei es von altem oder neuem.
>
> § 3
> Seit jeher ist es das Geschäft des Theaters wie aller andern Künste auch, die Leute zu unterhalten. Dieses Geschäft verleiht ihm immer seine besondere Würde; es benötigt keinen andern Ausweis als den Spaß, diesen freilich unbedingt ..." (B.B. 16.663)

Man muß sich also hüten vor der Meinung, daß hier grundsätzliche Prinzipien aufgegeben werden: es wird lediglich ein neuer didaktischer Weg beschritten. Unterhaltung im Theater erhält eine neue Dimension, indem das Vergnügen neu gefaßt wird auf einer höheren Bewußtseinsstufe. Das Poetische und Artistische kommt hier wieder zu seinem Recht.

> "Es ist nämlich eine Eigentümlichkeit der theatralischen Mittel, daß sie Erkenntnisse und Impulse in Form von Genüssen vermitteln; die Tiefe der Erkenntnis und des Impulses entspricht der Tiefe des Genusses." (B.B. 17.1240)

Fassen wir zusammen: das Theater des Exils ist in diesem
neuen Sinne wiederum und in neuer Weise ein Theater der gesellschaftlichen Analyse, der sozio-ökonomischen Analyse.
Das Theater dieser Jahre ist jedoch freier geworden, indem
es vor allem dem Zuschauer ein größeres Maß an freiem Denken läßt, als es noch in der Form der Lehrstücke möglich
war. Auch hier forderte Brecht ja das Denken. Doch in den
Stücken des Exils ist die Lösung nicht mehr in völliger Eindeutigkeit und Eingleisigkeit geradezu aufbereitet und vorgedacht. Lösungen bedingen nun einen eigenen Denkvorgang,
den der Zuschauer selbst vollziehen muß. Dieses Theater hört
damit nicht auf, ein Theater des Protestes zu sein. Es liefert im Gegenteil in neuer Weise den "ideologischen Über-
bau" für die realen Umschichtungen[1] in unserer Zeit. In
diesem Sinne war es gemeint, als wir zu Beginn vom Theater
als einem "Überbauphänomen" sprachen. Schöpferische Kritik,
vergnügliches Aufdecken der Widersprüche, die in der Wirklichkeit begründet sind, hier liegt Brechts Antwort auf ein
brennendes Problem, vor dem das gesamte politische Theater
der Zeit stand: lehrhaft und unterhaltend zugleich zu sein[2].
Vergnügen ist auch nach dem 'Kleinen Organon' das Vergnügen
des Lernenden, des Forschenden: die Freude an der Analyse
und an der Beweisführung. Nur eine marxistisch orientierte
Dramatik kann nach der Vorstellung Brechts eine solche Analyse leisten, die Beweiskette auf der Bühne schlüssig führen. Nur sie kann den besonderen erkenntnisbetonten Reiz
ausüben, nur sie kann nach seiner Ansicht eine schöpferische Kritik wachrufen.

> "Die mannigfachen Erörterungen philosophischer, politi-
> scher, psychologischer und ästhetischer Art, die man die
> Künstler des Theaters anstellen, der Aufwand an Mühe,
> den man sie treiben sieht, können den Eindruck erwecken,
> als sei diese Kunst nicht unbekümmert genug. Aber die
> Heiterkeit der Kunst kommt nicht aus einer Scheu vor Ar-
> beit. Alle Anstrengungen kommen aus dem großen Spaß, in
> schöner Weise gute Einsichten und Impulse zu vermit-
> teln." (B.B. 16.932)

---

1) s. B.B. 15.132.
2) s. B.B. 15.305.

3. Besonderheiten der veränderten szenischen Struktur

In den Modellbüchern, aber auch in seinen 'Anmerkungen'
zu den Stücken stellt Brecht nahezu immer eine kurze, cha-
rakterisierende Darstellung der Fabel an den Anfang. Die
Editoren der Gesamtausgabe haben dieses Prinzip beibehalten,
das die Überzeugung von der eminenten Bedeutung dieser Fabel widerspiegelt. Die vorangestellten Fabeln geben die großen inneren Geschehniszusammenhänge der betreffenden Stücke
wieder, keineswegs aber nur den bloßen äußeren Ablauf dieser
Geschehnisse. Darin unterscheiden sie sich von einer einfachen Wiedergabe des Inhalts, die sich lediglich an den stoff-
lichen Tatsachenablauf einer Dichtung zu halten hätte. Fabel
bei Brecht - nicht nur hier in den 'Anmerkungen' und 'Modellen', sondern auch in den Stücken selbst - ist die "Gesamtkomposition aller gestischen Vorgänge, enthaltend die Mitteilungen und Impulse, die das Vergnügen des Publikums nunmehr ausmachen sollen" (B.B. 16.693). Eine solche klar um-
rissene Fabel ist eine unumgängliche Voraussetzung für die
geistige und künstlerische Geschlossenheit des Stücks. Das
Drama des freien Wurfs vermag eine solche innerlich logische
Konsequenz kaum zu erreichen. Dieses alte Problem der Dramen-
geschichte mußte Brecht aufs Neue für sich selbst erfahren
und in seinen Arbeiten zu lösen versuchen.

Brechts K r i t i k an den überlieferten Strukturen
der Fabel setzt bereits dort an, wo er sich mit Aristoteles
einig darin erklärt, daß die Fabel das "Herzstück der theatralischen Veranstaltung" (B.B. 16.693) sei, "Grundplan und
gleichsam die Seele". Aristoteles gebraucht in diesem Zusammenhang den Begriff 'Mythos'. Der antike Mensch verstand darunter das Sagen des Unsagbaren, in den Bildvisionen des
Dichters gestaltete Unendlichkeit religiöser, dämonischer,
tragischer Dimension. Brecht aber geht es - so haben wir bereits gesehen - um das Sagen des Noch-nicht-Begriffenen im
Bereich menschlichen Zusammenlebens. Aristoteles stellte
fest, daß der "Mythos" eines Dramas wichtiger sei als die
Charaktere[1]. Hier würde Brecht - wiederum mit den bekannten

---

1) Aristoteles: Poetik. S.32.

Vorbehalten - übereinstimmen. Die Fabel soll nicht, so
schreibt er, "ein bloßer Ausgangspunkt für allerhand Aus-
flüge in die Seelenkunde oder anderswohin sein" (B.B. 17.
1217f.). Sie soll vielmehr, so heißt es an anderer Stelle,
"praktikabel definierte Situationen in der Dramatik" (B.B.
15.246) formulieren. Er übt scharfe Kritik an Stücken, die
nur oberflächlich Mißstände schildern. Sie reizen nur selten
zur Diskussion über die Mißstände selbst, die Kritik ver-
bleibt im ästhetischen Rahmen:

> "Dieser Dramatik wird sozusagen bescheinigt, daß sie sich
> nur mit den Symptomen tieferliegender Krankheiten des
> sozialen Körpers befaßt, die als solche, als Symptome,
> keine Behandlung verdienen." (B.B. 15.248)

Wie so oft in diesem Zusammenhang läßt Brecht auch hier den
Hinweis auf das Abtreibungsstück Friedrich Wolfs folgen. Dieses Stück, das den Titel "Cyankali" trug und 1929 erschien,
hatte eine eminent politische Kampagne zur Folge gehabt, die
zwar keine Lösung des Problems erbrachte, die Problematik
jedoch in das Bewußtsein aller rückte, in diesem Sinne also
durchaus politische Wirkung zeitigte. Nach seiner Vorstellung
hat also der Stückeschreiber ein "Feld der Künste" zu schaffen, das den Zuschauern eine neue, aktive, kritische und tä-
tige Haltung ermöglicht, die "an Bedeutung, Umfang und Lust-
gehalt der alten aristotelischen Katharsis keineswegs unter-
legen" (B.B. 15.275) ist.

In seinen Überlegungen um das L e h r s t ü c k , das
ja Ausgangspunkt für die späteren Stücke ist, ist das Ringen
um die "neue Form" sehr stark spürbar. Die Struktur ist zunächst gekennzeichnet durch die l e h r h a f t e E i n -
z e l s z e n e . "Eine Reihe von Vorfällen oder Gescheh-
nissen wird ohne künstlerische Beschränkung auf Zeit, Ort
oder auf die Wichtigkeit einer formalen 'Handlung' erzählt."[1] Treffender läßt sich kaum präzisieren, was unter
dem Begriff "Episches Theater" erarbeitet wurde. Diese neue
Form der Fabelführung ist bedingt durch die neuen Stoffgebiete, die sie aufzunehmen hat, durch die neuen Beziehungen,
die sie in möglichst komplexer Weise und durchschaubar auf

---

1) John Willett: a.a.O. S.156.

die Bühne zu bringen hat.

"Niemand kann erwarten, daß die Vorgänge auf dem Weizen-
markt in Chikago oder im Kriegsministerium in der Berliner Bendlerstraße weniger kompliziert sind als die Vorgänge im Atom, und man weiß, welch komplizierter Methoden es bedarf, halbwegs einfache Beschreibungen von den
Vorgängen im Atom zu geben." (B.B. 15.238)

Wir haben bereits erwähnt, in welcher Weise in diesem Zusam-
menhang eine neue Technik des Stückebaus ausgebildet wurde:
unter anderem durch Hinzuziehung von Fachleuten, darunter
Historikern und Soziologen. In seinen Gesprächen mit Hans
Bunge berichtet Eisler, wie die Originalität Brechtscher
Stücke, die jeden Zuschauer sofort berührt, nur "mit dem
schärfsten Nachdenken und der schärfsten, unerbittlichsten
Analyse einer Situation oder eines Verhaltens einer Person
in bestimmten Umständen"[1] erreicht wurde. Er nennt dies eine
Originalität, die durch einen Denkprozeß hergestellt wurde.
Und an anderer Stelle sagt er, daß Brecht die Aufteilung eines Stoffes in Szenen, das Abschätzen der Verbindungsstücke
usw. "ausmathematisieren" nannte[2]. Eine Folge dieser Technik ist eben die ausgeprägte Einzelszene. Die Atomisierung
der Vorgänge und ihre genaue Berechnung ist ihm ein techni-
sches Mittel, die komplizierten Zusammenhänge der Wirklichkeit
in den Griff zu bekommen. Indem sie detailliert betrachtet
und entwickelt werden, das ist der Grundgedanke, sollen sie
die Darstellung des großen gesellschaftlichen Gesamtvorgangs
ermöglichen. Die späten Stücke zeigen hier bereits die reife
Meisterschaft. Aus kraftvollen Einzelszenen erhält zum Beispiel das Stück DER GUTE MENSCH VON SEZUAN seine Lebendigkeit und innere Spannung.

Ein w e i t e r e s Merkmal der Fabel vor 1933 war die
Neigung, eine Konstellation mit erdachten Funktionen durch-
zuspielen. Was dabei herauskam, wenn das Spiel zu abstrakt
geführt wurde, zeigen manche der Lehrstücke, DIE MASSNAHME
zum Beispiel. Im KAUKASISCHEN KREIDEKREIS dagegen verdeckt
die Rahmenhandlung und auch die historische Verbrämung (Verlegung in fernes, fremdes Milieu) nur äußerlich und doch in

---

1) Bunge: a.a.O. S.216.
2) ebda. S.214.

höchst geschickter Weise die Parabelkonstruktion. Also auch
hier eine echte Steigerung der in den Lehrstücken entwickelten Mittel.

"Als Brecht genügend Erfahrung gesammelt hatte, wurde es
möglich, auch mit einem Minimum an Mitteln gewisse große
und verwickelte Vorgänge darzustellen." (B.B. 15.238f.)
Mit der Historisierung und der Verlegung der Handlung in ein
fernes fremdes Milieu haben wir bereits ein   d r i t t e s
Stilmittel des Fabelbaus erwähnt, das wir schon in den Lehrstücken DER JASAGER und DIE MASSNAHME angewandt sehen. Keines
der späten großen Stücke verzichtet darauf. (Eine Ausnahme
bildet lediglich SCHWEIYK IM ZWEITEN WELTKRIEG, das im "Ge-
genentwurf" zu der Hasekschen Vorlage gerade eine besondere
Aktualisierung erfährt.) Mit der Verlegung der Fabel in ferne Zeiten und fremde Länder ist nicht beabsichtigt, nur
Empfindungen, Einblicke und Impulse zu ermöglichen, "die das
jeweilige historische Feld der menschlichen Beziehungen erlaubt, auf dem die Handlungen jeweils stattfinden" (B.B. 16.
678). Es sollen vielmehr Gefühle, Gedanken und Erkenntnisse
verwendet und erzeugt werden, die als Kräfte bei der Veränderung des Feldes selbst eine Rolle spielen. Hier wird übrigens
wiederum ein Bild aus dem naturwissenschaftlichen Vorstel-
lungsbereich versachlichend auf die Darstellung menschlicher
Beziehungen (im Bereich der Fabel) übertragen und in die
theoretischen Überlegungen eingeführt, um Klarheit zu erreichen. Runden wir das Bild ab mit einer Äußerung aus dem
'Messingkauf':

"Bei der Historisierung wird ein bestimmtes Gesellschafts-
system vom Standpunkt eines anderen Gesellschaftssystems
aus betrachtet. Die Entwicklung der Gesellschaft ergibt
die Gesichtspunkte." (B.B. 16.653)
Diese Form der Distanzierung des zeitlichen und räumlichen
Geschehens in der Fabel soll also die Erkenntnis der klas-
senkämpferischen Gesichtspunkte in der beobachteten Entwicklung ermöglichen.

Die   n e u e   F a b e l   nach 1933 baut auf diesen erwähnten Eigenheiten der Lehrstücke auf. Bereits in dem letzten der Lehrstücke, DIE MUTTER, ist das neue Streben nach
Volkstümlichkeit und leichter Verständlichkeit auffällig.
Es findet bald im Fabelbau seinen Niederschlag in dem

Streben nach einer Synthese von Volksstück und Lehrstück.
Mit der Arbeit an dem Stück DER GUTE MENSCH VON SEZUAN (1938-
42) erscheint das Handlungsgefüge im Fluß einer fortlaufenden Erzählung. Vom Lehrstück geblieben sind Reste: in den
Zwischenspielen, in denen die Götter mit Wang sich unterre-
den, kommt es noch zu Diskussionen über Für und Wider der
Vorgänge auf der Bühne. Zwar überlegt man noch, macht Vorschläge und gibt gute Lehren, doch es wird kein Beschluß
mehr gefaßt und mit dogmatischer Endgültigkeit verkündigt
oder durchgeführt. Das Gültige wird nicht vorgedacht, es
soll vom Zuschauer selbst herausgefunden werden.

Der Beweis dafür, daß Brecht in den späten Stücken eine
Synthese von Lehrstück und Volksstück anstrebte, wird vollends deutlich an dem Stück MUTTER COURAGE UND IHRE KINDER.
Hier gibt die Synthese dem Regisseur polare Möglichkeiten
der Aufführung in die Hand, die dann auch tatsächlich ge-
nützt worden sind. Die Uraufführung unter Leopold Lindtberg
am Züricher Schauspielhaus (19.4.1941) mit Therese Giehse
zeigte in ihrem Realismus die Nähe zum Volksstück auf. Die
Inszenierung am "Deutschen Theater" in Berlin, die Brecht
und Erich Engel am 11.1.1949 mit Helene Weigel als Darstellerin der Courage herausbrachten, verzichtete dagegen auf
den Wechsel von Tag und Nacht, auf realistische Bauten auf
der Bühne. Man agierte auf leerer Bühne bei ständig gleich-
bleibendem grellem Licht: hier findet eine Demonstration auf
der Bühne statt, gezeigt wird der Krieg mit allen seinen verheerenden, entmenschlichenden Folgen. Beide Regieauffassun-
gen, das hat auch Brecht bestätigt, sind legitim und wirksam, da sie im Wesen des Stückes wurzeln. - Und noch ein Hinweis: in seinen "Anmerkungen zum Volksstück", die er dem
PUNTILA mit auf den Weg gab, bemerkt Brecht, daß in dem Nummerncharakter seines Stückes "die 'Streiche und Abenteuer'
der alten Volksepen" wiederauflebten, "freilich schwer erkennbar" (B.B. 17.1163).

Wo aber liegt nun die entscheidende Weiterentwicklung in
den Jahren nach 1933? Die Frage ist klar zu beantworten: die
epische Erzählung, die Fabel in ihrem ursprünglichen Sinne
ist nun wieder gewichtiger geworden als die didaktischen

Zusätze und Verlautbarungen. Das Problem Lehrwert oder Unterhaltung wird dadurch gelöst, daß die Frage nach gesellschaftlicher Gerechtigkeit provoziert und in den Mittelpunkt gestellt wird.

"Für heutige Menschen sind Fragen wertvoll der Antworten
wegen. Heutige Menschen interessieren sich für Zustände
und Vorkommnisse, denen gegenüber sie etwas tun können."
(B.B. 16.930)

In der Form der P a r a b e l gibt die Fabel zur Lösung
der anstehenden Probleme gleichnishafte Bezüge, in der Form
des M o d e l l s die kritische Analyse und schließlich
in der C h r o n i k den historischen Nach- und Beweis.

Insgesamt gewinnt aber die Fabel in der Struktur der Stük-
ke wiederum ihre alte Bedeutung zurück. Sie ist nicht mehr
eingeengt in den doktrinären Duktus eines Beweis- und Lehr-
prozesses. Man würde daher den Dingen keineswegs gerecht,
wollte man die Fabel der späten Stücke nur als Rankenwerk
Brechts zu Axiomen marxistischen Gedankengutes ansehen, während die Fabeln der Lehrstücke wenigstens noch Deduktions-
versuche zu Thesen brachten.

Betrachten wir nun noch eingehender die Struktur der Fabel des späten Stückes, indem wir die E i n z e l s z e n e
in ihrem Gewicht und ihrer Bedeutung für das Fabelganze betrachten. Die Einzelszene, auf die wir ja bereits im Zusammenhang mit dem Lehrstück aufmerksam wurden, spielt noch immer
eine entscheidende Rolle. Mit dem GUTEN MENSCHEN VON SEZUAN
verlieren die Einzelszenen allerdings deutlich an Statik.
Das Handlungsgefüge erscheint im Fluß einer fortlaufenden
Erzählung. Die Einzelszene ist nun gedankliche Einheit im
Ablauf kritischen Durchdenkens und Durchlebens der Wirklichkeit im Raum des Theaters. Sie erhält so ihre Funktion, die
komplizierten Vorgänge in der Wirklichkeit für die Bühne er-
faßbar und darstellbar zu machen. Das Drama löst diese Wirklichkeit in gestische Einzelvorgänge auf, deren "Gesamtkomposition" aber ist durch die Fabel vorbestimmt. Diese Gedanken-
einheiten, so sagt Brecht ausdrücklich, sollen spürbar, wenn
nicht sichtbar werden, "indem ihnen ihre eigene Struktur, eines Stückchens im Stück, gegeben wird" (B.B. 16.694). Dieser
Hinweis ist dem 'Kleinen Organon für das Theater' entnommen.

Und wiederum gibt der theatralische Aspekt, der Blick auf das
Publikum, der theoretischen Überlegung die Richtung:

> "Da das Publikum ja nicht eingeladen werde, sich in die
> Fabel wie in einen Fluß zu werfen, um sich hierin und
> dorthin unbestimmt treiben zu lassen, müssen die einzel-
> nen Geschehnisse so verknüpft sein, daß die Knoten auf-
> fällig werden. Die Geschehnisse dürfen sich nicht un-
> merklich folgen, sondern man muß mit dem Urteil dazwi-
> schenkommen können." (B.B. 16.694)

Das Gefügte der Fabel soll also auch beim späten Brecht deutlich bleiben. Dabei hat das Lied seine besondere Funktion.
Man könnte ihm in diesem Sinne geradezu Hinweischarakter zu-
schreiben. Auf die einzelnen regielichen Mittel, die das gestellte Ziel erfüllen sollen, wird an anderer Stelle noch
weiter einzugehen sein. Hier sei lediglich die Forderung als
solche festgehalten und zunächst einmal der Bereich äußer-
lich-formaler Eigenheiten verlassen, um tiefer in das Wesen
der Brechtschen Fabel einzudringen.

Gehen wir noch einmal aus von der   G r u n d f o r d e -
r u n g   nach dialektischer Abbildung der Wirklichkeit. Wir
haben über sie bereits im Zusammenhang mit den allgemein-
ästhetischen und dramatisch-theatralischen Theorien Brechts
eine erste Klärung erlangt. Hier sei nun die Frage gestellt,
wie sie sich konkret im Bau der Fabel auswirkt.

Schon sehr früh taucht in den Überlegungen Brechts der Gedanke auf, die Erfassung der neuen Stoffe und die Gestaltung
der neuen Beziehungen verlangten von der Kunst, daß sie in
erhöhtem Maße der Wirklichkeit zu folgen habe. Das Wissen
aber, das diese Kunst voraussetzt, - hierin liegt der neue
Akzent in den Jahren des Exils - muß gänzlich umgesetzt sein
in Dichtung. Er schreibt im Jahre 1936:

> "Selbstverständlich sind die Methoden des Theaters, auch
> des fortgeschrittenen Theaters eines wissenschaftlichen
> Zeitalters, ganz außerordentlich weniger exakt als die
> der Physik, aber auch das Theater muß solche Beschreibun-
> gen der Umwelt geben können, daß der Zuschauer sich aus-
> kennt." (B.B. 15.238)

Handlung auch in seinen späten Stücken, das hatten wir bereits feststellen können, ist die Umsetzung gesellschaftlicher Bewegungen in dramatisch-theatralische Darstellung mit
Hilfe von Einzelszenen, deren Gesamtkomposition durch die Fabel bestimmt ist. Der äußere Ereignisablauf. die sog. "Vorder-

grundshandlung" verweist ständig auf den großen sozialen
Hintergrund. Die "innere Handlung", die sittliche, seelisch-
geistige Entwicklung wird als eine gesellschaftlich begründete Haltung gestaltet, die in ihrer (mehr oder weniger
durchschaubaren) Motorik durch den transparenten äußeren
Vorgang sichtbar wird. Dies ist soweit geführt, daß innerhalb des Epischen bei Brecht das Politische, der sozio-ökonomische Bereich die Landschaft geradezu ersetzt. Anders gesagt: Milieu, Atmosphäre, Interieur sind nicht Selbstzweck
oder bloßer Hintergrund des Geschehens, sondern bereits Ergebnis marxistischer Analyse und damit gesellschaftspolitische Aussage. Auch wo Landschaft im eigentliche Sinne dennoch,
wie etwa im PUNTILA, eine gewisse Rolle spielt, erscheint
sie politisiert, indem ganz einfach die Frage nach dem Ei-
gentümer, etwa der Wälder, gestellt wird. Das "begrenzte
Geschehnis"[1] der Fabel wird also in einen solchen gesellschaftlichen Raum hineinkomponiert, der erst die Abbildung
der Wirklichkeit im materialistisch-dialektischen Sinne ermöglicht.

> "Die aristotelische Dramaturgie berücksichtigt nicht, das
> heißt gestattet nicht zu berücksichtigen die objektiven
> Widersprüche in den Prozessen. Sie müßten in subjektive
> (im Helden verlagerte) umgewandelt werden."
> (B.B. 16.653)

Erstaunlich genug: erst hier im zweiten Nachtrag des 'Messingkaufs', dem dieses Zitat entnommen ist, wird eigentlich
der tiefergehende Einwand gegen die aristotelische Dramaturgie formuliert: ihr Unvermögen, geschichtliche Räume und Vorgänge klar und ohne Transposition auf die Bühne zu bringen.
Die Gestaltung der Gesellschaft in ihrer   W i d e r -
s p r ü c h l i c h k e i t   aber ist das Hauptanliegen
der im marxistischen Geist geformten Fabel.

Versuchen wir in diesem Zusammenhang die Bedeutung der
V e r f r e m d u n g   für die Gestalt der Fabel zu erfassen. Peter Hacks sagt in seinem Essay 'Über Lieder zu Stükken' - freilich in gezielter Überspitzung -, Verfremdung sei
ein Begriff, der auf Inhalte, nicht auf Formen gehe[2]. Hier

---

1) s. § 65 des "Kleinen Organon". B.B. 16.693.
2) P.Hacks: a.a.O. S.423.

erhalten wir aber einen Hinweis, der das wesentliche der
Verfremdung aufdeckt: Verfremdung ist ein Grundzug in erster
Linie der Fabelkonstruktion, an der sich sämtliche übrigen
V-Effekte darstellerischer oder bühnentechnischer Art auszurichten haben. Bereits der Begriff "Episches Theater" wurde
lange Zeit lediglich in Äußerlichkeiten gesehen. Auch "Verfremdung" wurde von der Theaterkritik sehr oft gründlich miß-
verstanden. Was Effekte, eben Verfremdungseffekte benötigte,
um Wirkung, um einen neuen Effekt zu erzielen, wurde als bloße Effekthascherei denunziert, und somit in seiner Wirksamkeit gefährdet. Auch Hacks, ebenso übrigens wie Brecht selbst,
sieht diese Gefahr:

> "Eine Sache verfremden, heißt, sie als geworden zeigen,
> mithin als ursächlich bedingt und nicht mehr und nicht
> weniger notwendig als ihre Ursachen. Verfremdung ist Be-
> unruhigung zum Zwecke der Beurteilung. Verfremdung be-
> wirkt, daß man den verfremdeten Gegenstand von mehr Sei-
> ten sieht, mit mehr Begriffen, konkreter." 1)

In ihrer gesamten inneren Struktur läuft die Fabel unter dem
Gesetz der Verfremdung auf die Grundfrage aller Fragen hinaus, auf die Frage nach dem Warum ihres Verlaufs. "Das Warum", so sagt Hacks, "soll nicht das Warum der Ratlosigkeit
sein, sondern das Warum des Forschers. Daher liegt der beste
V-Effekt in der Beunruhigung durch einen Widerspruch in einer plausiblen Situation. Der schwächste V-Effekt besteht in
der Beunruhigung durch formale Tricks."2)

Das wesentlichste Problem, das sich im Zusammenhang mit
der Verfremdung, ja durch die verfremdete, neue Sicht der
Wirklichkeit stellt, liegt in der Frage beschlossen, ob die
heutige Welt sich überhaupt auf dem Theater wiedergeben läßt.
Sie wurde auch nach dem Zweiten Weltkrieg konkret (und zwar
von Friedrich Dürrenmatt) gestellt und von Brecht begierig
aufgenommen, lag in ihr doch überhaupt der ganze Zweifel seines Arbeitens (B.B. 16.929). Das Problem reduziert sich für
Brecht auf die Frage nach dem Verhältnis von Individuum und
Gesellschaft, die wir ja bereits im Zusammenhang mit den
marxistischen Grundlagen angesprochen haben. Nun soll sie

---

1) P.Hacks: a.a.O. S.423.
2) ebda. S.424.

wiederum im Zusammenhang mit der inneren Struktur der Fabel
gestellt sein.

Ein Theater der Widersprüche und der Veränderung benötigt
nach der Ansicht Brechts ein besonderes Material für den Bau
der Fabel, "eben nach dem Gesichtspunkt zusammengestelltes
Material, daß die jeweiligen, komplizierten, vielfältigen
und widerspruchsvollen Beziehungen zwischen Individuum und
Gesellschaft eingesehen werden können (zum Teil auch einge-
fühlt werden können)" (B.B. 16.922). Brecht hat erkannt, daß
die großen, entscheidenden Vorgänge zwischen den Menschen,
welche die neue Dramatik in ihrem Anspruch auf politische
Wirksamkeit zu gestalten hatte, "vom Blickpunkt eines einzelnen Menschen nicht mehr darzustellen" (B.B. 15.274) sind.
Der einzelne Mensch unterliegt, aus der Perspektive des
Stückeschreibers gesehen, einer äußerst verwickelten Kausalität. Die sog. großen, entscheidenden Vorgänge finden in
riesigen Kollektiven statt und nur als Mitglied eines solchen "riesigen und notgedrungen in sich selbst widerspruchsvollen Kollektivs"[1] kann er sein Schicksal selbst gestalten.

Brecht merkt an, daß die neue Dramatik k e i n e großen überragenden Heldengestalten auf die Bühne gebracht hat,
wie etwa Hamlet und andere. Und doch gibt es in gänzlich anderer Weise große Gestalten in der neuen Fabel:

"Diese Figuren sind keine einfühlbaren Helden. Sie sind
nicht als unveränderliche Urbilder des Menschen gesehen
und gestaltet, sondern als historische, vergängliche,
meist mehr ein Erstaunen als ein 'So bin ich auch' heraus-
fordernde Charaktere. Der Zuschauer befindet sich ihnen
gegenüber verstandes- und gefühlsmäßig im Widerspruch, er
identifiziert sich nicht mit ihnen, er 'kritisiert' sie."
(B.B. 15.275)

Brecht stellt Gestalten wie Galileo Galilei, Shen Te, Mutter
Courage und Puntila auf die Bühne. Noch eine weitere Äußerung
zu dieser Problematik sei hier angeführt. Im dritten Nachtrag
zur Theorie des 'Messingkaufs' schreibt Brecht:

"Das Individuum bleibt Individuum, wird aber ein gesellschaftliches Phänomen, seine Leidenschaften etwa werden
gesellschaftliche Angelegenheiten und auch seine Schick-
sale. Die Stellung des Individuums in der Gesellschaft
verliert ihre 'Naturgegebenheit' und kommt in den Brenn-

---

1) B.B. 15.274.

punkt des Interesses. Der V-Effekt ist eine soziale Maßnahme." (B.B. 16.654f.)
Das bestätigt die gründliche Lektüre: die Fabeln der späten
Stücke haben nur scheinbar Individuen im Mittelpunkt. Es
sind in der Tat Stücke um die Gesellschaft und ihre Probleme, soziozentrische Stücke also, um einen Begriff Reinhold
Grimms abzuwandeln. Im § 65 des 'Kleinen Organon' heißt es
dazu:

"Auch wenn der besondere Mensch, den der Schauspieler
vorführt, schließlich zu mehr passen muß als nur zu dem,
was geschieht, so doch hauptsächlich deswegen, weil das
Geschehnis um so auffälliger sein wird, wenn es sich an
einem besonderen Menschen vollzieht." (B.B. 16.693)

Deutlicher noch wird der veränderte Akzent in der inneren
Struktur der Fabel dort, wo es sich um dramatische Gegenentwürfe handelt. Solche Gegenentwürfe[1] finden sich bei
Brecht bis in die späten Jahre. Immer wieder regen ihn Vorlagen zu eigener Schöpfung an. Selbst die Stücke, die Brecht
als 'Bearbeitung' einer Vorlage bezeichnet, also DER HOFMEI-
STER oder CORIOLAN oder PAUKEN UND TROMPETEN, werden unversehens unter seinen Händen zu solchen Gegenentwürfen, d.h.
sie fordern seinen Widerspruch heraus und geben als Vorlage
Anregung zu durchaus eigener Schöpfung, indem die vorliegende
Fabel eine tiefgreifende, gesellschaftlich bestimmte Umstruk-
turierung erfährt. Die Umarbeitung wird oft noch sorgfälti-
ger erarbeitet, als es schon bei den eigenen Stücken geschah,
eben um den veränderten Akzent des Stückes deutlich zu machen.
Äußerungen aber, die Brecht in diesem Zusammenhang über die
Technik der Fabelführung macht, sind für uns von besonderem
Interesse.

Brecht geht dabei wiederum aus von der aristotelischen
Fabelstruktur, an die in der Regel diese Vorlagen gebunden
waren. Hier der Vorwurf:

"Da wir die Empfindungen, Einblicke und Impulse der Haupt-
personen aufgezwungen bekommen, bekommen wir in bezug
auf die Gesellschaft nicht mehr, als das Milieu gibt."
(B.B. 16.677)

Im Prozeß des Gegenentwurfs wird denn auch folgerichtig die

---

1) s.a. H.Kaufmann: Geschichtsdrama und Parabelstück.
S. 34f.

Korrelation der Personen verändert. Die Personen selbst werden in den verfremdeten Gestus gesellschaftlicher Verhältnisse gestellt, in Frage gestellt, und erhalten so ganz neue, veränderte Dimensionen der Größe, der Schuld, der Treue oder des Kampfesmutes. Die Entwicklung ist nicht ohne Interesse: Die Mittelpunktsfiguren der frühen Gegenentwürfe TROMMELN IN DER NACHT und BAAL sind negative Helden geradezu tierischer Größe im Dschungel ungeordneter menschlicher Leidenschaften. Sie kämpfen, um zu überleben in einer Welt, in der zu leben sich eigentlich gar nicht lohnt. (Baal hatte das erkannt und den Tod vorgezogen.) Die Mutter Pelagea Wlassowa und auch Frau Carrar dagegen sind - erstaunlicher Weise, muß man sagen - als echte heldische Menschen des Klassenkampfes aufgebaut, ihr Entwurf ist auf beispielhafte Größe ausgerichtet. Beide Figuren haben ihren Wert als Möglichkeiten im Feld des Experiments. Eigenartig und auffällig ist, daß im Falle des Schweyk und der Grusche und auch in besonderer Weise dem des 'Richters' Azdak plötzlich Menschen gestaltet werden, die erst im Laufe existentieller Gefährdung die Größe listigen Durchlawierens zeigen, keineswegs aber eine Größe von exemplarischer Bedeutung, wenigstens im Sinne aristotelischer Vorstellungen. Diese Figuren zeigen, bedingt durch den inneren Charakter der Fabel, ganz allgemein die Reaktionsweise einfacher Menschen im Klassenkampf auf. Das Stück DIE HL. JOHANNA DER SCHLACHTHÖFE gibt mit den Arbeitern der Fleischfabriken geradezu eine Studie in dieser Beziehung. Singen diese Menschen aber, so geben sie sehr oft eben diesem Erfahrungsraum Ausdruck, Ausdruck vom Kampf der unterdrückten Klassen. Ihre Erlebnisse und Erfahrungen werden so in ganz neuem Sinne "fragwürdig". Es ist Aufgabe der Fabel, dies zu bewirken. Aufgabe aber der Darstellung auf der Bühne ist es, die so strukturierte Fabel sichtbar und erkennbar zu machen. Hierauf sei zum Schluß dieser Betrachtung der Fabel bei Brecht noch kurz eingegangen.

Der konkrete Hinweis, daß es bei der D a r s t e l l u n g eines Stückes auf der Bühne darauf ankomme, die Linien der Fabel sichtbar zu machen, ihre Sprünge und Widersprüche aufzuzeigen, findet sich in nahezu allen wichtigen theoretischen

Beiträgen Brechts. In dem 'Kleinen Organon' wirft er dem bestehenden Theater vor, es habe entweder die Fähigkeit oder
aber die Lust verloren, "diese Geschichten, sogar die nicht
so alten des großen Shakespeare, noch deutlich zu erzählen,
das heißt die Verknüpfungen der Geschehnisse glaubhaft zu
machen" (B.B. 16.667). Im § 70 nennt er ganz eindeutig die
Auslegung der Fabel und ihre Vermittlung durch eine verfremdete Darstellung das Hauptgeschäft des Theaters (B.B. 16.
696). Und in den Anmerkungen zu ANTIGONE heißt es:

"... sie soll alles enthalten und alles soll für sie getan werden, so daß, wenn sie erzählt ist, alles geschehen ist." (B.B. 17.1218)

Das Geschehen auf der Bühne entwickelt sich gemäß der
Struktur der Brechtschen Fabel in der Regel aus der Spannung
von vorgegebenen Anlagen der Personen und ihren gesellschaftlich bestimmten klassenkampfbedingten Handlungen. Und hier
setzen genau die detaillierten Anweisungen Brechts an den
Schauspieler ein: er soll sich der Figur bemächtigen, indem
er sich der Fabel bemächtigt.

"Erst von ihr, dem abgegrenzten Gesamtgeschehnis aus, vermag er, gleichsam in einem Sprung, zu seiner endgültigen
Figur zu kommen, welche alle Einzelzüge in sich aufhebt.
Hat er alles getan, sich zu wundern über die Widersprüche in den verschiedenen Haltungen, wissend, daß er auch
sein Publikum darüber zu wundern haben wird, so gibt
ihm die Fabel in ihrer Gänze die Möglichkeit einer Zu-
sammenfügung des Widersprüchlichen..." (B.B. 16.693)

Eine so erfaßte Fabel gibt also den Hinweis für die weitere
theatralische Gestaltung. Sie legt den Gestus fest, die Bewegungen der Personen auf der Bühne zueinander: "Gruppierung
und Bewegung der Figuren müssen die Fabel erzählen" (B.B.
17.1217). Diese Fabel aber, das haben wir bereits bemerkt,
ist eine Verknüpfung von Begebenheiten. Die Regie hat nun
die Aufgabe, die Geschehnisse nicht unmerklich einander folgen zu lassen. Es wird vielmehr an sie, wie bereits erwähnt,
die Grundforderung gerichtet, die Verknüpfung deutlich und
sichtbar werden zu lassen, damit dem Zuschauer Gelegenheit
gebend, "mit seinem Urteil dazwischen zu kommen." Brecht
gibt in diesem Zusammenhang dem Schauspieler einen praktischen Hinweis an die Hand, wie dies zu erreichen sei. Er
schlägt vor, Titel für die Einzelszenen zu entwickeln.

"Die Titel sollen die gesellschaftliche Pointe enthalten,
zugleich aber etwas über die wünschenswerte Art der Darstellung aussagen, das heißt je nachdem den Ton einer
Chronik oder einer Ballade oder einer Zeitung oder einer Sittenschilderung nachahmen." (B.B. 16.694)

Die Fabel aber ist eben die "Gesamtkomposition" aller dieser
gestischen Vorgänge, so hat es Brecht formuliert, und ihr
natürliches Anliegen ist es, "demPublikum als einem Teil der
Gesellschaft das für die Gesellschaft Wichtige an der Fabel
aufzuzeigen" (B.B. 17.1218). Dieses Ziel ist es, das die Darstellung auf der Bühne erfüllen muß. Eine mit dieser Konsequenz durchgeformte Fabel, in dieser Weise durchdacht auf
die Bühne gebracht, weckt sicherlich im Zuschauer zumindest
eine "gewisse Geneigtheit für ein tieferes Eindringen in die
Dinge" (B.B. 15.270), ermöglicht ihm eine ebenso künstlerische wie auch zugleich eine politisch produktive Haltung,
eben die Haltung der "Kinder des wissenschaftlichen Zeitalters", für die Brecht je erklärtermaßen schrieb.

IV. DAS LIED IN DER DRAMATISCH-THEATRALISCHEN STRUKTUR

   DER STÜCKE NACH 1933

Vorbemerkung

An dieser Stelle unserer Untersuchung scheint es nützlich,
eine kurze methodologische Besinnung einzuschalten, die in
Rückschau den bisher zurückgelegten Weg überblickt, in
Vorausschau aber den Rahmen dessen festlegt, was die Problematik des Liedes im Drama zu erhellen hilft.

   Ausgehend von den wichtigsten Anregungen, die Brecht für
den Einsatz des Liedes im Stück bis 1933 empfing, haben wir
zunächst einmal versucht, die ästhetischen Grundlinien
Brechtschen Denkens anhand seiner theoretischen wie politischen Äußerungen zu entwickeln. Wir haben dann versucht -
uns weiterhin bewußt und nahezu ausschließlich an seinen eigenen theaterkritischen Schriften orientierend -, die besondere Konzeption des Brecht-Theaters zu bestimmen. Der Schwerpunkt dieser Überlegungen lag hier bereits im wesentlichen
auf der Zeit des Exils, d.h. also auf den Jahren nach 1933.
Die hier entwickelte Darstellung verstand sich ebenso wie
die der besonderen Bedeutung der Fabel im Brecht-Theater,
die sich daran anschloß, sowohl als Konzentrat der sehr aus-
gedehnten Forschung als auch in Ergänzung zu dieser als Versuch, Brechts eigene Gedanken zu einer neuen Ästhetik, zu
seiner daraus resultierenden Theaterkonzeption und schließlich zu der besonderen Struktur der Fabel, in die ja das
Lied eingebettet erscheint, einmal pointiert nachzugehen.

   Bei diesen grundlegenden Überlegungen war das Lied mittelbar wie auch unmittelbar stets präsent, obwohl es nicht
im Mittelpunkt der Betrachtung stand. Dorthin soll es nun
gerückt werden. Der weitere Gang der Untersuchung wird bestimmt durch die eigentümliche Stellung des Liedes in der
dramatisch-theatralischen Struktur der Stücke. Als funktionaler Bestandteil der Fabel und zugleich als (in einer besonderen, noch zu bestimmenden Weise) autonomer Träger lyrischen Ausdrucks steht es an der Nahtstelle zwischen dem Wort

und der Musik. Seine lebendige, ästhetisch ungemein reizvolle
Spannung, seine ganze Wirkung auf den Zuschauer resultiert
aus dieser Ambivalenz. Ihr soll im folgenden einmal nachge-
gangen werden.

A. Der Bezug zum (szenisch gestalteten) Wort
===

Die Betonung der Eigenständigkeit des "Liedes zu Stücken"
in gattungsmäßiger Hinsicht stand als Prämisse am Anfang unserer Überlegungen, sie soll auch hier bei der Erörterung
der Beziehung des Liedes zum szenisch gestalteten Wort wiederum am Anfang stehen. Indem wir nun im folgenden den Hack-
schen Begriff "Lied zu Stücken" in den Vordergrund rücken,
soll damit nicht etwa ein neues Untersuchungsobjekt gekennzeichnet werden. Es soll vielmehr ein ganz spezifischer
Blickwinkel angezeigt werden, unter dem das Lied im Stück
an dieser Stelle untersucht wird.

Es geht hier um die Beziehung zum Dramatischen, zur 'Fabel' hin: um das "Lied zu Stücken", um seine Position und
Dimension zwischen dem Lyrischen seines Wesens und dem Dramatischen seiner spezifischen Ausformung. Wir haben Brechts
theatralische Theorie und im besonderen seine Konzeption
der 'Fabel' bereits dargestellt. Jetzt geht es darum, die
dort gewonnenen Erkenntnisse dezidiert in den Zusammenhang
des Liedes zu stellen.

Lassen wir zunächst noch einmal Peter Hacks ausführlicher
zu Wort kommen. Die Gedanken, die er in dem bereits erwähnten
Essay "Über Lieder zu Stücken" äußert, sind - gerade durch
die essayistische Aussageform - vorzüglich dazu geeignet,
unsere Untersuchung anzuregen. Unter der Überschrift 'Das
Lied als Teil' schreibt er dazu:

> "Das Lied ist ein Bestandteil der Fabel. Zugleich ist es
> ein selbständiges Wesen. Außerhalb des Stücks ist es
> verständlich und nicht verständlich: es ist verständ-
> lich als lyrisches Gebilde, unverständlich als drama-
> turgisches Element. Von seiner lyrischen Seite her be-
> trachtet, hat es andere Eigenschaften als von der dra-
> matischen her; die Eigenschaften widersprechen sich,

und es hat sie alle. Als was Sie es ansehen, müssen Sie es gleich vollkommen finden. Wird etwa, wie im Abdruck, die lyrische Qualität isoliert, so ist es reich durch Selbstgenügsamkeit und arm durch Beziehungslosigkeit. Im Zusammenhang mit der Aufführung verliert es seine Unabhängigkeit, wächst aber über sich hinaus und profitiert vom Wert der gesamten Sache. Es folgt den gleichen Regeln wie jeder Teil eines organisierten Ganzen, also wie die Szene des Stücks, der Abschnitt der Szene, der einzelne Satz." 1)

Und dann bringt Hacks seine Überlegungen zum "Lied zu Stükken" auf die knappste Formel. Dieses Lied, so stellt er fest, unterliegt dem "Gesetz von der Einheit von Kontinuität und Diskretheit"[2]. Indem wir dieses Gesetz sozusagen kodifizieren, wird es uns gelingen, das Wesen einer Gattung genauer zu umreißen, die durch das Kräftefeld der besonderen dramatischen Struktur (als des Maßes ihrer 'Kontinuität') und der lyrischen Form (als des Maßes ihrer 'Diskretheit') bestimmt ist.

1. Das Lied als funktionaler Bestandteil der 'Fabel'

Anhand der Stücke Brechts läßt sich Schritt für Schritt genau jener Aufbau einer neuen szenischen Struktur beobachten, wie er ihn selbst in seinen theoretischen Äußerungen - sei es als Programm, sei es als resumierendes Protokoll - immer wieder umrissen hat. Unmittelbar für den Aspekt des Liedes und seiner funktionalen Verknüpfungen mit der 'Fabel' sind diese Äußerungen allerdings wenig ergiebig. Es wird dort seltener darauf eingegangen, als zu vermuten stand. Hier sind also die Stücke selbst für uns von ungleich größerem Wert.

Zunächst erscheint das Lied in diesen Stücken lediglich als ein episierendes Element, als ein technisch-formales Experiment. Doch bald wird immer deutlicher, daß der Ablauf der Handlung selbst zunehmend durch den epischen Subjekt-

---

1) P.Hacks: a.a.O. S.425.
2) ebda.

Objekt-Gegensatz von Erzähler und Erzähl-Gegenstand bestimmt
wird. Dieser innere Wandlungsprozeß, auf den nahezu alle äußeren, scheinbar bloß formalen Eingriffe zurückzuführen
sind, setzt für die Entwicklung des Liedes in der dramatischen 'Kontinuität' den entscheidenden Akzent.

Damit werden Zusammenhänge angesprochen, die natürlich
nicht nur auf Brecht und seine Stücke beschränkt sind, sondern die ganz offensichtlich das Gesicht der modernen Dramatik überhaupt grundlegend verändert haben: der Mensch erscheint nicht mehr als Urheber der szenischen Aktion, er ist
nicht mehr frei und handelt nicht mehr autonom, sondern ist
ganz einfach Demonstrationsobjekt. Hier werden natürlich
Prinzipien des 'absurden Theaters' berührt, und Brecht hat
tatsächlich einiges geschrieben, das ganz deutlich in der
Nähe dieser Versuche steht. Erwähnt sei hier nur das Zwischenspiel in MANN IST MANN. Doch bei Brecht setzt sich ein
ganz anderer Weg durch. Er will nicht die Absurdität menschlichen Handelns aufzeigen, sondern im Gegenteil die Möglichkeit zur Selbstbestimmung. Brecht zeigt an den Menschen seiner Stücke auf, in welchem Maße sie von sozialen und ökonomischen Gesetzmäßigkeiten in ihren Bewegungen bestimmt sind.
Das Individuum wird nicht mehr in einer durch die dramatische Illusion geschaffenen besonderen Welt aus eigenem frei-
en Antrieb in schuldhaft-tragische Verstrickung geführt. Er
existiert und agiert vielmehr auf der Bühne als eine deutlich erkennbare Fiktion des Autors, der an ihm die Gesetze
und Abläufe zwischenmenschlicher Beziehungen und Verhaltensweisen darstellen und erörtern will.

Wenn Hoppe in bezug auf das Theater des Absurden von dem
"synthetischen Charakter dieser menschlichen Kunstfiguren"[1]
spricht, so läßt sich das zunächst auch auf Brechts 'Episches Theater' vor allem in der Zeit der Lehrstücke übertragen. Hier sind die menschlichen Figurationen oft 'wahr', was
ihre gesellschaftliche Bedingtheit angeht, sie wirken kon-
struiert und damit nicht mehr wirklich menschlich dort, wo
sie diese Bedingtheit exemplarisch und unter dem Gebot einer

---

1) Hoppe: Theater der Gegenwart. S.181.

einmal als richtig erkannten Gesetzlichkeit strikt und ohne
Abstrich erfüllen sollen, wo also die Widersprüchlichkeit
ihres sozialen Seins und Handelns aus bestimmten Gründen
schematisiert erscheinen.

Die neue Gestaltung des Menschen auf der Bühne und die
damit in engster Verbindung stehende Veränderung der szenischen Struktur sind die bestimmenden Größen für die dramatische 'Kontinuität', innerhalb der das "Lied zu Stücken"
seine besondere Ausformung erhält. Bereits das Überschreiten
des Erkenntnishorizonts der singenden 'persona dramatis',
das durchaus kalkuliert ist und nach dem Willen des Autors
deutlich erkennbar vorzuführen ist, ist eine Folge - und
nicht die unwichtigste - dieser Versuche. Damit wird ein
weiteres Mal angezeigt, die Perspektive ist nicht die der
singenden Gestalt auf der Bühne bzw. ist es nicht unbedingt.
Auch dort, wo sie ausspricht, was sie sieht, fehlt ihr oft
die Erkenntnis, die der Zuschauer leisten muß. Das gilt vor
allem für die späten Stücke, so etwa für die Lieder in der
COURAGE, und es gilt damit auch für Stücke, in denen das
Lied durchaus dramatisch wie dramaturgisch verankert erscheint.

Es sei hier an die " B a l l a d e v o m W e i b
u n d d e m S o l d a t e n " (B.B. 4.1566) erinnert. Eilif singt sie im Zelt des Feldhauptmanns. In einer Pantomime
verdeutlicht er die Aussage des Liedes. Das Lied - es ist in
Wirklichkeit der 'Hauspostille' entnommen - hat Eilif einst
von seiner Mutter gehört. Dieser Topos, zur Stützung des Liedes und seiner Lehre gebraucht, findet sich bei Brecht recht
oft, so etwa beim Azdak des KAUK. KREIDEKREISES (B.B. 5.
2070f.) oder schon früher beim Lied der Begbick in der 9.
Szene von MANN IST MANN (B.B. 1.337). Hier aber wird er geradezu virtuos behandelt: singend verhöhnt Eilif die Lehre
seiner Mutter, der Zuschauer ahnt, daß sie sich bald an ihm
erfüllen wird: "... das Wasser frißt auf, die darin waten
..... Es geht übel aus!" Es ist nicht ohne hintergründige
Bedeutung, daß die Courage ausgerechnet an diesem Liede ihren Sohn wiedererkennt. Sie zeigt recht deutlich ihren auf-
steigenden Ärger und "mit großem Ernst" singt sie die letzte
Strophe:

"Er verging wie der Rauch, und die Wärme ging auch. Und
es wärmten sie nicht seine Taten. Ach, bitter bereut,
wer des Weisen Rat scheut! Sagte das Weib den Soldaten."
                                              (B.B. 4.1366)

Die Gültigkeit der Lehre wird wiederhergestellt und durch
den Schauder der Vorahnung hindurch empfindet der Zuschauer
in der Tat "den Spott des Sohnes als unangemessen". Die Gültigkeit der Lehre wird weiter noch dadurch unterstrichen, daß
wechselweise von   d e m   Soldaten, gemeint ist sicherlich
Eilif, und von   d e n   Soldaten in ihrer Gesamtheit (vor
allem in dieser letzten Strophe) gesprochen wird.

Dieses Lied, das im Untertitel auf Rudyard Kipling verweist, wird vorgetragen in vielfacher (epischer) Brechung.
Es wird vorgeführt, aber nur als ein von der Mutter überlie-
fertes. Der Sänger trägt das Lied dem Feldhauptmann vor, mit
seiner dumm-überheblichen Ironie gegenüber dem Inhalt des
Liedes will er Gefallen erregen. Auch das recht deftige Ein-
schreiten der Courage vermag ihm die wirkliche Erkenntnis
seiner Lage nicht einzubläuen: Eilif singt das Lied von den
Warnungen des Weibes an den bzw. an die Soldaten und kommt
um, weil er eben diese Warnungen nicht befolgt. Doch wenn
der Zuschauer beginnt, darüber nachzudenken, so kann er hier
nicht stehenbleiben. Er erkennt, daß die,welche die Lehre
ausspricht, für sich selbst ja auch keine Konsequenzen zieht:
auch die Courage glaubt ja, daß der Krieg seine Leute nährt,
sie glaubt es noch am Ende des Stückes, wider alle Vernunft
und alle Lehren, die ihr im Verlauf des Stückes erteilt wurden. Und weiter erkennt der Zuschauer, daß dieser Glaube
(oder besser Irrglaube) alle Teilnehmer des Krieges gleichermaßen beseelt und allen gleichermaßen zum Verhängnis wird.
Der Feldhauptmann bezahlt mit seinem Leben, der dem Vortrag
ebenfalls zuhörende Koch mit seiner Menschlichkeit, sie alle,
die hier gezeigt werden, zahlen in irgendeiner Weise. Hier
liegt also Erkenntnis begründet, die der Zuschauer leisten
muß und zwar leisten muß in der Kontinuität der Szene bzw.
des gesamten Stücks. Einen der möglichen Einstiege aber ge-
währt ihm das Lied. Es gibt ihm nach Brecht die Möglichkeit,
"mit seinem Urteil dazwischen zu kommen". Die veränderte szenische Struktur verlangt - davon spricht Brecht immer wie-

der - den neuen Zuschauer, der sich nicht der Illusion, sondern dem Denken hingibt. Das Lied ist eine Möglichkeit des
Autors, seinen umfassenderen Denkansatz auch dort einzubringen, wo die Figur auf der Bühne ihre geistigen Grenzen zeigt.
In dieser Weise ist das Lied in der Tat "ein Bestandteil der
Fabel"[1]. Auch dort, wo es, wie in dem vorhin zitierten Falle der "Ballade vom Weib und dem Soldaten", weitgehend im
dramatischen Zusammenhang verzahnt erscheint, äußert das
Lied Gedanken, die übergeordnete historische Zusammenhänge
aufdecken, und bietet so dem Zuschauer Hilfen für die Kenntnis wie für die Erkenntnis innerhalb der dramatischen Welt,
auch über sie hinaus.

Interessant ist in diesem Zusammenhang das " L i e d
v o n   d e r   W e h r l o s i g k e i t   d e r   G u t e n
u n d   d e r   G ö t t e r " (B.B. 4.1539f.) in dem Stück
DER GUTE MENSCH VON SEZUAN. Im Stück ist es als Zwischenspiel deklariert und begleitet die 2. Umwandlung Shen Te's
in Shui Ta nach dem 4. Bild. Die Tatsache, daß es vor dem
Vorhang gesungen wird, unterstreicht zwar den Charakter des
Zwischenspiels, aber die Szene ist trotzdem in mannigfacher
Hinsicht erhellend und wichtig für den weiteren Verlauf. Der
böse Vetter, das alter ego, springt tatsächlich in der nächsten Szene wiederum helfend ein. Das Lied motiviert diesen
Auftritt. Es begleitet den Vorgang der Umwandlung, charakterisiert aber darüber hinaus zugleich die Denkart beider Pole: Shen Te und Shui Ta.

Beide stellen die Frage nach dem Warum der Wehrlosigkeit
der Götter, die zugleich die Frage nach der Wehrlosigkeit
des Guten ist. Shen Te singt davon, daß die Guten sich nicht
helfen können und daß die Götter machtlos sind. Shui Ta dagegen hat erkannt, daß die Gebote der Götter nicht gegen den
Mangel (2.Str.; B.B. 4.1539) helfen. Er weiß: "Um zu einem
Mittagessen zu kommen, / Braucht es der Härte, mit der sonst
Reiche gegründet werden" (3.Str.) und er scheint bereit, diese Härte einzusetzen. Doch die Zusammenhänge, d.h. die 'Kontinuität', in der das Lied steht, sind hier noch weit subti-

---

1) Hacke: a.a.O. S.425.

ler. Dazu nur ein Hinweis: in der kommenden Szene tritt
nicht nur Shui Ta in Erscheinung, sondern auch – sozusagen
in Rückverwandlung – Shen Te, der gute Mensch. Ihre Verzweiflung ist in dem Refrain der dritten Strophe Shui Ta's
enthalten, aber auch dessen Kompromißlosigkeit:

> "Warum sagen die Götter nicht laut in den obern Regionen
> Daß sie den Guten nun endlich einmal die gute Welt
> schulden?
> Warum stehen sie den Guten nicht bei mit Tanks und Ka-
> nonen
> Und befehlen: Gebt Feuer! und dulden kein Dulden?"
> (B.B. 4.1540)

Der Text des Liedes – in sich logisch – erhält durch die
Person der Sängerin Shen Te – Shui Ta innerhalb des Stückes
erhöhte Beweiskraft. Zugleich aber gibt das Lied – und das
gilt für nahezu alle Lieder – die Möglichkeit, den Bewußt-
seinshorizont einer Figur auszuweiten und darüber hinaus
ihren Realitätsbereich zu vertiefen, um so den gesellschaftlichen Aspekt transparent zu machen, der entscheidend ist
für die Gestaltung der Handlung.

Fassen wir zunächst einmal zusammen: die Erkenntnis, daß
der Mensch in Abhängigkeit von komplizierten, weitläufigen
Vorgängen sozio-ökonomischer Art lebt, führt im künsterli-
schen Bereich zu der Überlegung, daß es unsinnig ist, den
Menschen weiterhin als freien und autonomen Urheber der szenischen Aktion auftreten zu lassen. Die Folge ist eine neue
szenische Struktur, in der der Mensch Demonstrationsobjekt
des Stückeschreibers ist, der an ihm in kritischer Sicht die
Auswirkungen der Klassenbeziehungen aufzeigen will. Mit dem
Erlöschen des traditionellen Handlungsaufbaus und dem Entstehen einer neuen, 'epischen' Szenenstruktur erhält die
Musik, vor allem aber das 'Lied im Stück' eine grundsätzlich
veränderte Ausgangsbasis und damit überraschend vielfältige
neue Möglichkeiten, den Zuschauer in das Gehehen auf der
Bühne einzubeziehen. Die besondere ästhetische Geschlossenheit seiner Stücke – an diesem Paradoxon führt kein Weg vorbei – liegt gerade in der äußeren Gebrochenheit des Hand-
lungsablaufs. Er fordert zum Nachdenken heraus, indem er
den eigenen Denkansatz des Zuschauers in den Handlungsaufbau mit einbezieht.

Die Fabel - hier nehmen wir den Faden wieder auf - gibt
die Begrenzung des Spiels der (mehr oder weniger montierten)
Figuren. Innerhalb ihrer Grenzen ermöglicht der 'Gestus' die
Darstellung komplizierter Vorgänge durch Auflösung in kleine
und kleinste Einheiten, die auf wechselnden Ebenen des Berichts in Szene gesetzt werden. Die einzelnen Vorgänge unterliegen alle dem Grundgestus, der koordinierend das Szenenge-
füge zusammenhält, und haben zugleich ihren eigenen Gestus,
indem sie bestimmte Beziehungen von Menschen, ein Detail sozusagen aus dem Gesamtspektrum sozialer Beziehungen, aufzeigen. Das Lied ist nicht nur Bestandteil der Fabel als ein
Mittel, die Künstlichkeit des dargestellten Vorgangs zu verdeutlichen, sondern ist darüber hinaus (auf Grund seiner besonderen lyrischen Qualität) auch selbständiger Ausdrucksträger innerhalb der Fabel. Auch der Gestus eines Liedes läßt
sich präzise fassen. Brecht selbst tut es für die Lieder zu
DIE MUTTER in den Anmerkungen zu diesem Stück (B.B. 17.1038
und 1071f.), darauf sei hier nur hingewiesen. Wir wollen Ähn-
liches mit einer Szene des GUTEN MENSCHEN gleichfalls versuchen.

Der Grundgestus der 8.Szene ist folgendermaßen zu umreißen: Sun wird zum Handlanger der Ausbeutung, ordnet sich also in jenes System ein, das für das Scheitern seiner Existenz
verantwortlich ist. Der Gestus des L i e d e s   v o m   a c h -
t e n   E l e f a n t e n   fügt sich hier ein, indem er in
einer poetischen Metapher gleichnishaft den Vorgang auf einer
anderen Ebene vorführt. Daß dies in einer liedhaft gestalteten Tierfabel geschieht, unterstreicht nur die erzählerische
Grundhaltung der Szene. Der Gestus, der dem Lied unterlegt
wird, umreißt in äußerster Verknappung den Mechanismus der
Ausbeutung und macht ihn dadurch - auf einer anderen Ebene -
durchsichtig und in einem noch umfassenderen Maße objektiviert. In der Tat folgt hier das "Lied zu Stücken" den gleichen Regeln wie jeder Teil dieses "organisierten Ganzen", also wie die Szene des Stücks, der einzelne Abschnitt der Szene, ja selbst der einzelne Satz bis hin zur Szenenanmerkung.
Es verliert, wie Hacks sagt, seine Unabhängigkeit, wächst
aber über sich hinaus und profitiert vom Wert der gesamten

Sache[1].

Die 'Fabel' ist das eigentliche Maß für die Kontinuität, die die Haltung dessen bestimmt, der ein solches *Lied zu Stücken' schreibt. Eine Passage aus Hacks Essay erhellt die enorme künstlerische Schwierigkeit, diese diffizile Struktur im Griff zu behalten und zugleich dichterisch zu vertiefen:

> "Meine Lieder sind nicht meine Lieder. Einige von ihnen vertreten Ansichten; einige von denen solche, die ich auch vertrete. Aber keins vertritt sie so, wie ich sie vertreten würde. Die Haltung ist anders. Die Haltung wird bestimmt durch Ort, Zeit, Situation und Charakter des Sängers. Das ist mein artistisches Problem. Ich arbeite in einem fremden Gestus. Ich entlehne nicht, wie sonst den Stoff, sondern auch den Blickpunkt auf den Stoff der Wirklichkeit .... So wenig wie meine Person erscheint die Wahrheit ungebrochen. Theaterlieder enthalten Wahrheiten, aber immer jemandes Wahrheiten. Keins enthält die Wahrheit, und keines meine."[2]

Das 'Arbeiten in einem fremden Gestus', von dem Hacks hier spricht, ergibt sich aus der Notwendigkeit, das Lied in die dramatische 'Kontinuität' eines Stückes, einer Szene einzuarbeiten bzw. aus ihr herauszuarbeiten. Diese 'Kontinuität' aber bestimmt die Grundfunktion des Liedes, nach der sich alle Einzelfunktionen dramatischer wie lyrischer Art jeweils auszurichten haben: das Wesen der gesellschaftlichen Realität aufzuzeigen.

Der besondere Charakter der Beziehungen des Liedes zum Stück, der unsere bisherigen Überlegungen bestimmte, rechtfertigt es, unter dem Aspekt der Funktionalität diese Bindungen an die 'Kontinuität' des Szenischen noch eingehender zu untersuchen. Die Frage nach der Funktion drängt in dem Moment die in der Forschung bisher gewohnte Frage nach der Motivierung in der Handlung völlig in den Hintergrund, in dem Gesang nicht nur - wie in der Tradition des Dramas - 'thematisch'[3] eingesetzt wird, sondern ganz offensichtlich darüber hinaus dem formalen Bereich zugerechnet wird. Ebenso wie in der Oper wird ja auch dem Sänger auf der Brecht-Bühne von

---

1) Hacks: a.a.O. S.425.

2) ebda., S.422.

3) s.Peter Szondi: Theorie des modernen Dramas. S.67.

den Mitspielern kein Beifall für die Schönheit des dargebotenen Gesanges zuteil. Hier wird in besonderer Weise deutlich, daß das Lied auch von Brecht selbst durchaus als 'formkonstituierend' empfunden wurde. Bevor wir uns nun einem kurzen systematischen Überblick über alle Funktionen, die Lied im Drama ausüben kann, zuwenden, soll zunächst an zwei Beispielen aufgezeigt werden, in welcher Weise diese Funktionen in die Struktur der Szenen eingearbeitet sind. Die beiden Lieder sind ein und demselben Stück entnommen, nämlich dem GUTEN MENSCHEN VON SEZUAN. Obwohl sie in ihrer Bindung an die dramatische 'Kontinuität' gleich vielschichtig verarbeitet erscheinen, sind sie doch vom lyrischen Ausdruck her recht verschieden.

Das " L i e d   v o m   R a u c h " (B.B. 4.1507) wird gegen Ende der 1.Szene gesungen, motiviert im Stück als "Unterhaltung" für die Gastgeberin. Doch die angedeutete Mimus-Funktion des Liedes besteht nur in der Fiktion. Ebenso wenig wie hier die "Gastgeberin" eine wirkliche Gastgeberin ist und die "Gäste" wirklich Gäste sind, ist die "Unterhaltene" wirklich unterhalten. Das Lied, das von dem Großvater (1. Str.), dem Mann (2.Str.) und der Nichte (3.Str.) zu Gehör gebracht wird, ist alles andere als unterhaltend und wird selbst von denen, die es singen, gar nicht so aufgefaßt: unmittelbar darauf beschimpft, streitet und rauft man sich.

Wichtiger als die vorgeschobene Mimus-Funktion ist die dramatische, die Funktion in der Handlung selbst. Die Hoffnungen, die Enttäuschungen, die Resignation der Singenden werden ausgesprochen, die "achtköpfige Familie" erhält plötzlich Kontur, ist nicht mehr nur Hintergrund oder soziales Requisit. Man könnte das Lied geradezu als einen 'kaschierten inneren Monolog' bezeichnen, spricht es doch Erfahrungen und Einsichten der Menschen aus, die es singen. Es handelt sich in der Tat ja auch keineswegs um ein bekanntes Lied oder um ein Lied, das als bekannt und oft gehört eingeführt wird.

Dieser "achtköpfigen Familie" begegnen wir im Stück immer wieder, der Weg von der Gründung des Ladens bis hin zur Tabakfabrik und zur Gerichtsverhandlung am Schluß des

Stückes ist auch ein Ausschnitt ihres Weges, der sie unter
dem Zwang der ökonomischen Verhältnisse immer tiefer in die
Verelendung führt. Hier erfüllt also das Lied zugleich auch
eine eminent dramaturgische Funktion. Es ist bedeutsam für
die Führung der Handlung in zweifacher Hinsicht. Einmal gibt
es die Möglichkeit zur Hand, diese Familie wie mit einem
Scheinwerfer in den Blickpunkt zu rücken. Zum andern wird
zum ersten Mal an exponierter Stelle, nämlich in einem Lied,
das Thema der Resignation angeschlagen. Das " L i e d
v o m   S a n k t   N i m m e r l e i n s t a g " (B.B. 4.
1562) nimmt es auf, doch im " L i e d   v o m   R a u c h "
erscheint die nachvollziehbare Erlebnissphäre stark verbreitet: wir haben hier die Aussage dreier Generationen. Das
Problem ist also nicht neu, sondern allgemein.

Die Art und Weise, in der es an dieser Stelle eingebracht
wird, ist allerdings ungewohnt und befremdlich. Es wird
hier in einem Sprechtheater gesungen und das Gesungene tritt
vor nicht als ein bekanntes Lied, sondern als gesungene Reflexion der Singenden, ihrem Erfahrungsbereich ist es entnommen, doch es ist nicht in ihrer Sprache gestaltet, sondern dichterisch überhöht. Der Autor ist spürbar, wenn auch
nicht sichtbar auf der Bühne. Im Stück reagiert niemand auf
das Lied, es ist also in Wahrheit auch an keine Figur gerichtet. Auch das ist ungewohnt: der Angesprochene bleibt imagi-
när. Der Verfremdungseffekt, der von dem Lied, von der Form
wie von der besonderen Vortragsweise ausgeht, ist zugleich
eine weitere Funktion dieses Liedes: mittels Verfremdung
die Lehre dieses Liedes herauszustellen, den lehrhaften Gestus zu unterstreichen. Verfremdung aber deutet in der Regel
auf verborgene Denkaufgaben und damit wird klar: als eigentlicher Adressat des Liedes kommt nur der Zuschauer in Frage,
was umso näher liegt in einem Stück, das ausdrücklich immer
wieder direkte Ansprachen an das Publikum vorschreibt.

Franz Reichert brachte in seiner Wuppertaler Inszenierung
1955 klar zum Ausdruck, daß dieses Lied weder an Shen Te gerichtet ist, noch lediglich Unterhaltungsfunktion hat. Es
wurde nur eine Strophe (durch den Großvater) gesungen, und
während des Gesanges trat Shen Te an die Rampe, lenkte den

Blick des Publikums auf sich und zeigte mit ausgestrecktem
Arm auf die regungslos im Laden herumsitzende Familie. Damit unterstrich die Inszenierung den publikumsgerichteten
Grundgestus des Songs. Der Verfremdungseffekt, der hier durch
die Inszenierung noch gestützt wird, zeigt Widersprüche auf,
die über die szenische Handlung hinausweisen. Hinter dem
Lied steht die Frage, wo eigentlich die Ursache für die 'Bösartigkeit' dieser Menschen liegt, in ihrem Charakter oder in
ihrer Umwelt? Das Stück selbst läßt die Frage scheinbar offen: sie muß vom Zuschauer beantwortet werden. Doch in Wirklichkeit zieht dieser nur eine Schlußfolgerung, die der Stük-
keschreiber listigerweise im Stück schon angelegt hat. Natürlich ist es die Welt, die den schlechten Charakter produziert
und nicht der schlechte Charakter die Welt. Der "gute Mensch"
ist der Modellfall, an dem dies "bewiesen" werden soll. Das
Ganze mutet an wie eine schwierige mathematische Kettenrech-
nung, die bereits so weit gelöst ist, daß das Ergebnis nur
noch ausgesprochen werden muß. Der eigentliche Rechenvorgang,
sprich: das Denken oder die Reflexion ist bereits abgeschlossen. Insofern kann auch hier nicht von Reflexion die
Rede sein, sondern höchstens von einem Vorreflektieren, also von einem - wenn auch verschlüsselten - Kommentar.

Die Sinnlosigkeit der Tugenden Klugheit, Redlichkeit und
Fleiß angesichts des Zwangs der Verhältnisse wird aufgezeigt,
stets nur führt der Weg ins Elend. Der zwangsläufige Zustand
der totalen Resignation wird als sozialer Mißstand durchsichtig. Der Zuschauer muß die Resignation in konkreterer Weise
überwinden, als es etwa die Figuren des Stücks vorführen.
Ihr Handeln ist sinnlos und ausweglos, da sie sich nicht bemühen, die Ursachen zu erkennen und zu beseitigen. So liegt
in der Kommentarfunktion zugleich auch eine appellative Funktion, und zwar wiederum verschlüsselt. Die Parole, die der
Refrain ausgibt, ist im Wortlaut negativ. Sie ruft zur Resignation auf:

> "Drum sag' ich: laß es!
> Sieh den Rauch
> Der in immer kältre Kälten geht: so
> Gehst Du auch." (B.B. 4.1507)

Doch der Zuschauer ist ja gerade aufgerufen, die Resignation

zu überwinden, indem er sich mit den Ursachen beschäftigt,
so wie sie ihm im Stück zur Hand gegeben werden. Die epische Distanz ermöglicht ihm dies umso mehr. Die Figuren auf
der Bühne, die ja nicht aus ihrem Regelkreis ausbrechen können, sind für den Zuschauer Warnung und Mahnung zugleich.

Dieses Beispiel des " L i e d e s v o m R a u c h "
zeigt eine erstaunliche Reihe von Funktionen innerhalb der
szenischen Struktur. Es ist exemplarisch nicht darin, daß es
nahezu alle möglichen Funktionen eines Liedes im Drama erfüllt, darin ist es höchstens eine Kuriosität und in besonderer Weise geeignet für unsere Demonstration. Exemplarisch
ist vielmehr die Verknüpfung verschiedener Funktionen in einem Lied: selten ist "Lied zu Stücken" bei Brecht etwa nur
dramatisch oder nur verfremdend angelegt. Zum Beweis soll
das nächste Lied desselben Stückes dienen, das " L i e d
d e s W a s s e r v e r k ä u f e r s i m R e g e n "
(B.B. 4.1526), das Wang am Schluß der 3. Szene singt, einer
Szene, die erstaunlich lyrisch gestimmt ist.

Der Vorgang erinnert an Karl Valentin: ein Wasserverkäufer steht mit seiner Ware im strömenden Regen. In seinem
Lied lamentiert er darüber, daß er sein Wasser nicht verkaufen kann. Auch dieses Lied hat vielfache Funktionen im Stück
zu erfüllen. Wir wollen es zunächst einmal betrachten unter
dem Aspekt seiner Verflechtung im dramatischen Bereich. Das
Lied entwickelt sich aus dem Verkaufsruf "Kauft Wasser!",
der gliedernd das Lied durchzieht und auch dessen Motivation
ausmacht. Mit diesem Verkaufsruf mischen sich Klagen, Hoffen,
Schimpfen, Enttäuschung, Haß auf die überfließende Natur.
Das geschieht in der Ich-Form, wiederum nicht etwa in einem
irgendwo gehörten Lied. Es ist Selbstgespräch, Ichaussprache,
also Monolog. Es ist direkt an keine Person auf der Bühne gerichtet, offenbart nur dem Zuschauer die Gefühle des Singenden, Gedanken über seine ökonomische Situation. Kaschiert
wird dieser Monolog natürlich durch den eigenartigen Sprechgesang, der nicht zuletzt auf die Nähe des chansonartigen
Rollenliedes geht. Doch gerade durch die Verkaufsrufe, aus
denen sich es entwickelt, ist das Lied fest in der dramatischen Ebene verfugt. Und zusätzlich reagiert auf das Lied

Shen Te als persona dramatis. Diese Szene 3 zeigt ja zunächst ihre Begegnung mit Sun, dem Flieger ohne Flugzeug,
der nie geflogen hat und auch nicht fliegen wird in diesem
Stück. In die eigenartige Liebesszene platzt ein anderes pa-
radoxes Einzelschicksal: der Wasserverkäufer, dessen Existenz
durch reichlichen Regen gefährdet ist. Shen Te reagiert mit
Mitleid auch hier. Das Lied charakterisiert also einmal sowohl den Sänger Wang wie auch die (ihn hörende) Shen Te. Zum
anderen entlarvt es die falsche Reaktion Shen Te's: Mitleid
ändert weder hier noch im Stück insgesamt die verzweifelte
ökonomische Situation.

Das Lied wird noch einmal in der 9. Szene (B.B. 4.1587)
gesungen und erhält dadurch quasi leitmotivische Funktion.
In der 9.Szene allerdings ist die Reaktion völlig anders.
Hier trifft Sun auf Shui Ta und Shui Ta gibt sich hart. Er
weiß, daß Mitlied im ökonomischen System des Kapitalismus töd-
lich ist. Das Lied gibt den dramaturgischen Hinweis, daß es
sich hier um eine Parallelszene handelt. Es markiert zunächst
den Beginn der Begegnung mit Sun und später den Höhepunkt der
Krise zwischen beiden. Der Parabelcharakter des Liedes wird
dabei noch deutlicher und damit die (wiederum verdeckte) Kommentarfunktion des Liedes, das ja auch deutlich an den Zuschauer gerichtet ist. Der Gestus des Liedes liegt offen zutage in
der ökonomischen Aussage: der fallende Regen entwertet die
Ware des Wasserverkäufers, die er mühsam aus den Bergen her-
beigeschleppt hat. Ihm bedeutet also der Segen der Natur das
Elend, und er ist damit Opfer einer Krise, die Segen für andere mit sich bringt: Wasser im Überfluß in einem Land, in
dem Wasser gewöhnlich so knapp ist, daß man es kaufen muß.
Doch nicht auf die Natur hin ist die Klage orientiert, die
ökonomisch-gesellschaftliche Seite steht im Mittelpunkt. Gesellschaftliche Prozesse sollen nicht mehr mit Begriffen wie
'Natur' und 'Schicksal' bemäntelt werden und als unbeeinfluß-
bar gelten. Das herrschende ökonomische Gesetz, das sich in
allem, auch in der sogenannten 'privaten Sphäre' auswirkt,
soll hier sichtbar gemacht werden. Insgesamt handelt es sich
um ein eigenartiges Beispiel für eine kapitalistische Überproduktionskrise, dem Hennenberg in seiner Untersuchung weiter nachgeht:

"Der zu reichliche Segen der Natur bringt denjenigen,
der mit ihm handelt, in Konflikte, weil dadurch der Han-
delswert sinkt. Es entsteht eine Überproduktionskrise.
Gegen sie ankämpfen heißt - für die kapitalistische Öko-
nomie - den Marktpreis durch Vernichtung der preisdrük-
kenden Über-Produkte zu stützen. Also wird Kaffee ins
Meer geschüttet, Weizen verheizt. Und das, obgleich die
Bedürfnisse der Konsumenten danach keineswegs gestillt
sind. Eine Verbilligung der Waren aber zöge eine Sen-
kung der Profitrate nach sich. Das "Lied des Wasserverkäufers im Regen" weist auf die Problematik einer Überproduktionskrise, obwohl sie hier auf ganz anderer Ebene
liegt. Der Wasserverkäufer hat Wasser von weither ge-
schleppt, doch der Regen verhindert den Verkauf. Der Regen fällt überall hin; derjenige, der zur Regenzeit mit
Wasser handelt, wird Opfer einer Krise. Der Wasserverkäufer kann sich nicht, wie der Großkapitalist, auf Kosten der Konsumenten dagegen absichern; er kann nur davon träumen, daß der Regen jahrelang ausbliebe: würde
doch dann sein Handelsprodukt im Wert steigen. Ihm bedeutet der Segen der Natur das Elend." 1)

Hennenbergs Gedanken sind hier so ausführlich zitiert, weil
sie aufzeigen, daß auch dort, wo das Lied primär dramatische
Funktion zu haben scheint, es dennoch zugleich als Parabel
verstanden werden kann. Die Wichtigkeit, die Brecht seinem
moralisierenden Anliegen beimißt, Mißstand ökonomisch abzu-
leiten und marxistisch zu lösen, zeigt sich vor allem darin,
wie diese Lieder als Träger seiner Ideen vielfach in den
Stücken verwurzelt sind. So verblaßt der Einlagencharakter,
der hier sowieso nicht sehr ausgeprägt ist: das Stück erhält
seine Einheit durch einheitliche Darstellung der dramatischen
Intention.

In diesen beiden Liedern, dem " L i e d v o m R a u c h "
und dem " L i e d d e s W a s s e r v e r k ä u f e r s
i m R e g e n " sind - natürlich in unterschiedlicher Ausprägung - bereits nahezu alle Möglichkeiten der Funktionen,
die ein Lied im Stück, in der 'Kontinuität', erfüllen kann,
angelegt. Sie sollen hier noch einmal in einer Systematik
zusammengestellt werden. Auf den ersten Blick hin kann sich
der Eindruck einstellen, hier würde allzu zwanghaft differenziert. Dieser Eindruck verstärkt sich vor allem dort, wo
Funktionen entweder sich überschneiden oder aber ineinander
übergehen. Gerade hier aber liegt der Vorteil einer solchen

---

1) Hennenberg: a.a.O. S. 117f.

ins Detail gehenden Betrachtungsweise. Sie bringt einmal
Klarheit darüber, welche Möglichkeiten das Lied in der dra-
matischen 'Kontinuität' überhaupt hat. Zum andern: je mehr
Überschneidungen wir feststellen, desto genauer ist der Be-
weis geführt, daß das Lied bei Brecht mehr ist als nur "Ein-
lage", sondern eben integraler Bestandteil einer lebendigen
Form, vielfach verankert in einer neuartigen szenischen
Struktur.

Übersicht I: Funktionen in der szenischen Struktur

a.) Mimus-Funktionen: Unterhaltung, Schmuck

   (1) Trinklieder
   (2) Lieder zur Hochzeit und zu einem festlichen Anlaß

Die Tradition solcher Lieder geht zurück bis auf den antiken Mimos, d.h. auf Formen, die in der Nähe des Tanzes ihren
Ursprung haben. Es sind 'Einlagen' in dem Sinne, daß wir es
hier mit mehr oder weniger kunstlosen und äußeren Einschü-
ben zu tun haben, die lediglich der Unterhaltung dienen. Sie
werden vorzugsweise durch Liebesständchen, durch Trinkgelage
oder Gastmäler motiviert.
   Auch bei Brecht findet sich das Lied mit Mimus-Funktionen. Es erfährt hier allerdings eine Vertiefung seiner theatralischen Ausformung. Es erlangt soziales Gewicht, indem
es sich entweder selbst parodiert oder aber gedankliche Reaktionen nahelegt.

(1) Ein Trinklied in dieser Ausformung findet sich etwa im
4.Akt von TROMMELN IN DER NACHT. Dort singt der "besoffene
Mensch":
     "Meine Brüder, die sind tot
     Und ich selbst wär's um ein Haar
     Im November war ich rot
     Aber jetzt ist Januar."   (B.B. 1.112)
Resignation im Klassenkampf ist Hintergrund dieses Lied-
chens, das auch zugleich Hintergrund eines Persönlichkeits-
bildes ist. - Das Liedchen " E i n   H u n d   g i n g   i n
d i e   K ü c h e " in derselben Szene hat gleichfalls die
Funktion einer Charakterschilderung: es zeichnet das sinnlose Gebaren der Gescheiterten und durchzieht den ganzen
Akt, vom Tanz mit Auguste an. Es wird auch gesungen, wenn
sie aufbrechen zum Sturm auf das Zeitungsviertel. Auch die-

ser Sturm erscheint sinnlos, da er nur aus Verzweiflung, aber
ohne revolutionäre Kraft entsteht. Kragler sucht hier nur Be-
täubung.
Als ein Trinklied mit ebenfalls weiterreichenden Funktionen erscheint in MUTTER COURAGE UND IHRE KINDER das Lied des
Soldaten " E i n   S c h n a p s , W i r t , s c h n e l l
..." (B.B. 4.1402). Der Feldprediger sagt über diesen Soldaten: "Mit denen da draußen zum Beispiel, die ihren Brannt-
wein im Regen saufen, getrau ich mich hundert Jahre einen
Krieg nach dem andern zu machen und zwei auf einmal, wenns
sein muß, und ich bin kein gelernter Feldhauptmann."
(B.B. 4.1401)

(2) Lieder zur Hochzeit werden in der DREIGROSCHENOPER wie
im GUTEN MENSCHEN VON SEZUAN zur Auflockerung der Hochzeits-
tafel gesungen. Vor allem in der elisabethanischen Zeit waren solche Einlagen sehr beliebt. Der " K a n o r e n -
s o n g " entlarvt hinter seiner scheinbaren Ausgelassen-
heit das gesellschaftliche System, das auf der Basis der in-
nigen Freundschaft von Polizei und Verbrechen lebt und durch
sinnlose Kriege seine Macht bewahrt. - Das " L i e d   v o m
S a n k t N i m m e r l e i n s t a g " im GUTEN MENSCHEN
zeigt die gleiche Gesellschaftskritik, doch hier nicht verschlüsselt, hinter lärmender Fröhlichkeit verdeckt: eher
brüskierend, schroff, wird die Anklage formuliert.

Während also in der Tradition des Schauspiels oft genug
die Anmerkung eingebracht wurde, an dieser Stelle sei ein
unterhaltendes Lied zu singen, ist bei Brecht ein solches
Lied sorgfältig eingearbeitet und zugleich auch funktional
verstrebt.

---

b.) <u>Dramatische Funktionen</u>: Gedankenvermittlung handelnder
Figuren, Milieu- und Stimmungs-
hintergrund, Ankündigung und
Lenkung szenischen Geschehens

(1) Monologersatz

(2) Inzidenzmusik

    (a) 'lyrische' I.

    (b) 'epische' I.

(3) Führung der Affekte

    (a) Vorausdeutung

    (b) Retardieren

    (c) Konzentration des Geschehens

    (d) Rückschau

(4) Motivische Funktion

    (a) Leitmotivische Verwendung

(5) Gliedernde Funktion

(6) Mantel- und Rahmenfunktion

    (a) Vokaler Vorspann

    (b) Vokaler Zwischenakt

    (c) Finale bzw. Epilog

Lieder, die solche dramatischen Funktionen ausübten, nahmen bald in der Tradition des bürgerlichen Theaters den breitesten Raum ein. Es vollzog sich damit ein enormer künstlerischer Fortschritt: diese Lieder stehen auf der Basis menschlicher, zwischenmenschlicher Aktion. Man verwendet das Lied, um eine Atmosphäre zu schaffen, und mehr noch: um den Zuschauer ein bestimmtes dramatisches Klima mit mehr Intensität und Unmittelbarkeit erfassen zu lassen, als es das einfache Spiel der Schauspieler hätte bewirken können. Ein Lied mit ausschließlich dramatischer Funktion bedeutet innerhalb der Handlung weder einen Wechsel der Mitteilung noch einen solchen der Personalität. Es dient primär einer Intensivierung der inneren Spannung, indem es Vorgängen zum Ausdruck verhilft, die sich in einer Bühnenfigur oder in gesellschaftlichen Gruppierungen abspielen, aber nur schwerlich auf der Bühne darstellbar wären.

Solche Lieder mit dramatischen Funktionen, deren wichtigstes Kennzeichen es also ist, daß sie keinen unmittelbaren Bruch mit der szenischen Realitätssphäre herbeiführen, sind erstaunlich zahlreich in den Stücken Brechts. Sie erfahren hier wiederum eine charakteristische Ausformung, indem sie seltsam geöffnet erscheinen, nicht auf Individuelles, sondern auf Gesellschaftliches bezogen, oft genug verfremdet und mit Kommentarfunktionen gekoppelt.

(1) <u>Monolog ersetzende Lieder</u>, die in der Tradition stets den augenblicklichen Seelenzustand des Helden, seine Stimmungen anzeigen, finden sich auch bei Brecht. Allerdings sind sie nicht sehr zahlreich und oft genug deutlich kaschiert. Die 'Publikumsansprachen' ermöglichen es eben, direkt auszusprechen, was innerlich bewegt. Brecht bezeichnet es immer wieder als unnatürlich, wenn jemand mit sich selber spricht. Er will den inneren Monolog oft als eine Möglichkeit der Verfremdung verstanden wissen. So etwa im " L o b   d e s   L e r - n e n s " (DIE MUTTER, B.B. 2.857), in der Form des klassischen Monologs 'abseits' geführt, und beinahe in allen Liedern des GUTEN MENSCHEN VON SEZUAN, um nur recht divergierende Beispiele zu nennen. Was hier gesungen wird, überschreitet nicht den Wissenshorizont der Singenden und zeigt doch allgemeine, übergeordnete Gesichtspunkte auf, damit mehr als nur Gefühle oder Stimmungen vermittelnd.

(2) Als <u>Inzidenzmusiken</u>[1] bringen Lieder Informationen zum
Verständnis der Handlung, Ergänzungen zum szenischen Geschehen und haben damit ebenfalls sehr oft dramatische Funktionen. Solche Lieder werden auf oder (früher mehr noch) hinter
der Bühne gesungen. Sie sind motiviert durch den Handlungsverlauf (Konflikte, Ausbeutung usw.) oder durch den Handlungsort (Fabrik, Stadt, Gesellschaft usw.) und stellen keinen unmittelbaren Bruch mit der szenischen Realitätssphäre
dar.

(2a) Als '<u>lyrische</u>' Inzidenzmusik dient das Lied der Vermittlung von Gedanken handelnder Personen und steht damit
ganz in der Nähe des eben behandelten Monologs. Es werden
hier durch das Lied Gefühle, Stimmungen und bei Brecht zudem auch Gedanken und Überlegungen evident, die wichtig für
das Verständnis des Szenischen sind, dort aber nicht ausgesprochen werden oder nicht ausgesprochen werden können. Damit dient das Lied hier zugleich der Charakteristik der singenden Personen, der Konkretisierung von Erfahrungen und –
das sollte nicht übersehen werden – der Poetisierung des dramatischen Geschehens.
Gruschas Lieder auf der Wanderung sind hier ein recht gutes Beispiel. Sie singt sie während des ganzen dritten Aktes dem Kinde vor, singend ihre eigene Situation (Kriegszustand: " L i e d   v o m   V o l k s h e l d e n   S o s s o
R o k a b i d s e " , B.B. 5.2026), die Situation des Kindes und ihren Entschluß (" D a   d i c h   k e i n e r   n e h -
m e n   w i l l ", B.B. 5.2041), die gemeinsame Gefährdung
(" T i e f   i s t   d e r   A b g r u n d ", B.B. 5.2043) und
schließlich mit der neuen Kindschaft des Geretteten (" D e i n
V a t e r " B.B. 5.2044) ihre eigene neue Mutterschaft erwägend. – Das seltsam schwermütige L i e d   d e r   P a n -
z e r r e i t e r in der gleichen Szene ("Zieh ins Feld ich
traurig meiner Wege, B.B. 5.2034) charakterisiert in überraschender Weise ihre Verfolger. –
In MUTTER COURAGE UND IHRE KINDER gibt uns das W i e -
g e n l i e d Auskunft über das, was in der Courage in diesem Moment vorgeht (B.B. 4.1436). Doch das allein wäre für
Brecht nur eine rührende, ja rührselige Angelegenheit. Den
besonderen dramatischen Effekt bekommt das Lied, wenn man seine Aussage näher betrachtet. Courage hat ihr Kind dem Kriege
ausgesetzt, weil sie hoffte, ein Geschäft zu machen. Krieg
aber bedeutet Tod. Die beiden letzten Zeilen sprechen es aus,
nachdem sie zuvor von dem gesungen hat, was sie doch eigentlich ihrem Kinde nicht gegeben hat: frohes Leben, Seide, Tor-

---

1) Die hier eingesetzten Begriffe 'Inzidenzmusik', 'lyrische'
und 'epische' Inzidenzmusik gehen auf die umfassende Arbeit Ernst v. Waldhausens über die "Funktionen der Musik
im klassischen deutschen Schauspiel" (Heidelberg 1921)
zurück und sind inzwischen innerhalb der Bühnenmusik allgemein gebräuchlich, zu der ja das Lied auf Grund seiner
musikalischen Komponente durchaus mitzurechnen ist.

te. Die Courage, das zeigt das Lied hier an, weiß in diesem
bitteren Moment mehr, als sie begreifen kann. Sie ist zwar
sehend, aber nicht lernend in dieser Katastrophe. Lernen aber
soll der Zuschauer an diesem Ergebnis selbst: es fehlt das
Song-Emblem. - Es fehlt auch bei dem " P f e i f e n -
l i e d " in Brechts Neueinstudierung 1951. Laut COURAGE-
Modellbuch soll es den "Beginn zarter Beziehungen mitten im
Kampf um einen billigen Preis des Kapauns andeuten" 1).
    Solche 'lyrischen' Inzidenzmusiken sind bei Brecht - da-
rauf weist auch Hennenberg[2]) hin - nie bloßer Gefühlsaus-
schlag, sondern in gedankliche Zusammenhänge verwoben.

(2b) Als 'epische' Inzidenzmusik deutet das Lied außersze-
nische Geschehnisse und Gegebenheiten an, die in die Szene
hineinwirken. Es konkretisiert die Umwelt der Szene, das Milieu, die Atmosphäre und war in dieser Funktion bisher weitgehend hinter der Szene lokalisiert. Es wirkte schon immer
als ein episierendes Element des Geschehens.
    In TROMMELN IN DER NACHT erklingt im 2.Akt "von draußen"
die ' I n t e r n a t i o n a l e ' (B.B. 1.97). Sie signalisiert damit den Ausbruch des Spartakus-Aufstandes, berichtet also über Vorgänge, die sich im außerszenischen Bereich
abspielen, aber in die Szene hineinwirken. - Der " S o n g
v o n W i t w e B e g b i c k s T r i n k s a l o n "
(B.B. 1.310) aus MANN IST MANN hat primär die Funktion, das
Milieu der Kolonialarmee zu schildern. Das romantisierte Leben der Soldaten soll zugleich auch den Packer verlocken.
Aber ist dieses Leben wirklich verlockend? - 'Epische' Wirkung geht auch vom " H o r e n l i e d " (MUTTER COURAGE,
B.B. 4.1384) aus. Seine Sprache erinnert an die Zeit, in der
die Handlung spielt, der Inhalt aber an den, der es singt:
den Feldprediger. Zudem bietet es noch eine weithergeholte
Parabel zur Situation auf der Bühne. Auch das S o l d a -
t e n l i e d dieses Stückes hat milieuschildernde Wirkung.
- Die " B a l l a d e v o m F ö r s t e r u n d d e r
s c h ö n e n G r ä f i n " im PUNTILA (B.B. 4.1694) ist
formal eine solche 'epische' Inzidenzmusik. Es ist das (vom
"roten Surkala" gesungene) Tanzlied des außerhalb des Hofes
(!) tanzenden Gesindes, das aber zugleich parabelhaft in das
Geschehen auf der Bühne eingespiegelt wird. - Die beiden Lieder des Azdak in der 5.Szene das KAUKASISCHEN KREISKREISES
(das " L i e d v o m K r i e g " (B.B. 5.2071) und das
" L i e d v o m C h a o s " (B.B. 5.2087)) sind im Grunde
geschickt verschlüsselte Analysen zur Zeit des szenischen
Geschehens, doch überschreiten sie nicht den Wissenshorizont
der dargestellten Figur. Diese spricht hier in eigener Sache,
wechselt nicht, indem sie singt, ihre Personalität, wird
nicht zum unmittelbaren Medium des Autors. - Azdak singt -
wie aus dem Kontext hervorgeht - Lieder, die er gut kennt
(das eine lehrte ihn der Großvater) und die ihm gut auf die
aktuellen Geschehnisse zu passen scheinen. Es werden also bekannte Lieder "zitiert". Das " L i e d v o m C h a o s "
ist durch den Refrain verdeckt, um vor Angriffen zu schützen.-

---

1) "Mutter Courage und ihre Kinder" (Anmerkungen). S.19.

2) Hennenberg: a.a.O. S.85.

Im weiteren Sinne sind hier auch die Auftrittslieder zu
nennen, die aus der Oper kommend in der Tradition des "Liedes im Stück" reichlich Verwendung fanden. Diese Lieder,
die wohl primär an das Publikum gerichtet sind, führen eine
Person in die Handlung ein, geben oft dazu Auskunft über
Stand und Situation. - Im 4.Akt von TROMMELN IN DER NACHT
findet sich ein recht eigenartiges Auftrittslied (B.B.
1.108). Obwohl es von Glubb, dem Destillateur, gesungen
wird, bereitet es den Auftritt eines anderen, nämlich Kraglers vor. Der Bruder des "roten" Schankwirts war Dreher bei
Siemens und ist in den Novemberkämpfen gefallen: das stützt
die Beweiskraft der Aussage des Liedes in tragischer Weise.
Und doch: der revolutionäre Sänger bereitet in dieser Szene
den Auftritt dessen vor, der zu müde und ausgebrannt ist,
um noch Revolution zu machen. Das Ganze ergibt eine enorme
Spannung. - Eigenartig ist auch das andere Auftrittslied,
das in diesem Zusammenhang zu nennen ist, das " G E -
S C H Ä F T S L I E D " der Courage (B.B. 4.1350). Es dient
zunächst dazu, die Hauptfigur der Chronik und ihre Familie
samt ihrem Gewerbe zu charakterisieren. Zugleich aber läßt
es auch das Thema des Stückes anklingen: die Hoffnung des
kleinen Mannes, mit dem Krieg Geschäfte machen zu können.
    Zu den traditionellen Einsatzmöglichkeiten des Liedes
im Drama gehört auch das Erkennungslied, das ebenfalls in
diesem Zusammenhang zu nennen ist. Das " L i e d   v o m
W e i b   u n d   d e m   S o l d a t e n " (MUTTER COURAGE,
B.B. 4.1366), das hier als ein Beispiel genannt sein soll,
löst einmal vordergründig im szenischen Geschehen die Wie-
derbegegnung von Mutter und Sohn aus. Zugleich aber ist hier
Eilifs Schicksal, so hatten wir gesagt, bereits vorausgedeu-
tet.

(3) Die Führung der Affekte gehört zu den zentralen Funk-
tionsmöglichkeiten des Liedes im Bereich des Dramatischen.
Hier ist der dramaturgisch-agogische Akzent bedeutsam. Doch
im Grunde sind solche Lieder an das Publikum gerichtet.

(3a) Die Vorausdeutung mithilfe eines Liedes dient sowohl
der Beruhigung als auch der Steigerung der Affekte, zuweilen beides zu gleicher Zeit. Brecht suchte die Spannung auf
das Wie zu legen. Hier ist ein unbekanntes Handlungsgesche-
hen geradezu hinderlich, das zwangsläufig zu erhitzter Illusion, nicht zu wachem Beobachten führt. Für einen stets mit
vielfältigem Aufwand vorausgeschickten, also bekannten Hand-
lungsaufriß spielt die Vorausdeutung natürlich nicht mehr
die Rolle wie in der antiken oder späteren Tradition. Gleich-
wohl sind Lieder in solcher Funktion bei Brecht vereinzelt
nachweisbar.
    Die Ballade " D e r   T o d   i m   W a l d e " (BAAL, B.B.
1.56) ist ein frühes Beispiel. Baal, der Sänger, wird diesen Tod, von dem er singt, erleiden, draußen, ausgeworfen
und allein. - In der " B a l l a d e   v o n   d e r   H ö -
r i g k e i t " (DREIGROSCHENOPER, B.B. 1.430) erinnert
sich Frau Peachum an die Vorliebe Macs für Bordelle. Ein
solches wird ihm schließlich zum Verhängnis. - Eilif singt
das " L i e d   v o m   W e i b   u n d   d e m   S o l d a t e n "

(COURAGE, B.B. 4.1366) und wird sterben, da er die Warnungen des Weibes in den Wind schlägt. - In dem L i e d v o n d e r R o i n e (PUNTILA, B.B. 4.1707) müssen die Köchin und Fina, das Dienstmädchen, auf Geheiß Puntilas mit in den Gesang einstimmen, Matti aber entzieht sich. Hier deutet sich bereits an, daß er Puntila verlassen wird.

(3b) Das Retardieren innerhalb des szenischen Ablaufs ist der tiefste Eingriff in das Spannungsgefüge. Paradoxerweise aber benutzen die Dramatiker oft genug das an sich retardierende Lied zur Beschleunigung der Handlung, indem hier eine stimulierende Wirkung, Lösungen, überraschende Effekte, Reaktionen des Zorns oder der Bestürzung hervorgerufen werden, die in der Handlung wirksam und folgenschwer sind.

Reizvoll ist die Spannung zwischen dem Motorischen der Handlung und dem retardierenden Element des Liedes zu beobachten im " L i e d v o n d e r g r o ß e n K a p i - t u l a t i o n " (COURAGE, B.B. 4.1394), das die Courage dem wartenden Soldaten zusingt, selbst mit einer Beschwerde auf Anhörung wartend. Das Lied wirkt dann unmittelbar dramatisch, indem es den Mitspieler aktiviert, nachdem es zuvor im Kontrast zu seiner Passivität stand. Aber wozu 'aktiviert' es ihn? Zur Passivität: er geht ab und resigniert, ihm fehlt der "große Zorn".

(3c) Konzentration des Geschehens durch das Lied findet sich in der Tradition des Liedes im Drama nicht selten an Stellen dramatischer Zuspitzung. Das Geschehen mündet ein in das Lied, das mehr zu sagen weiß, zugleich auch die Vorgänge über die Musik vertiefen kann. Eine solche Anwendung des Liedes ist natürlich bei Brecht nicht übermäßig häufig.

Hier wäre etwa das " W I E G E N L I E D " in MUTTER COURAGE (B.B. 4.1399) zu nennen. Der Schmerz der Mutter setzt in dieser Szene nach der Ermordung der Kattrin einen zweiten Höhepunkt. - Sun, der Flieger, singt am Ende der 6.Szene des GUTEN MENSCHEN VON SEZUAN das " L i e d v o m S a n k t N i m m e r l e i n s t a g " (B.B. 4.1562). Auch hier die souveräne Führung der Handlung: der erste Höhepunkt der Szene ist überschritten in dem Moment, da klar wird, daß die Hochzeit nicht vollzogen werden kann: der Vetter ist nicht erschienen und die Gäste sind gegangen. Jetzt erst bricht die eigentliche Krisis in den Beziehungen der beiden auf. Und nun singt Sun - zu Shen Te's "Unterhaltung" - das Lied. Es bringt in konzentrierter Weise die Sehnsucht und Hoffnungen, die Verbitterung und die Anklagen eines Mannes, der auf sein Leben zurückblickt, ein Leben, das zu Ende war, ehe es recht eigentlich begonnen hatte.

(3d) Die Rückschau ermöglicht dem Autor in vielfältiger Weise, zurückliegendes Geschehen durch das Lied plötzlich wieder gegenwärtig zu machen. Das kann sich auf die Gesamthandlung, kann sich aber auch auf eine Person und ihren abgeschlossenen Lebenskreis beziehen, der auf diese Weise in das Geschehen eingebracht wird.

Die Ballade " V o m e r t r u n k e n e n M ä d - c h e n " (BAAL, B.B. 1.52f.) singt rückblickend vom Tod der Johanna Reiher. Sie bringt vielleicht sogar zum Ausdruck,

daß Baal doch von diesem Tod berührt, erschüttert ist (s.
erste Strophe). - In der DREIGROSCHENOPER singen Mac und
Jenny die " Z u h ä l t e r b a l l a d e " (B.B. 2.443).
Sie singen von ihrem gemeinsamen früheren Leben im Bordell,
der ihr "Haushalt" war. Jenny aber hat Mac bereits verraten
und kurz darauf wird dieser verhaftet. - Yvette singt in
MUTTER COURAGE das " L i e d v o m F r a t e r n i s i e -
r e n " , damit ihr "davon leichter wird" (B.B. 4.1371). Das
Lied berichtet, wie der Krieg die Menschen zerstört. Doch es
wird nicht nur allgemein das Thema des Krieges angeschlagen.
Es wird ein Mann als Werkzeug dieses Krieges vorgestellt, der
im Stück bereits aufgetreten ist und später noch eine Rolle
spielen wird: Pfeifenpieter, der Koch.

(4) Motivische Funktionen des Liedes klangen bereits mehrfach an. Das " L i e d v o n d e r g r o ß e n K a p i -
t u l a t i o n " (COURAGE, B.B. 4.1394) bringt das Motiv
der Kapitulation ein, ein Unterthema des Stücks. Die
Handlung nach der 4. Szene untersteht im Grunde dem Motiv,
das hier angeschlagen wird. - Auf die motivisch vielfältige
Verknüpfung des B e t t e l l i e d e s (COURAGE, B.B. 4.
1425) ist in der Forschung so oft hingewiesen worden, daß
es hier nur genannt sei. -

(4a) Leitmotivische Verwendungen des Liedes kommen wohl noch
deutlicher vom Musikalischen her in die dramatische Dichtung.
So wird denn auch, bevor sich der Vorhang zur 5.Szene des
KAUKASISCHEN KREIDEKREISES öffnet, das " L i e d d e s
A z d a k " in einem Instrumentalvorspiel musikalisch ein
erstes Mal angeschlagen. Dieses Lied durchzieht dann diese
ganze Szene. - Brecht selbst weist darauf hin, daß das Lied
in der Szene am Fluß "die Melodie des Liedes im ersten Akt
(Grusche verspricht dem Soldaten, auf ihn zu warten)" (B.B.
17.1207) hat. Das unterstreicht u.a. auch den Konsens zwischen Autor und Komponist. - Die Lieder der Grusche auf der
Wanderung in der 3.Szene des gleichen Stücks sind gleichfalls
nicht zuletzt auch musikalisch zu interpretieren: auf dem
Weg über das Volksliedhafte werden immer wieder ihre Gedanken eingespiegelt. -
    Geradezu leitmotivisch ist das Lied selbst im GUTEN MEN-
SCHEN VON SEZUAN eingesetzt. Hier wird das Thema der Resignation durch insgesamt drei Lieder - über das ganze Stück
verteilt - eingebracht, sozusagen musikalisch akzentuiert:
das " L i e d v o m R a u c h " (1.Szene, B.B. 4.1507),
das " L i e d v o n d e r W e h r l o s i g k e i t
d e r G u t e n u n d G ö t t e r " (4.Szene, B.B. 4.1539)
und das " L i e d v o m S a n k t N i m m e r l e i n s -
t a g " (6.Szene, B.B. 4.1562). Da diese Resignation stets
sozial determiniert ist, bezieht sich die Thematik dieser
Lieder sowohl auf die jeweilige Szene, in der es steht, als
auch auf das Stück, seine Thematik insgesamt. -
    Eine leitmotivische Verwendung des Liedes kann sich also
sowohl auf eine Szene, als auch auf das gesamte Stück er-
strecken. Für beide Formen noch je ein Beispiel:
    Das " L i e d v o m F l u ß " gliedert leitmotivisch

den eigentlichen Montageakt, die 9.Szene des Stückes MANN
IST MANN (B.B. 1.337 ff.). Die ursprüngliche Fassung von
1926 hatte hier mehrere Songs vorgesehen, die der Milieu-
schilderung dienen sollten, der Enthüllung des hohlen Pathos einer Kolonialarmee als dem zentralen Mann-ist-Mann-
Thema. In der Fassung von 1931 berichtet Leokadja Begbick,
Kantinenbesitzerin und Witwe, von ihrer eigenen Welterfahrung, die sich mit der des Herrn Brecht ergänzt: "von den
sicheren Dingen das Sicherste ist der Zweifel.". Dazwischen
wäscht sie die Segel und singt ihr Lied. Sie singt zu Beginn des Montageaktes (B.B. 1.337 f.), nach der 2.Nummer
"Die Auktion" (B.B. 1.345 f.) und während der 3.Nummer "Der
Prozeß" (B.B. 1.349 f.). Sie nimmt ihr Lied - unberührt von
den Vorgängen - immer wieder dort auf, wo sie es zuvor ab-
gebrochen hatte. Zum Schluß faltet sie die Zeltbahnen zusammen: sie sind gewaschen, sauber und doch in Wirklichkeit anders als vor der Wäsche, durch die Wäsche verändert wie Galy
Gay durch die Montage. -
    Leitmotivische Funktion hat auch das   " G e s c h ä f t s -
l i e d "   der Courage (B.B. 4.1350). Wenn es in der 7.Sze-
ne noch einmal aufgenommen wird (B.B. 4.1409), ist zwar der
Krieg noch immer ihr Partner, mit dem sie Geschäfte machen
will. Doch ihr Optimismus ist angeschlagen. Der Zuschauer
weiß: während sie singt, verliert sie auch noch ihren Sohn
Eilif. Der kurze Frieden nach dem Tod von Gustav Adolf von
Schweden wird von ihr mit Jubel und der 4.Strophe des Liedes
begrüßt (B.B. 4.1421). Das Stück klingt schließlich aus mit
der letzten Strophe des Liedes: der Wagen ist leer, abgeris-
sen und heruntergekommen, der Krieg hier im Grunde über die
Courage hinweggerollt: "Der g'meine Mann hat kein Gewinn"
(B.B. 4.1438). Und nun singt nicht die Courage auf der Bühne, man "hört Singen von hinten" (B.B. a.a.O.).

(5) Gliedernde Funktionen des Liedes sind bereits mehrfach
angesprochen worden. Sie stehen durchaus in enger Beziehung
zu den soeben behandelten leitmotivischen Funktionen und
können auch ineinander übergehen.
    Das Lied gliedert einmal eine einzelne Szene: so etwa in
der vorhin besprochenen Umwandlungsszene von MANN IST MANN,
wo das erwähnte   " L i e d   v o m   F l u ß "   den Prozeß der
Montierung sozusagen ordnet (B.B. 1.337 ff.). - Die 7 Strophen des Azdak-Liedes, gesungen von dem Erzähler, gliedern
die 5.Szene des KAUKASISCHEN KREIDEKREISES, der sie stark
rhapsodischen Charakter verleihen und sie so aus dem übrigen
Geschehen herausheben (B.B. 5.2079).
    Das Lied kann aber auch das gesamte Stück gliedernd zusam-
menfügen: Die Bühneneinrichtung von FURCHT UND ELEND DES
DRITTEN REICHES (17 Bilder in 2 Abteilungen!) wurde zusammen-
gehalten durch den Zwischentext, dessen groteske Strophen zur
Melodie des Horst-Wessel-Liedes gesungen wurden von der Besatzung des Panzerwagens, der immer gegenwärtig ist, wo Menschen geschunden werden. -
    Im KAUKASISCHEN KREIDEKREIS verbindet der Sänger Arkadi
Tscheidse mit seinen Musikern Vorspiel, Parabelhandlung und
Nachspiel, also die Ebene der Erzählung und der Lehre mit
dem eigentlichen szenischen Geschehen. Innerhalb der Parabel-

handlung überbrückt er die zeitlichen und räumli chen Distanzen. -
Die Vorsprüche bzw. Vorstrophen zu den einzelnen Szenen
des GALILEI weisen noch deutlicher auf das alte Bänkellied.
Ja, diese Strophen zusammengenommen und hintereinander gele-
sen ergeben eine solche "Zeitung" von Galilei, seiner Lehre
und deren Wirkung. Damit ist eine Quelle dieser gliedernden
Funktionen des Liedes im Bereich des Dramatischen gekennzeichnet. - Moritatenstil kennzeichnet im übrigen auch das
Lied vom Azdak, das wir schon berührten. - Zu erwähnen wären
schließlich noch die Strophen des Puntila-Liedes, gesungen
von der Köchin Leila, die zugleich Handlungsfigur ist.

(6) Mantel- oder Rahmenfunktionen erfüllen das Lied als
(vokale) Musik um das Drama, d.h. also im Prinzip vor dem
Vorhang und außerhalb des eigentlichen szenischen Geschehens. Sie dienen der Atmosphäre des Stücks und wurden in
der Theorie bereits von Lessing als Stimmungsfaktor einkalkuliert[1]. In der Theaterpraxis wenden sich schon im deutschen Schuldrama etwa Prolog und Epilog moralisierend an
den Verstand, die gesungenen Zwischenszenen an das Gemüt.
Eine solche deutliche Differenzierung ist bei Brecht,
vor allem beim "späten" Brecht nicht zu beobachten. Vokale
Mantel- und Rahmenmusik, Prolog, Gesang zwischen den Szenen
(während der Umbauten) und Epilog stellen ihm ganz einfach
einen "direkten Kontakt zum Publikum" (B.B. 17.1173) dar.
Sie dienen auch hier der Vorbereitung auf das Geschehen oder
dem Nachklingenlassen von Geschehenem, dienen nicht zuletzt
auch dem bloßen Milieu, der Atmosphäre des Stücks. (Im übrigen verschmähte er auch rein instrumentale Musik zu diesem
Zwecke nicht - das sei am Rande vermerkt.)

(6a) Als vokaler Vorspann liefert das Lied einen durchaus
effektvollen Stück- oder Aktanfang. Das wurde in der Tradition des Dramas recht früh erkannt.
Frühe Beispiele bei Brecht sind der " C h o r a l   v o m
g r o ß e n   B a a l " (B.B. 1.3) und die " M o r i t a t
v o m   M a c k i e   M e s s e r " (DREIGROSCHENOPER, B.B.
2.395). Beide Male wird die Hauptfigur eingeführt und ein
Hintergrund für die Ereignisse im Stück umrissen. - Präzise
auf das Thema des Stücks orientiert - ähnlich dem einleitenden Argumentum - ist der P r o l o g der PUNTILA, der allerdings gesprochen wird.
Im Grunde zieht Brecht eigentlich das Vorspiel - wie etwa
im KAUKASISCHEN KREIDEKREIS, im GUTEN MENSCHEN VON SEZUAN,
im SCHWEYK - vor. Das G e s c h ä f t s l i e d der Courage
gehört bereits in die beginnende Handlung selbst.

(6b) Als vokale Zwischenmusik ist das Lied in der Theatergeschichte eigentlich erst durch den Zwang zur Sparsamkeit
zu einiger Bedeutung gelangt. Die gesungene Zwischenaktmusik entwickelte sich aus dem Brauch des 16. und 17.Jahrhun-

---

1) s.v.Waldhausen: a.a.O. S.120.

derts, in den Zwischenakten 'lebende Bilder', glänzend ausgestattete pantomimische Darstellungen auf die Bühne zu bringen. Hier sollte die sonst weniger befriedigte Schaulust zu ihrem Recht kommen. Diesen Intermezzi wurde zunächst nur Instrumentalmusik unterlegt, die sich aber bald verselbständigte und später zusätzlich durch Gesangsvortrag gesteigert wurde. Aufwendige Bühnenprospekte und große Orchester aber kosteten Geld. Es blieb das Lied mit kleiner Orchesterbegleitung.

Bei Brecht bringt die vokale Zwischenaktmusik in der Regel einen über die Figur, das gesamte szenische Geschehen hinausweisenden Kommentar. In dem Stück DIE AUSNAHME UND DIE REGEL singen die Soldaten während der Umbauten das " L i e d v o n   d e n   G e r i c h t e n " (B.B. 2.812). Sie singen von dem, was die kommende Szene zeigt: von der Bestechlichkeit der Richter in dieser Gesellschaft. - Das Stück MUTTER COURAGE weist zwei solcher Zwischenspiele auf, das " L i e d v o n   d e r   B l e i b e " (B.B. 4.1429) und eine Strophe des G e s c h ä f t s l i e d e s zwischen dem 8. und 9. Bild (B.B. 4.1421). - Das " L i e d   v o n   d e r   W e h r - l o s i g k e i t   d e r   G ö t t e r   u n d   G u t e n " (B.B. 4.1539) wird von Shen Te vor dem Vorhang als Zwischenspiel gesungen, allerdings als ein Zwischenspiel mit deutlichen dramatisch-dramaturgischen Funktionen innerhalb des Stückes selbst, wie wir gesehen haben. Zugleich faßt das Lied "die szenischen Vorgänge zusammen und verallgemeinert sie"[1]. Hier handelt es sich wohl eher um eine kaschierte Zwischenaktmusik. - In der Aufführung des PUNTILA durch das Berliner Ensemble wurde anstelle der Szenentitel das P u n t i l a - l i e d gesungen, und zwar von Annemarie Haase, der Darstellerin der Köchin. "Das Lied kommentierte die Vorgänge auf Puntila von der Küche aus und indem es sie sozusagen berühmt machte, gab es den Streichen des Puntila einen lokalhistorischen Charakter." (B.B. 17.1173).

(6c) Als _Finale_ oder _Epilog_ steht das Lied wiederum deutlich in der Tradition der Oper. Wir haben ein solches opernhaftes Finale etwa im TELL und besonders im Trauerspiel: in CLAVIGO und in der BRAUT VON MESSINA.

Auch Brecht gestaltet ein solches Finale in der HEILIGEN JOHANNA DER SCHLACHTHÖFE mit dem "Choral" des letzten Aktes (B.B. 2.783). Solche Finales ziehen in der Regel ein Resumee, bringen oft auch die "Pointe" des szenischen Geschehens.-

Das gleiche geschieht auch im Epilog. Er gibt die Nutzanwendung des Schlusses, die oft zugleich die Antwort auf die Fragestellung des Stückes ist. Am Schluß der MUTTER COURAGE wird die letzte Strophe ihres G e s c h ä f t s l i e d e s gesungen: "Der Krieg, er zieht sich etwas hin. / Der Krieg, er dauert hundert Jahre / Der g'meine Mann hat kein Gewinn." Wie erwähnt: laut Szenenanmerkung hört man "Singen von hinten" (B.B. 4.1438).

---

1) Stupinski: a.a.O. S. 117.

c.) <u>Verfremdende Funktionen</u>:   Widersprüche, die über die
Handlung hinausweisen

(1) Formale Diskrepanz

(2) Kontrast zu Zeit- und Raumvorstellungen

(3) Wechsel von Einfühlung und Distanz

   (a) Ironisierung

   (b) Aufhebung der Bühnenillusion

   (c) Inhaltliche Widersprüche

   (d) Veränderung der Modalität

   (e) Veränderung der Perspektive

   (f) Ironische Lehren

Verfremdungseffekte, auch solche, bei denen das Lied in verfremdender Funktion eingesetzt wird, sind in der dramatischen Literatur nichts unbedingt Neues. Neu ist eher, daß
sie nun als Stilprinzip konsequent eingesetzt werden in einer völlig veränderten szenischen Struktur und dadurch
selbst ihr Gesicht verändern. Kritik und Kommentar auf der
Bühne bedürfen der Handlung, der konkreten Situation. V-Effekte sind nichts anderes als Vorstufen zur Kritik, zum Kommentar, die bereits im Strom der Handlung selbst oder aber
in den Schnittpunkten zur Reflexion angelegt sind.
   Lieder mit verfremdenden Funktionen sind zwar in der
Handlung selbst angelegt, weisen aber über das szenische
Geschehen bereits hinaus. Sie stehen allerdings nicht so
deutlich außerhalb wie der Kommentar, den sie oft genug vorbereiten. Das "Lied zu Stücken" kann solche Verfremdungs-
funktionen in mannigfacher Hinsicht zum Tragen bringen.

(1) Durch <u>formale Diskrepanz</u> schafft das Lied einen ersten
deutlichen Verfremdungseffekt. Durch stilistische Übergänge,
durch den Wechsel vom Sprechen zum Gesang und von der Prosa
zum Vers entstehen Bruchstellen, die die Illusion oft emp-
findlich stören und zugleich auf das Lied selbst und seine
Aussage hinweisen. (Auf die verfremdende Wirkung, die von
dem Wechsel zum Musikalischen hin entsteht, werden wir noch
ausführlicher einzugehen haben. Wir können uns hier mit einigen Andeutungen begnügen.) – Diese Technik ist sicherlich
nicht neu. Bereits im Chinesischen Schauspiel wurden bestimmte Partien einer Rolle, die einen besonderen Affekt
enthalten, gesungen. Im griechischen Drama entwickelte sich
hier eine Art gehobener Rede, die sich am ehesten mit dem
Rezitativ vergleichen läßt. In Schillers TELL erklingt Hoch-
zeitsmusik zum Tode des Landvogts (IV,3), dann bricht die
Musik plötzlich ab, es kommt noch mehr Volk nach (!), betrachtet den toten Landvogt "mit fühllosem Grausen" und dann
umringen die Barmherzigen Brüder den Toten und singen das
Lied, dessen letzten beiden Zeilen wiederholt werden: "Bereitet oder nicht, zu gehen, / Er muß vor seinem Richter

stehen."[1]

Auch Brecht nützt die Möglichkeit des Liedes zur Weckung bestimmter Affekte mittels Kontrast. Doch versucht er darüber hinaus, den gesellschaftlichen Gestus, der fast stets dem Lied unterliegt, besonders zu akzentuieren: Gesang etwa im GUTEN MENSCHEN VON SEZUAN verweist auf den bedeutungsschweren Gedanken, die Ebene der Reflexion, die wichtige Fußnote, die man sich einzuprägen hat. Über diese bloße Signalwirkung hinaus ist natürlich die Musik selbst in der Lage, innerhalb des Liedes den gesellschaftlichen Gestus, der dem Text unterliegt, in durchaus selbständiger Weise zu verfremden.

Gesungene Mitteilungen, sagt Hennenberg, "setzen sich vom realistischen Dialog notwendigerweise ab, werden als künstlerische Überhöhungen empfunden, zeigen einen Funktionswechsel an"[2]. Gemeinsam mit dem Übergang von der Prosa zum Vers wird so den Reflexionen innerhalb der Lieder und auf dem Weg über die Lieder ein besonderes Gewicht verliehen.

(2) Durch Kontrast zu Zeit- und Raumvorstellungen des szenischen Spiels übt das Lied ebenfalls stets einen verfremdenden Effekt aus. Das, was bis hin zu Goethe allen Theoretikern wie Mendelssohn, Lessing u.v.a. ein nahezu unlösbares Problem war, löst sich bei Brecht ganz einfach, indem es zur Methode gemacht wird und in dieser Weise stilbildend für sein Theater wirkt: der Gegensatz, der von dem Übergang vom beschleunigteren Tempo des Sprechens zum langsameren der Musik bzw. des Liedes[3] ausgeht, wird als Mittel der Verfremdung eingesetzt, das Interesse des Zuschauers zu lenken. Die diffizilen Verschiebungen durch das veränderte Zeitmoment werden nun allerdings in ihrer Problematik zwar nicht zur Gänze aufgehoben, aber doch lösbar gemacht.

In dem Stück MUTTER COURAGE UND IHRE KINDER soll auf dem Wege über die Historisierung die Kausalität gegenwärtiger Ereignisse aufgedeckt werden. Innerhalb einer szenischen Struktur also, die mit Historisierung bereits arbeitet, gibt das "Lied zu Stücken" genau genommen in der Vergangenheit über vergangene Vergangenheit Lehren für zukünftiges Handeln nicht nur der Bühnenfiguren, sondern auch des Menschen in der heutigen Gegenwart, des Publikums also. Im Verlauf des Dreißigjährigen Krieges singt die Courage das " L i e d v o n   d e r   g r o ß e n   K a p i t u l a t i o n ", das über ihre Erfahrungen in den zurückliegenden Jahren, über ihre Erfahrungen mit dem Krieg berichtet (B.B. 4.1394). Der Soldat, der ihr zuhört, begreift die Lehre des Liedes und handelt,anschließend danach: er geht. Der Zuschauer aber hat die Aufgabe, die Vorgänge ihrer historischen Verbrämung zu entkleiden und sie in Beziehung zu seiner Gegenwart und Zukunft zu stellen. In dieser Weise ist es Brecht möglich, die "Gesänge" in seine Stücke homogener einzufügen. Sie stauen nicht mehr als gedankliche Zaesur den Fluß des Ge-

---

1) F.Schiller: Sämtliche Werke. Bd.II. S.1011ff.

2) Hennenberg: a.a.O. S.118.

3) H.Blümer (Hrsg.): Lessings Laokoon. S.386+434ff.

schehens[1], wie es noch in dem Lehrstück DIE MUTTER der Fall
war, sondern sind darüber hinaus handlungsführend wirksam.
Das " L i e d   v o n   d e r   W e h r l o s i g k e i t
d e r   G ö t t e r   u n d   G u t e n " (B.B. 4.1539) wendet
sich aus dem Stück heraus an den Zuschauer. Das Gleiche geschieht beim " L i e d   v o m   R a u c h " (B.B. 4.1507).
In dem Moment, in dem diese Lieder gesungen werden, wird
nicht nur ein Eingriff in das zeitliche Gefüge vorgenommen.
Lieder, die sich nicht unmittelbar an eine Bühnenfigur, sondern an den Zuschauer wenden, schaffen eine neue Raumvor-
stellung. Die durch Illusion geschaffenen Räume treten zurück, die Bühne ist wieder Bühne, ein Raum zur Kommunikation zwischen Autor, Schauspieler und Zuschauer. "Sezuan"
ist der Raum der Aktion, die Bühne des Schiffbauerdamm-Thea-
ters in Berlin ist der Raum der Reflexion.

(3) Durch Wechsel von Einfühlung und Distanz im episch-dra-
matischen Gewebe der Fabel ist natürlich die wichtigste verfremdende Funktion des Liedes gekennzeichnet. Auf den Vorgang selbst wird an anderer Stelle eingegangen: Verfremdung
ist Annäherung durch Distanz. Die Distanz vom gewohnten Denk-
schema trägt in sich den Anstoß zur Aufhebung auf einer höheren Ebene. Der szenische Vorgang löst sich aus dem Bereich
der Illusion und wird dem Denken ausgeliefert. Brecht bezeichnet die Aufgabe der Einfühlung als ein Wagnis, "vielleicht
das größte aller denkbaren Experimente" (B.B. 15.300). Er
gibt allerdings die Einfühlung nie ganz auf, sondern weist
ihr einen genau kalkulierten Stellenwert zu.

(3a) Als ein Mittel der Ironisierung wird das Lied in dem
Stück TROMMELN IN DER NACHT eingesetzt. Mit diesem Stück beginnen ja die Experimente um das Lied. Gisela Debiel hat verdienstvoller Weise auf die Zusammenhänge, auf die "wesenhaf-
te Entsprechung von Verfremdung und Komik"[2] bereits hingewiesen. Beiden, Komik und Verfremdung, gemeinsam ist der Sinn
für die Realität, beide suchen die ungeschminkte Wirklichkeit gerade dort, wo sie verschüttet ist oder verschüttet werden soll: "In dieser korrigierenden Wirkung erfüllt das Komische wie die Verfremdung eine soziale Funktion, insofern beide miteinander das Bewußtsein für die Anforderungen des auf
Gemeinschaft gründenden menschlichen Daseins schärfen."[3] -
Bereits in TROMMELN IN DER NACHT wird die Technik erprobt,
die in den Opernexperimenten Ende der Zwanziger Jahre stilbildend wirkte: durch Überbetonung wird die Banalität von
Phrasen enthüllt. Darauf soll hier nicht noch einmal eingegangen werden.

(3b) Die Aufhebung der Bühnenillusion dient im Lehrstück vornehmlich dazu, gesellschaftliche Kausalitäten zu enthüllen.

---

1) Klotz: Bertolt Brecht. S.115.
2) G.Debiel: Das Prinzip der Verfremdung..., S.85.
3) ebda. S.86.

Dadurch, daß ein Bühnenvorgang mehr oder weniger schroff unterbrochen wird, wird eine neue Basis der Mitteilung geschaffen. Im "Gesang" richtet die Bühnenfigur sich unmittelbar an
den Zuschauer. Bereits in den Songs von MANN IST MANN ist
das teilweise der Fall.

(3c) <u>Inhaltliche Widersprüche</u> von Songaussage und szeni-
schem Geschehen werden mehr und mehr zur grundlegenden Anwendung des V-Effektes. Hier wird deutlich, daß sich all diese Techniken in der uns besonders interessierenden Periode
nach 1933 deutlich verfeinert haben. Auf dem Weg über die
Verfremdung wird eine innere Spannung erzeugt, die aus dem
Betrachten des szenischen Geschehens einerseits und dem Erkennen der in den Liedern angelegten Widersprüchen andererseits erwächst.
   Gewohnte Vorgänge, gewohnte Bilder und Metaphern werden
ins Ungewöhnliche aufgelöst und dadurch - wie R.Grimm sagt[1])-
'merkwürdig', 'fragwürdig': ein W i e g e n l i e d wird
einer Toten gesungen (B.B. 4.1526), zudem steht es inhaltlich in einem merkwürdigen Gegensatz zur Wirklichkeit. Der
Ruf eines Wasserverkäufers im GUTEN MENSCHEN VON SEZUAN verstrickt in sozio-ökonomische Überlegungen. Und Lieder, die
zur Unterhaltung gesungen werden, sind alles andere als unterhaltend (B.B. 4.1507 und 1562).

(3d) Die <u>veränderte Modalität</u>, in der szenische Vorgänge
plötzlich im Lied oder über das Lied erscheinen, bewirkt
Durchsichtigkeit und Einprägsamkeit. Das geschieht in der
bereits ausführlich besprochenen 8.Szene des GUTEN MENSCHEN
VON SEZUAN über das " L i e d v o m a c h t e n E l e -
f a n t e n " (B.B. 4.1582). - In der fünften Szene der MUT-
TER COURAGE wiegt Kattrin den Säugling, den sie aus dem bren-
nenden Gehöft gerettet hat, in ihren Armen und "lallt ein
Wiegenlied" (B.B.4.1399). Am Ende des Stückes steht die Courage vor der toten Kattrin. Sie sagt: "Vielleicht schlaft
sie." und singt ihr ein Wiegenlied und sagt dann: "Jetzt
schlaft sie." (B.B. 4.1436 f.).

(3e) Eine <u>veränderte Perspektive</u> gibt dem szenischen Geschehen eine neue ungewohnte Sicht, darin liegt ja der eigentliche Ausgangspunkt der Verfremdungstechnik. Das Stück
MUTTER COURAGE UND IHRE KINDER behandelt das Thema des
Dreißigjährigen Krieges nicht unter dem gewohnten Aspekt
großer Schlachten und berühmter Feldherrn, sondern es zeigt
die Geschlachteten und die Verführten. Aus allen Liedern
des Stücks spricht die Perspektive nicht der großen Herrscher, sondern der vielen Beherrschten und Geschundenen.
Nicht Heldentum, sondern Klugheit wird als die wichtigste
Tugend verkündet: das " L i e d v o m W e i b u n d
d e m S o l d a t e n " (B.B. 4.1366). Der Krieg zerstört
jede menschliche Beziehung, Liebe ist stets Vergewaltigung:
das " L i e d v o m F r a t e r n i s i e r e n " (B.B.
4.1371). Der Krieg zerstört den Menschen, indem er ihn unter sein mörderisches Gesetz zwingt: das " L i e d v o n

1) s.R.Grimm: a.a.O. S.72.

d e r g r o ß e n K a p i t u l a t i o n " (B.B. 4.1394).
Der Krieg der Herrscher erweist sich keineswegs auch als der
Krieg der Unteren: die Herrscher treten im ganzen Stück
nicht auf, sie sind es nicht, die diesen Krieg auszutragen,
zu erdulden haben. - Bringt MUTTER COURAGE den Krieg in einer neuen Perspektive, so geschieht dies im PUNTILA gleichsam mit dem Frieden, bzw. dem alltäglichen Leben. Das P u n -
t i l a l i e d beginnt mit der Meinungsäußerung des Kell-
ners, der die Sauferei des Gutsbesitzers nicht übermäßig lu-
stig findet. Es endet damit, daß Matti es ablehnt, Puntilas
Tochter zu heiraten, sie ist ihm "nicht gut genug" (B.B.
4.1712). Die " B a l l a d e v o m F ö r s t e r u n d
d e r G r ä f i n " (B.B. 4.1694) nimmt dieses Thema der
Klassenschranken auf, unterstreicht es.

(3f) Schließlich werden im Lied ironische Lehren erteilt,
die durch den Zuschauer richtig zu stellen sind. Diese Form
einer verfremdenden Aussage ist besonders in den späten Stükken wirksam und auch oft genug von der Forschung behandelt
worden, so daß wir uns hier mit den entsprechenden Liedan-
gaben begnügen können.
Zu erwähnen ist vor allem das S a l o m o n s l i e d ,
das " L i e d v o m R a u c h " und vom " S a n k t
N i m m e r l e i n s t a g ", das " L i e d v o m C h a -
o s " und manches andere. Die Lehren, die hier erteilt werden, können schlecht verhehlen, daß sie nicht "stimmig" sind.
Sie sind so angelegt, daß sie über einen Verfremdungseffekt
wirksam werden: das Lied gibt allem Anschein nach dem Zuschauer eine zu beherzigende Lehre, die aber in dieser Formulierung für die Realität des Zuschauers gänzlich unbrauch-
bar ist, so etwa der Rat zu resignieren im " L I E D V O M
R A U C H " . Und zuweilen ist es auch umgekehrt: das, was
die Lieder scheinbar entwerten wollen, werten sie tatsächlich auf, so etwa im S a l o m o n s l i e d , wo die Tugenden nur durch den Krieg und die ökonomischen Verhältnisse
pervertiert sind, ihr moralischer Anspruch aber ungebrochen
ist. Der Zuschauer ist aufgerufen, das Urteil zu finden und
auszusprechen.

d.) <u>Kommentarfunktionen:</u> Indirekte und direkte Führung
der Reflexion, kaschierter und
unmittelbarer Autorenkommentar

(1) Indirekte Führung der Reflexion durch das Stiften
von Widersprüchen

 (a) Widerspruch von singender Figur und Lied

 (b) Widerspruch von singender Figur und Handlung

 (c) Widerspruch von Lied und Handlung bzw. gesellschaftlicher Realität

(2) Direkte Führung der Reflexion durch den kaschierten
Autorenkommentar

 (a) im Hinblick auf die Bühnenfiguren

 (b) im Hinblick auf den szenischen Vorgang

(3) Der unmittelbare Autorenkommentar

 (a) zum Handeln einer Person oder eines Kollektivs

 (b) zum szenischen Geschehen (Argumentation und
Schlußfolgerung)

Kommentierende Partien im Drama haben eine Tradition, die
bis in die Antike zurückgeht. Zunächst äußerte der Chor als
die Stimme des Volkes seine Anteilnahme, erteilte Warnungen
und Ratschläge. Später wurde derChor mehr und mehr Organ
des Dichters: er erteilte Unterweisungen und postulierte eine
bestimmte Moral oder bestimmte politische Ziele. - Die Stük-
keschreiber der Renaissance fanden in ihren Plautus- und Te-
renzausgaben kurze, oft akrostichisch gereimte Inhaltsanga-
ben. Daß diese dann in den Schulkomödien von einem kranz-
geschmückten Knaben vorgetragen wurden, beruhte wohl zunächst
auf einem Mißverständis, breitete sich aber mehr und mehr
aus. Die 'argumenta' boten die Möglichkeit, außerhalb der
Handlung Dinge einzuführen, die zwar erzählt, aber nicht in
Handlung umgesetzt wurden oder werden konnten.- Raissoneure
begleiteten im französischen wie im englischen Drama den
Gang der Handlung mit allgemeinen Reflexionen. Ein Beispiel
sei genannt: Ben Jonsons EVERY MAN OUT. - Zwei Beispiele aus
dem Randbereich des Dramatischen zeigen, wie weit solche
Einflüsse reichen. Auch in den Bachschen Passionen vollzieht
sich ein Wechsel der Mitteilungsebene, der epische Ablauf
der Passionsgeschichte wird durch Reflexionen unterbrochen,
im imperativistischen Modus Adressen an das Publikum gerichtet. Und ein weiter Sprung: auch die Komödie kennt rhythmisierte Wendungen an das Publikum und vor allem große innere
Monologe, in denen die auftretenden Personen den Sinn ihres
eigenen Erlebens kommentieren und auch verallgemeinern. Vor
allem die Wiener Volskomödie greift hier nicht selten zum
Lied, zum Couplet. - Verbindend ist dieser Tradition der
stete Zug zum Moralisieren, zur didaktischen Unterweisung.
 Brecht konnte also auf die hier nur angedeuteten Tradi-

tionen zurückgreifen. Auch bei ihm treten Erläuterungen koordinierend zur Abbildung hinzu, wird die szenische Realitätssphäre durch die kommentierenden Partien unterbrochen,
die Illusion zeitweise aufgehoben und damit der Realitätsbereich der Bühne erheblich ausgeweitet. Das Lied in dieser
Funktion macht natürlich die Handlungsweisen verständlich
und nicht die Handlungsweisen die Lieder. Die Lieder, in einem Wechselspiel mit den Handlungen stehend, sind nie bloße
Schilderungen oder Erzählungen, sondern sie sind laut und
vernehmlich geäußertes Denken, das den Zuschauer zum Weiterdenken zwingen soll, Ausdeutung der Handlung parallel zum
szenischen Geschehen und über den szenischen Vorgang hinaus.
Kommentar und Einzelgeschehnisse zusammen bilden die eigentliche szenische Aktion. Und die überraschende Folge ist: der
Kommentar gibt dem Inhaltlichen wieder neue Bedeutung, es
wird wieder ernst genommen.
Das Lied mit Kommentarfunktionen ist also mehr oder weniger deutlich an den Zuschauer gerichtet, appelliert an seine
Fähigkeit des "kritischen Genießens" (B.B. 19.393). Es bleibt
dabei oft genug - das ist nicht verwunderlich - ohne psychi-
sche Auslösung auf die Spieler. Die Frage, ob der dramatische Verlauf einer Handlung durch das reflektierende Lied
unterbrochen wird oder nicht, ist angesichts einer solchen
szenischen Struktur sekundär. Wichtiger ist vielmehr die
Frage nach Art und Intensität der Vermittlung von Kommentar,
von solchen Hilfen für die Ausdeutung des Geschehens.

(1)   Indirekte Führung der Reflexion durch das Stiften von
      Widersprüchen:

Verfremdungseffekte, so wie sie von Brecht gesetzt werden,
enthalten Denkanstöße, letzten Endes gesteuerte 'Beschreibungen'. Reflexionen nun, die in dieser Tendenz in die Stücke
eingebracht sind, sind zugleich auch Kommentare, Kommentare
in dem Sinne, daß sie eine Wahrheit, wenn auch verschlüsselt,
an den Zuschauern vermitteln sollen. Im Grunde wird hier nicht
reflektiert, sondern vorreflektiert, die Lehre ist den Widersprüchen unterlegt. Jede Verfremdung ist also zugleich Kommentar, jene im besonderen aber jene, die dem Lied beigegeben
ist. Insofern ist die Verfremdungsfunktion des Liedes hier
noch einmal unter dem Aspekt ihres Kommentargehals zu behandeln.
Die indirekte Führung der Reflexion durch das Stiften von
Widersprüchen vollzieht sich im wesentlichen in drei Grund-
schemata. Sie sollen hier am Beispiel geklärt werden.

(a) Widerspruch von singender Figur und Lied: Am Ende der
8.Szene der MUTTER COURAGE singt die Courage eine weitere
Strophe ihres G e s c h ä f t s l i e d e s , die ein Lob-
lied des Krieges enthält und die Aufforderung, sich noch

heute zum Regiment zu begeben. Dieser Krieg aber hat ihr soeben den zweiten Sohn genommen. Also läge hier doch ein An-
tikriegslied näher. Der Widerspruch von Erlebniswelt der
singenden Figur und der Aussage des Liedes liegt deutlich
zutage, fordert die Kritik der Zuschauer geradezu heraus.

(1b) Widerspruch von singender Figur und Handlung: Die
C h ö r e   und   L i e d e r   in der HEILIGEN JOHANNA DER
SCHLACHTHÖFE, motiviert durch die Heilsarmee, bauen in ihrer Wirkung auf den Kontrast zwischen überschwenglicher Aussage und wirklichem Erfolg im Kampf um Brot für die Menschen.
Die zahllosen Hosianna-Rufe und das falsche Pathos enthüllen die Machtlosigkeit und das Scheitern derer, die glauben,
Gewalt ohne Gewalt überwinden zu können. - Im " L i e d
v o n   d e r   B l e i b e " (B.B. 4.1429) singt die Stimme
im Bauernhaus von der Geborgenheit derer, die ein Dach über
dem Kopf haben. Der Zuschauer hat noch das zerschossene Dorf
aus der Szene zuvor in Erinnerung, das völlig zerstörte Haus,
aus dem Kattrin einen wimmernden Säugling errettet. Und auch
die nachfolgende Szene zeigt, wie es im Krieg keine Sicherheit gibt. So macht das Lied hier in der Tat "die Fragwür-
digkeit der von den Figuren als 'objektiv' genommenen Realität sichtbar" 1).

(1c) Widerspruch von Lied und Handlung bzw. gesellschaftlicher Realität: Käthe Rülicke-Weiler nennt hier zwei Beispiele für einen solchen Einsatz des Liedes2): Mit der Aussage
des " L i e d e s   v o n   d e r   B l e i b e " (B.B. 4.
1429) kontrastiert die Verlassenheit der Frauen vor dem Hau-
se, mit der des " L i e d e s   v o m   a c h t e n   E l e -
f a n t e n " (B.B. 4.1582) das L o b der Mutter auf ihren
Sohn Sun. - Fügen wir der besseren Anschauung wegen noch zwei
weitere hinzu: das S c h l u ß t e r z e t t der Götter
im GUTEN MENSCHEN VON SEZUAN (B.B. 4.1606) und der C h o -
r a l am Schluß der HEILIGEN JOHANNA, in den alle einstimmen. -

(2) Direkte Führung der Reflexion durch den kaschierten Autorenkommentar:

     Der Kommentargehalt eines Liedes ist in der Regel unmit-
telbar an den Zuschauer gerichtet. Wird er aber kaschiert,
wie es bei den Stücken nach 1933 sehr oft der Fall ist, so
wird dadurch eine größere Homogenität von kommentierenden
und szenischen Partien erreicht, zugleich aber auch die
ästhetische Spannung zwischen diesen aufrechterhalten. Die
Lehre, die das Lied verkündet, kann dann natürlich auch eine sofortige Reaktion innerhalb des Stückes nach sich ziehen,
sozusagen als Dokumentation und gleichzeitige Überprüfung.
     Die Kaschierung aber ist so angelegt, daß in jedem Falle

---

1) Gaede: Figur und Wirklichkeit. S. 120.
2) Rühlicke-Weiler: a.a.O. S.190.

deutlich wird: hier verläßt das Lied den Erkenntnishorizont
der singenden Person, um übergeordnete Gesichtspunkte im
Hinblick auf die Bühnenfiguren, im Hinblick auf den szenischen Vorgang und damit auf die sozialen wie ökonomischen
Grundlagen unmittelbar auf der Bühne einzubringen.

(2a) Im Hinblick auf die Bühnenfiguren wird der Realitäts-
aspekt sowohl der jeweils singenden als auch der jeweils zuhörenden Personen in der Weise beeinflußt, daß an die Stelle
des heroischen Impulses die soziale Konstellation tritt. Die
Dialektik des Klassenkampfes ist natürlich nicht ohne Folge
für die direkte Führung der Reflexion durch den kaschierten
Autorenkommentar, ganz besonders dann, wenn er im Hinblick
auf das Bühnengeschehen das Einzelschicksal herausgreift.
Brecht sucht dabei stets den Ausdruck des Kollektivs.
    Das verletzte Individuum Yvette in MUTTER COURAGE bezeich-
net etwas, was für größere gesellschaftliche Gruppen charakteristisch ist. Ihr " L i e d   v o m   F r a t e r n i -
s i e r e n " (B.B. 4.1371) behandelt nicht so sehr die
Frage der persönlichen Schuld der Yvette oder des Kochs, sondern stellt die Frage nach den gesellschaftlichen Ursachen,
die erörtert werden sollen. - Später singen im gleichen
Stück die Courage und der Koch das " L i e d   v o n   d e n
A n f e c h t u n g e n   g r o ß e r   G e i s t e r " (B.B.
4.1425). Auch in diesem Lied geht es nicht um personale Moral, sondern um soziale. Nicht die Entsprechung mit Figuren
des Stücks ist wichtig, sondern der gesellschaftliche Hintergrund. - Vor allem die Figur der Shen Te zeigt sehr deutlich, wie in den Stücken Brechts das Private von dem Sozialen abgelöst wird. Shen Te ist ein Produkt ihrer Umwelt,
zugleich wird aber auch gezeigt, wie sie ihre Umwelt beeinflußt - als Shen Te und als Shui Ta. Das " L i e d   v o n
d e r   W e h r l o s i g k e i t   d e r   G ö t t e r   u n d
G u t e n " (B.B. 4. 1439) versucht - in ähnlicher Weise,
wie es in den Liedern der MUTTER COURAGE geschah - ein ana-
lytisches Gesamtbild der sozialen und ökonomischen Situation
zu geben, in der die singende Figur, und zwar sowohl Shen Te
als auch Shui Ta, steht. Es wird die Not, ihre Verzweiflung
und ihre Ratlosigkeit deutlich. Der Zuschauer muß heraus-
finden, warum das so ist. - Vor allem die Rollenlieder verdeutlichen also als fingierte Aussagen von Einzelpersonen
pointiert gesellschaftstypische Einzel- und Gesamterschei-
nungen. Die Einengung auf die Einzelperson bewirkt leich-
tere Verständlichkeit.

(2b) Im Hinblick auf den szenischen Vorgang und (damit) auf
die sozio-ökonomischen Grundlagen ging es Brecht, das klang
schon an, um Entmythisierung des gesellschaftlichen Bereichs,
vor allem des Bereichs des Kapitalismus. An zwei Beispielen
aus dem Stück DIE SPITZKÖPFE UND DIE RUNDKÖPFE soll aufgezeigt werden, wie das Lied hier wirksam wird.
    In der 7.Szene singt der Richter, der allem Anschein nach
zu neuem, plötzlichem Reichtum gelangt ist, während der Umbauten "zu einer leisen Musik" das " L i e d   v o n   d e r
b e l e b e n d e n   W i r k u n g   d e s   G e l d e s "
(B.B. 3.981), das die Abhängigkeit aller im kapitalistischen

System Lebenden von dessen ökonomischer Basis, eben dem
Geld bzw. dem Kapital aufzeigt. Diese Welt ist nur gastlich
den Besitzenden: die Zusammenhänge werden auf das Äußerste
reduziert, sie erscheinen geradezu primitiviert, doch nur
um Primitives zu geißeln. Der Slogan "Der Schornstein
raucht" hat depravierende Wirkung in bezug auf eine Welt,
die der Richter nur dann wieder in Ordnung sieht, wenn sie
deutlich in 'Pferd und Reiter' geschieden ist. Das Recht
dient dazu, diesen Zustand zu erhalten: daß diese Analyse
einem Richter in den Mund gelegt wird, gibt ihr einen zyni-
schen Hintergrund und zugleich auch - Glaubwürdigkeit.

(3) <u>Der unmittelbare Autorenkommentar</u>

   Dieser wird in der Regel gesprochen, so etwa der Z w i -
s c h e n s p r u c h in MANN IST MANN oder der E p i l o g
am Ende des GUTEN MENSCHEN VON SEZUAN. Lieder dagegen, die
unmittelbar einen Kommentar des Autors darstellen und auch
offen als Autorenkommentar in das Geschehen auf der Bühne eingebracht werden, sind erstaunlicherweise gar nicht so zahlreich, wie man vermuten würde. Wir finden sie im Grunde genommen nur im Lehrstück. Später werden solche Kommentarfunktionen als Widersprüche mit verfremdender Wirkung oder aber
in kaschierter Form enger mit dem Szenischen verknüpft.
Trotzdem soll die Möglichkeit, daß das Lied auch die Funktion
eines unmittelbaren Autorenkommentars übernehmen kann, hier
der Vollständigkeit halber erwähnt sein.

(3a) <u>Kommentar und Stellungnahme zum Handeln einer Person</u>
   In dem Stück DIE AUSNAHME UND DIE REGEL erreichen der
Kuli und der Kaufmann in der 5. Szene den Fluß, der Hochwas-
ser führt. Aus Furcht vor Räubern will der Kaufmann den
Fluß um jeden Preis durchqueren. Doch der Kuli, der ja von
den Räubern nichts zu befürchten hat, fürchtet den reißenden Fluß mehr. Er ist ratlos gegenüber den Vorhaltungen des
Kaufmanns. Das Lied, gesungen von dem Kuli, analysiert die
Situation in einer Weise, die aufzeigt, daß hier Gedanken
des Autors ausgesprochen werden: "Hier ist der Fluß,/ Ihn
zu durchschwimmen, ist gefährlich./ An seinem Ufer stehen
zwei Männer./[...]" (B.B. 2.805 f.). Und es wird durchge-
spielt, was geschieht, wenn.... "Der Kaufmann, der Gefahr
des reißenden Flusses entronnen,betritt sein Besitztum".
Der Kuli aber "steigt aus der Gefahr/ Keuchend ins Nichts".
Und: "Aus dem gemeinsam besiegten Fluß/ Steigen nicht zwei
Sieger.". Und der Kuli schließt sich dieser Analyse der
Situation an. Vier kurze Zeilen, an das Lied angehängt, bringen das zum Ausdruck: "Wir und: ich und du/ Das ist nicht
dasselbe./ Wir erringen den Sieg/ und du besiegst mich."
Folgerichtig weigert sich anschließend der Kuli, wenn auch
nicht gerade heraus, dazu ist er zu lange Kuli gewesen. Der
Kaufmann aber zwingt ihn nun mit vorgehaltener Waffe, mit
ihm den Fluß zu durchqueren.

(3b) <u>Argumentation und Schlußfolgerung zum szenischen Ge-</u>
<u>schehen:</u> Am Ende der achten Szene des Stückes DIE
RUNDKÖPFE UND DIE SPITZKÖPFE singt Nana, die Tochter des
Pächters Callas die " B a l l a d e v o m W a s s e r -
r a d " (B.B. 3.1007 f.). Die Aussage des Liedes beansprucht im Gefüge des Stückes überpersonale Gültigkeit. Nana
singt unvermittelt und auf der "Gasse der Altstadt": es fehlt
eine Motivation ihres Gesanges und es reagiert auch niemand
auf der szenischen Ebene. In der Aussage des Liedes wird auf
der einen Seite das gesellschaftliche Abhängigkeitsverhält-
nis aufgezeigt, zugleich aber auch die Größe der "Großen"
entmythologisiert: ihr Aufstieg ist die Arbeit derer, die
sie beherrschen. Für die Vorgänge des Stücks bedeutet dieses Lied Argument und Schlußfolgerung zugleich: Schlußfolgerung aus dem Geschehenen und Argument für das Kommende.

---

e.) <u>Appellative Funktionen:</u>   Polemischer Anruf, Agitation,
                                  politischer Auftrag

    (1) Der polemische Anruf

    (2) Die Indoktrinierung durch Agitation

    (3) Der zum Befehl ausgeweitete politische Auftrag

    Wie jede unmittelbar tendenziöse Darstellung enthält auch
diejenige Brechts in sich den Anstoß zur Stellungnahme, hier
im besonderen die Aufforderung zur Abschaffung der kritisier-
ten Mißstände und zur Veränderung der Verhältnisse überhaupt.
Die Aufforderung zum solidarischen Handeln ist auch dort gegenwärtig, wo sie nicht direkt ausgesprochen wird. Das sow-
jetische Theater mit Eisenstein, Meyerhold. Majakowski u.a.
suchte sein Publikum emotional für den Kampf der Revolution
zu binden. Es ging davon aus, daß Kunst politisch wirksam
sein muß, indem sie das Bewußtsein der Menschen verändern
hilft. Doch Brecht mißtraute dem Gefühl, er schlug seinem
Wesen gemäß den Weg über die Ratio ein. Er stellte gesellschaftliche Prozesse auf die Bühne, ergänzte deren tendenziö-
se Bildhaftigkeit durch Lieder, die thematische Schwerpunkte
setzten und suchte so Denkanstöße zu vermitteln, von denen
er sich seinerseits revolutionierende Wirkung versprach. In
dieser Weise geht von der Mehrzahl seiner Lieder tatsächlich
ein Appell an den Zuschauer als "Praktiker" aus, "sie wenden
sich direkt an ihn, außerhalb der Grenzen der eigentlichen
Handlung"[1], wie Andrej Wirth es formuliert.
    Doch nicht dieser allgemeine Appell interessiert uns hier,
sondern die unmittelbar ausgesprochene Forderung, der direkte
Appell zum Handeln. Lieder mit so verstandenen Funktionen,

---

1) A.Wirth: a.a.O., S.355.

die sich vor allem in den Agitprop-Veranstaltungen in massiver Weise an den Zuschauer richteten, sind bei Brecht bei
weitem nicht so häufig, wie man vermuten sollte. - Stücke,
die in verfremdender Weise die Kapitulation als Anpassung
des Subjekts an eine ihm feindliche Realität zur Diskussion
stellen, werden natürlich in anderer Weise Lieder mit appel-
lativen Funktionen einsetzen als etwa solche Stücke, in denen das Engagement als Weg zur Selbstbefreiung des Individuums verkündet wird. So sieht also - kurz gesagt - der Appell in dem Stück DER GUTE MENSCH VON SEZUAN anders aus als
der im Stück DIE MUTTER.

(1) Der polemische Anruf findet sich in MANN IST MANN, in
    der DREIGROSCHENOPER, aber auch in MUTTER COURAGE und
im GUTEN MENSCHEN VON SEZUAN, Stücken also von recht unterschiedlicher Struktur.
    Im "L i e d   v o m   F l u ß   d e r   D i n g e " (MANN IST
MANN, B.B. 1.337) singt die Begbick den stets gleichbleiben-
den Refrain:
    "Beharre nicht auf der Welle,
    Die sich an deinem Fuß bricht, solange er
    Im Wasser steht, werden sich
    Neue Wellen an ihm brechen." (B.B. 1.337).
Im Refrain des   " L i e d e s   v o m   R a u c h " zeigen
kleine Veränderungen in der Anfangszeile an, daß jede der
singenden Personen aus der gleichen Erfahrung heraus den
gleichen Rat gibt:
    "Drum sagt ich: laß es!
    Sieh den grauen Rauch
    Der in immer kältre Kälten geht: so
    Gehst du auch." (B.B. 4.1507)
Der Refrain beider Lieder ruft keineswegs zur Anpassung auf.
Der eigentliche Anruf lautet im Grunde doch, sich diesem
scheinbar unabänderlichen Gesetz zu entziehen und zu kämpfen, also genau das Gegenteil von dem zu tun, was hier an-
geraten wird. - Verweigerung aber ist auch die einzig mög-
liche Antwort auf die kapitalistische Devise, die in der
" B a l l a d e   v o m   a n g e n e h m e n   L e b e n "
(DREIGROSCHENOPER, B.B. 2.447) verkündet wird: "Nur wer im
Wohlstand lebt, lebt angenehm!" - Überdeutlich polemisch
ist auch der Aufruf im Refrain des   C o u r a g e - L i e -
d e s   abgefaßt:
    "Das Frühjahr kommt! Wach auf, du Christ!
    Der Schnee schmilzt weg! Die Toten ruhn!
    Und was noch nicht gestorben ist
    Das macht sich auf die Socken nun." (B.B. 4.1351)

(2) Die Indoktrinierung durch Agitation ist eine Aufgabe,
    die dem Lied vor allem in der Kampfsituation gestellt
wird. Wir finden Lieder mit solchen Funktionen vor allem
in den Jahren kurz vor 1933. Hier war kein Raum mehr für
ironische Distanz, die noch den Anruf charakterisierte.
Die politische Argumentation, die sich auch hier findet,
ist eindeutiger und schärfer gefaßt. Sie ist nicht auf Diskussion, sondern eben auf Indoktrination ausgerichtet. Hier

wird ohne Kompromiß und Alternative eine bestimmte politische bzw. ideologische Vorstellung propagiert. Der Anruf in dieser Form ist unvermittelt an eine bestimmte Zielgruppe gerichtet: nicht mehr nur an die "Unteren", sondern an die klassenmäßig Benachteiligten, die ausgebeuteten Arbeiter. Im " L i e d v o m F l i c k e n u n d v o m R o c k " (DIE MUTTER, B.B. 2.839) wird Realität (der Flikken) und Forderung (der Rock) gegenübergestellt und die Erfüllung der Forderungen verlangt. Das Lied ist als Appell von Arbeitern für Arbeiter formuliert und trägt deutlich klassenkämpferisch-revolutionären Charakter. - Bewußtsein der Klassenlage soll auch die " B a l l a d e v o m W a s s e r r a d " (DIE RUNDKÖPFE, B.B. 3.1007) wecken. In der 2.Strophe dieses Liedes werden Tiermetaphern zur negativen Charakterisierung des politischen Gegners herangezogen, Hyänen, Tiger usw.. Nach dieser agitatorischen Verschärfung und Solidarisierung des Autors im "Wir" erfolgt der revolutionäre Appell: "Ihr versteht: ich meine
            Daß wir keine andern Herrn brauchen, sondern keine!" (B.B. 3.1008)
Das " L i e d v o n d e r Z u b e r e i t u n g d e s s c h w a r z e n R e t t i c h s " (SCHWEYK, B.B. 5.1956) nutzt ebenfalls einen metaphorischen Vergleich, hier aber als Sicherung vor dem zuhörenden Spitzel Brettschneider. Das Bild des schwarzen Rettichs bezogen auf die schwarzuniformierte SS: der Rettich lebt im Dreck, allerdings v o r dem Haus - und dort ist er fehl am Platz, er muß weg. Ihn zu beseitigen, muß man einen Handschuh überziehen! (1.Str.). Der Rettich ist käuflich, man kann ihn in Stücke schneiden und durch Salz entschärfen. Und hier plötzlich der Appell, der noch verschlüsselte Befehl:
    "Reibs in die Wunde, daß er merkt, daß ihm nicht nitzt.
    Salz hinein! Bis er schwitzt.
    Salz ihn ein!" (B.B. 5.1946)

(3) Der zum Befehl ausgeweitete, politische Auftrag ist in nur ganz wenigen Liedern unmittelbar gestaltet. Zwei Beispiele finden sich bezeichnenderweise in dem Stück DIE MUTTER. Das " L o b d e s L e r n e n s " (B.B. 2.857) wird von den revolutionären Arbeitern den Lernenden zugesungen. Angesprochen ist expressis verbis der "Genosse": er, der aufgefordert ist, die Führung zu übernehmen, muß sich das nötige Wissen selbst erarbeiten, es wird ihm nicht geschenkt. Das Lied formuliert Erfordernisse der zugespitzten gesellschaftlichen Situation. - In der 11.Szene rufen die revolutionären Arbeiter in einem C h o r l i e d der kranken Pelagea Wlassowa zu: "Steh auf, die Partei ist in Gefahr!" Dieser Befehl, dem die Mutter innerhalb des Stücks folgt, ist über das Stück hinaus an alle zweifelnden und verzweifelnden Genossen gerichtet. Es ist der Befehl, der gefährdeten Partei beizustehen (B.B. 2.886). Eine ähnliche imperativistische Aufforderung spricht das " S i c h e l l i e d " in dem Stück DIE RUNDKÖPFE UND DIE SPITZKÖPFE aus (B.B. 3.938), das in der 3.Szene zum ersten Mal gesungen wird, während sich die Pächter die Hände rei-

chen. Es ist ein ausgesprochenes Kampflied:
"Bauer steh auf!
Nimm deinen Lauf!" (B.B. 3.938)
Das Lied erinnert daran, daß wirkliche Hilfe nur dem zuteil
wird, der sich selbst hilft. Einen ähnlichen Appell kennen
wir aus der MASSNAHME. Im 4.Teil singt dort der Kontrollchor: "Komm heraus, Genosse! Riskiere
den Pfennig, der keiner mehr ist ..." (B.B. 2.645)
Solche Lieder, die mehr oder weniger unmittelbare Appelle
zur Tat, zur politisch-revolutionären Tat enthalten, fehlen
nahezu gänzlich in den Stücken des Exils, die ja für ein
Berufstheater geschrieben sind. Hier blieb ein unmittelbarer Austausch zwischen Publikum und Berufsschauspieler immer
problematisch. Insofern unterbleiben auch Appelle, die unmittelbar auf irgendwelche Aktionen abzielen. Zudem war
Brecht in Amerika doch bereits zu weit von seinem gewohnten
Rezipienten, dem deutschen Publikum mit seiner spezifischen
gesellschaftlichen Lage, entfernt.

---

2. Das Lied als Träger lyrischen Ausdrucks

Die andere, zur Bestimmung der Gattung "Lied zu Stükken" wichtige Größe liegt im lyrischen Ausdruck wie im formalen Aufbau hinlänglich offen zutage und wurde daher auch oft
genug von der Forschung abgehandelt. Wir selbst haben uns
bereits mit der Dimension des Lyrischen im ersten einleitenden Kapitel beschäftigt, indem wir uns konkret mit den Begriffen " S o n g " und " E i n l a g e " auseinander-
setzten. Darauf sei hier nur kurz verwiesen. Um nun innerhalb des Phänotyps "Lied zu Stücken" das Wesen der lyrischen
"Diskretheit", wie Hacks es nannte, zu klären, geht es uns
weniger darum, die Zahl der lyrischen Kleinformen etwa, die
hier auftreten können, nun noch weiter aufzufächern und im
einzelnen zu charakterisieren, wie es Stupinski in seiner
Untersuchung unternommen hat - wenn auch recht schematisch
und wenig differenzierend. Wir sind der Meinung, daß eine
solche Betrachtungsweise nicht sehr weit führt. Bereits in

der ersten Konfrontierung mit dem Phänomen "Lied zu Stükken" zu Beginn unserer Untersuchung wurde deutlich, daß unter dem Begriff "Song", so wie ihn die Literatur- und Theaterkritik recht unkritisch verwendet, sehr heterogene lyrische Gebilde subsumiert werden: Ballade (T o d i m W a l -
d e), Rollenlied (L i e d d e r S e e r ä u b e r j e n -
n y), kulinarischer Song (O M o o n o f A l a b a h m a),
Arbeiterkampflied (R e s o l u t i o n aus DIE TAGE DER
COMMUNE), Chanson (L i e d v o n d e r g r o ß e n K a -
p i t u l a t i o n), Kinderlied (der Courage) und Lied
aus dem sakralen Bereich (H o r e n l i e d), Volkslied
(der Grusche), politisch-didaktische Lyrik bzw. Spruchdichtung (L o b d e r i l l e g a l e n A r b e i t) und
vieles andere mehr. Bei diesen Beispielen ist noch nicht
einmal in bezug auf die Ballade etwa weiter differenziert
worden, als da wären neben der Naturballade die stilisierte
Volksballade, die Ballade im Stile Villons und Rudyard Kiplings, die Groteskballade, die Dialogballade und die politische Ballade. Einbezogen sind weiterhin noch nicht Formen,
die auf Montage zurückgehen und auch sogen. 'offene Liedformen'. Eine komplette Liste der in den Stücken Brechts
auftretenden lyrisch-liedhaften Kleinformen wäre geradezu
endlos. Sie würde allerdings lediglich erweisen, was auf den
ersten Blick bereits auffällt: daß hier eine enorme Vielfalt
von Formen lyrischer Art in das Drama eingegangen ist. Damit
hätten wir jedoch das allen diesen Liedern gemeinsame Wesen,
das "selbständige Wesen"[1] der in den Stücken auftretenden
Lieder keineswegs hinreichend erklärt, das so ausgeprägt war,
daß die Kritik auf weitere gattungsmäßige Differenzierung
verzichtete und als neuer Oberbegriff die Bezeichnung "Song"
sich allgemein durchsetzte.

   Indem wir nun einen neuen Weg suchen, die lyrische Qualität des "Liedes zu Stücken" näher zu bestimmen, besinnen
wir uns auf die besondere Betrachtungsweise, die unsere bis-
herige Untersuchung stets bestimmte. Sie lag gerade darin,
daß wir bei der Betrachtung des Phänomens Lied im Drama

---

1)

nicht von der jeweiligen lyrischen Gattung des einzelnen
Liedes ausgingen, sondern immer den Aspekt des Dramatischen
zum Ausgangs- und Bezugspunkt unserer Überlegungen machten.
Wir haben also an dieser Stelle zu prüfen, ob und in welcher
Weise die lyrische Qualität eines solchen Liedes, die wir ja
keineswegs leugnen wollen, vom Dramatischen her beeinflußt
oder angepaßt ist, anders formuliert: ob ein wesentlicher
Teil der äußeren und inneren Struktur des "Liedes zu Stükken" durch die besondere Beziehung, die Spannung zum dramatischen Kontext bestimmt wird.

Die Lyrik als die subjektivste unter den literarischen
Gattungen ermöglicht, wie Hacks sagt, eine gewisse Intimität
des Gedankenaustausches: "der Lyriker gibt sich zu erkennen"[1]. Die dadurch geprägte Aussagehaltung setzt den Autor
in die Lage, Subjektiv-Erlebtes in unterschiedlichen Graden
der Subjektivität zu gestalten: "Das Lied ist in geringerem
Maß Privatsache, als das Gedicht, die Ballade in geringerem
als das Lied."[2] Auf das Drama bezogen ergibt das den folgenden Ansatz: Lyrik bzw. Lied im Drama ist für den Autor
eine Möglichkeit, Ansichten (auch seine Ansichten) und Gefühle (auch seine Gefühle) in die dramatische Form einzubringen,
die in einem besonderen Maße der Objektivität verpflichtet
zu sein scheint. In welcher Weise aber verändern sich unter
dieser Motivation die eingesetzten lyrischen Mittel? In welchem Ausmaß wird der sprachliche Stil durch den dramatischen
Zweck bestimmt? Zu welchen spezifischen Aussagehaltungen werden die Lieder innerhalb der Stücke Brechts geführt?

Die Technik der Episierung im dramatischen Bereich, die
wir bereits ausführlich behandelt haben, übt natürlich nach-
haltigen Einfluß auch auf die lyrische Erscheinungsform aus.
Dabei erhebt sich allerdings die Frage, ob diese Technik
nicht bereits zu einem Zeitpunkt die Lyrik Brechts bestimmte,
als der Dramatiker noch um Gestaltungsprinzipien rang, ja
ob dieser Art der Gestaltung nicht überhaupt als typische
Zeiterscheinung der Lyrik des 20.Jahrhunderts zu werten sei.

---

1) Hacks, a.a.O. S. 421.
2) ebda.

In die Diskussion über die Frage, wer jeweils im Erkenntnis-
und Gestaltungsprozeß des Autors wessen Vorläufer gewesen
sei, der Dramatiker in bezug auf die Lyrik oder der Lyriker
in bezug auf die Dramatik, kann an dieser Stelle nicht ein-
getreten werden. Diese Fragestellung ist hier nur von be-
dingtem Interesse. Wichtig ist uns vielmehr jene bereits zi-
tierte Äußerung Brechts, daß er in dieser Zeit die Hauptarbeit für das Theater verrichtete. Das war natürlich auch
nicht ohne Einfluß auf die lyrische Produktion. So ist es
wohl besser, von einer wechselseitigen Einwirkung zu sprechen, die sicherlich dort besonders ausgeprägt zutage liegt,
wo der Dramatiker den Versuch unternimmt, Lyrik bzw. Lieder
in seine Dramen aufzunehmen, wo er - wie Hacks sagt - in einem "fremden Gestus" arbeitet.

Der e p i s i e r e n d e Grundzug fällt bei den "Liedern zu Stücken" bereits rein äußerlich ins Auge, wenn solche F o r m e n bevorzugt in den Stücken verwandt werden,
die innerhalb der lyrisch-liedhaften Gattungen stark epischen Charakter haben, ja sogar dem Grenzbereich zwischen
dem Lyrischen und dem Epischen zuzuweisen sind. Es handelt
sich hier um Balladen in den bereits angedeuteten vielfältigen Ausformungen, um Bänkellied und Rollenlied, um Chanson
und manches andere. Der anekdotische Grundzug dieses Typus
wird mehr und mehr durchsetzt mit reflektierenden Einschü-
ben und bald kommen Formen politisch-didaktischer Lyrik hinzu, die ebenso einen Grenzwert im Bereich des Lyrischen darstellen. Hier ist der "Song" in bestimmten Ausformungen zu
erwähnen, das Arbeiterlied, die politische Spruchdichtung
und sogen. 'offene Liedformen'. Sie vermochten einmal der
Forderung nach mehr Aktualität gerecht zu werden, zum anderen ließ sich in ihnen auch in unmittelbarem Kommentar (und
auch Appell) auf das Stück verweisen bzw. aus ihm heraus.
Allen Formen gemeinsam aber ist die Möglichkeit, in besonderer Weise Ansichten und Thesen zu formulieren und zur Diskussion zu stellen, Perspektiven vorzuführen.

Stark vergrößert lassen sich in diesen Liedern zwei
m e t r i s c h e S t r u k t u r e n festlegen, die allerdings als polare Möglichkeiten anzusehen sind, zwischen

denen sich variantenreiche Zwischenformen bilden. Da ist
zunächst die einfache liedhafte Strophe, häufig vierzeilig,
in der Regel mit einfachem Reimschema - etwa a b a b .
Diese Strophenform wird bevorzugt dort eingesetzt, wo es
Brecht um Eingängigkeit, um emotionale Beeinflussung seines
Publikums geht, wo, wie Ulla Lerg-Kill es formuliert, bestimmte Inhalte dem Publikum "als seine eigene, zum Lied
formulierte, Aussage in den Mund gelegt sind"[1]. Diesen mehr
oder weniger streng strophisch gebauten Liedern, die oft
auch einen Refrain mit wesentlichen Funktionen aufzuweisen
haben, stehen die "freien Rhythmen", von Brecht als "reimlose Lyrik mit unregelmäßigen Rhythmen" (B.B. 19.395ff.) bezeichnet, gegenüber. Wir finden sie vorzugsweise dort, wo
es nicht um konkrete Berichte, sondern um abstrakte Reflexionen über gesellschaftliche Zustände, um Denkanleitung
zu ihrer Veränderung geht - in der spruchhaften politischen
Dichtung (Lob des Kommunismus, B.B. 2.852) und in den Be-
richten der erzählenden politischen Dichtung (Bericht vom
Fliegen, BADENER LEHRSTÜCK, B.B. 2.589f.). Hier gerät das
'Lied zu Stücken' in einen Grenzbereich der Lyrik, denn die
freie Rhythmisierung etwa des Berichts weist bereits - das
stellt auch Ulla Lerg-Kill[2] fest - in den Bereich der
rhythmisierten Prosa. In dem Aufsatz "Über reimlose Lyrik
mit unregelmäßigem Rhythmus" (B.B. 19.395ff.) aus dem März
1939 gibt Brecht für die Tatsache, daß er neben Balladen
und Massenliedern mit Reim und regelmäßigem Rhythmus "mehr
und mehr Gedichte ohne Reim und mit unregelmäßigem Rhythmus"
geschrieben habe, jene Begründung, auf die wir bereits hingewiesen haben:

> "Man muß dabei im Auge behalten, daß ich meine
> Hauptarbeit auf dem Theater verrichte; ich
> dachte immer an das Sprechen. Und ich hatte mir
> für das Sprechen (sei es der Prosa oder des Ver-
> ses) eine ganz bestimmte Technik erarbeitet. Ich
> nannte sie gestisch.
> Das bedeutete: die Sprache sollte ganz dem Gestus
> der sprechenden Person folgen." (B.B. 19.398)

Hier bestätigt Brecht in gewisser Weise die bereits zitier-

---

1) Lerg-Kill: a.a.0. S. 160.
2) ebda.

Ansicht von Peter Hacks, daß der Autor eines 'Liedes zu
Stücken' in einem fremden Gestus, eben als Stückeschreiber,
arbeitete.

Die Feststellung, daß die "unregelmäßigen Rhythmen" geprägt weren durch Sinneinheiten, durch den im Wort begründeten Denk- und Sprechvorgang ist bereits eine erste Aussage über den S p r a c h - S t i l . Dem Drama der Analyse
entspricht die Sprache der Erörterung, die auch in das Lied
eindringt. Das ist wiederum zu sehen vor dem Hintergrund einer veränderten szenischen Struktur.

Aus der Betrachtung der traditionellen Dramenstruktur entwickelte Benno v. Wiese das dramaturgische Gesetz von der
"Spannung von Situation und Rede"[1]. Da aber in den Stücken
Brechts der einzelne Mensch nicht mehr im Mittelpunkt des
dramatischen Spiels steht, ist folgerichtig das dramatische
Gespräch im 'epischen Theater' nicht mehr Träger der Handlung, es führt nicht mehr "an die Schwelle, an der das Wort
sich in Handeln oder auch Nicht-Handeln, in jedem Falle aber
in Entscheidung umsetzt"[2]. Die Situationen, in denen der
Mensch auf der Bühne erscheint, haben parabolischen oder
experimentellen Charakter, es handelt sich um (mehr oder weniger kaschierte) Demonstration, Versuchsanordnung: "Situationen mit Modellcharakter". Indem die handelnden Personen
etwas darstellen, die Fabel demonstrieren, erhält ihre Sprache einen stärkeren Akzent in ihrem Eigenwert als Erörterung:
Sprache der Erörterung. Hier ist nun interessant, einmal zu
verfolgen, in welcher Weise dieses sprachliche Charakteristikum der dramatischen 'Kontinuität' innerhalb der Lieder aufgenommen und verarbeitet werden.

Die Dialogsprache Brechts kennt kein "hastiges Hervor-
sprudeln einer Meinung, kein vorschnelles übereiltes Fällen
eines Urteils", wie W.Heinitz in seiner Untersuchung[3] über
die Sprache Brechts feststellt. Das gilt auch für die mono-
logische Struktur des Liedes. Lieder, die der Wiedergabe

---

1) B.v.Wiese: Gedanken zum Drama als Gespräch und Handlung.
   S.32.
2) ebda.
3) W.Heinitz: Das Epische in der Sprache Bertolt Brechts.S.50.

und Vertiefung einer Stimmung dienen, sind eh in der Min-
derzahl, wie wir gesehen haben: wo sie auftreten, dienen sie
fast immer dazu, die gesellschaftliche Beziehung aufzuzeigen,
in der der Singende steht. In den übrigen überwiegt - soweit
sich das auf die Lyrik überhaupt übertragen läßt - Bericht
und Protokoll, Argumentation und Resumee. Die Folge ist einmal ein beschreibender, betont berichtender Zug der Sprache.
"Ich war erst 17 Jahre/ Da kam der Feind ins Land" beginnt
das 'L i e d v o m F r a t e r n i s i e r e n ' (COU-
RAGE, B.B. 4.1371). Hier wird in aller Knappheit ein Faktum
mitgeteilt, von dessen Kenntnis das Verständnis des Folgenden abhängt. Die Ballade "U n d w a s b e k a m d e s
S o l d a t e n W e i b " (SCHWEYK, B.B. 5.1920) ist nichts
anderes als ein in Liedform gekleidetes Protokoll vom Ablauf
eines Krieges. Die Fügungen in den Liedern sind entweder
reihend, wie in diesem Falle, oder aber auch antithetisch
und spannungssetzend, wie im Falle des " L o b d e s
K o m m u n i s m u s " (DIE MUTTER, B.B. 2.852). Das Stilmittel der anaphorischen Reihung deutet hier in der Tat auf
strenge Gedankenzucht, wenn auch nicht unmittelbar auf [1]
"Gleichschritt" und auf "Einordnung", wie Hinck meint.
Argument oder Analyse und Gegenposition münden in das Resumee, das oft genug den Charakter der Parole hat, wie im
"L i e d v o m F l i c k e n u n d v o m R o c k "
(DIE MUTTER, B.B. 2.839). Motive aus dem Bereich der Natur
und des Kreatürlichen werden der Emotionen weitgehend ent-
kleidet, sie gewinnen neue Inhalte - wie das Bild des Flusses im " L i e d v o m F l u ß d e r D i n g e " (MANN
IST MANN, B.B. 1.337). Hinzu kommen "appellierende Sinnmo-
tive", wie Hinck sie nennt: "Lehren der Klassiker", "die Revolution vorbereiten" oder die "Welt verändern". Die Rede
wird entpersönlicht, an die Stelle des persönlichen Aussagewertes tritt der soziale. Auf diesen überpersönlichen Zusammenhang wird auch im Lied immer wieder durch sprachliche und
sonstige Mittel hingewiesen. Überlieferungen, allgemeine
Eindrücke und Meinungen, Autoritäten, Lehrsätze, Lebensweis-

---

1) W.Hinck: Bertolt Brecht: S.330.

heiten sollen der Aussage über den Singenden hinaus Gewicht
verleihen. Gleichzeitig sind sie Orientierungshilfe auf dem
Weg zur Erkenntnis der Wahrheit. Auffällig ist dabei, daß
nicht die Großen der Welt gültige Erfahrungssätze prägen.
Die sprichwörtliche Rede bei COURAGE ('L i e d v o n d e r
g r o ß e n K a p i t u l a t i o n ! , B.B. 4.1394) etwa
ist unerschöpflich und tiefgründig:

> "Einst, im Lenze meiner jungen Jahre
> Dacht auch ich, daß ich was ganz Besondres bin.
> /......./
> Und bestellte meine Suppe ohne Haare
> Und von mir, sie hatten kein Gewinn.
> /......./
> Doch vom Dach ein Star
> Pfiff: wart paar Jahr!
> Und du marschierst in der Kapell
> Im Gleichschritt, langsam oder schnell
> Und bläsest deinen kleinen Ton:
> Jetzt kommt er schon.
> Und jetzt: das Ganze schwenkt!
> Der Mensch denkt: Gott lenkt –
> Keine Red davon!"   (B.B. 4.1394f.)

Formeln wie "man sagt", "wie man hört", "wie wir kürzlich
vernahmen", "das hörte ich sie oftmals sagen" sind so zahlreich, daß es sich erübrigt, hier besondere Beispiele anzu-
fügen.

Kennzeichnend für die Entpersönlichung des Ausdrucks und
für das Streben nach Anschaulichkeit und volkstümlicher Unmittelbarkeit sind sprachliche Historismen, die immer wieder
vorkommen. Sie sind nicht nur in Liedern vom Stil des " H o -
r e n l i e d e s " (B.B. 4.1384) oder des " L i e d e s
v o n d e r B l e i b e " (B.B. 4.1429) anzutreffen. Stets
aber wird dadurch sowohl eine Distanzierung in den Bereich
des Geschichtlichen, Anschaulichkeit durch sozusagen ton-
treue Milieuwiedergabe und Vertrautheit durch den bekannten
Volksliedton erreicht. Hierin liegt die besondere Kunst
Brechts: Umgangssprachliches wird gebunden, Einfachheit ist
entscheidender Grundzug, der scheinbar spielend auch dort
noch erreicht wird, wo die Sprache sich entscheidend von einer 'natürlichen' Sprechweise entfernt (' L i e d v o m
R a u c h ', GUTER MENSCH, B.B. 4.1507). Die Sprache ist"poetisch enthaltsam geworden", sagt W.Hinck[1], "...gleichsam

---

1) W.Hinck: Bertolt Brecht: S.330.

auf Arbeitsleistung zugeschnitten". Die Lieder des Exils
sind zwar wieder poetisch farbiger geworden, indem sie die
kühle Abstraktion aufgeben und sich wiederum auf den Menschen besinnen. Geblieben ist allerdings der "Zug zur sach-
lichen und lakonischen Diktion"[1] auch im Lied. Jegliche Adjektive sind auf ein Mindestmaß reduziert, die Substantiva
gewinnen dadurch an Transparenz und Bildkraft und Gewicht.
Brecht vermeidet überladene Wörter, Genauigkeit ist angestrebt. Daher überwiegen nun in auffälliger Weise Konkreta,
Abstrakt-Begriffliches wird weitgehend vermieden.

Gemeinsam ist allen Liedern das ganz offensichtliche Streben nach Mitteilung über die Bühne und das eigentliche szenische Geschehen hinaus. Diese von uns bereits mehrfach angesprochenen kommunikativen sprachlichen Techniken sind das
Resultat der szenischen Konzeption, die in besonderer Weise,
wie wir zu entwickeln hatten, den Zuschauer in die Gestaltung einbezieht. Sie sind im "Lied zu Stücken", das Brecht
ja selbst zuweilen als "Publikumsadresse" bezeichnet, natürlich ganz ausgeprägt nachweisbar. Interessant - darauf haben
wir bereits aufmerksam gemacht - ist, daß gerade Brechts Arbeiten zum Objekt einer publizistik-orientierten wissenschaftlichen Untersuchung wird und daß in dieser Untersuchung das "Lied zu Stücken" eine bedeutende Rolle spielt.
Sprachlich (und auch musikalisch) ist der von uns erwähnte
volksliedhafte Ton bereits in diesem Zusammenhang zu sehen.
Oft finden wir direkte Anreden an das Publikum wie in dem
" L i e d   d e r   S e e r ä u b e r j e n n y " (B.B. 2.415).
Fragefiguren sollen Aufmerksamkeit intensivieren wie in der
" B a l l a d e   v o m   W a s s e r r a d " (B.B. 3.1007).
Wortwiederholungen und Worthäufungen vereindringlichen die
Aussage wie in der " R e s o l u t i o n " der COMMUNE (B.B.
5.2137) oder im Lied " U n d   w a s   b e k a m   d e s
S o l d a t e n   W e i b " (B.B. 5.1920). Auffällige syntak-
tische Anordnungsprinzipien wie Parallelismus oder Chiasmus
sollen den Ausdruck steigern. Die Fingierung von Gesprächen
(" S o n g   v o n   d e r   W a r e " , B.B. 1.650), die Per-

---

1) W.Hinck: Bertolt Brecht: S.330.

sonifikation sozialer Phänomene (etwa des Unrechts in " L o b
d e r D i a l e k t i k " , B.B. 2.895), die Aufgliederung
eines Gesamtgedankens oder -geschehens in sinnfällige Ein-
zelheiten, diese Techniken sind auf Mitteilung an den Zuschauer, auf seine Indoktrination, nicht die der Bühnenfiguren, gerichtet.

Der spezifische Reiz, der hier von den "Liedern zu Stükken" ausgeht, liegt darin begründet, daß der Singende sich
aus seiner Rolle zunächst einmal lösen muß: durch die Distanzierung von seiner im Drama begründeten Existenz gewinnt
er die besondere Nähe zum Publikum, die eine nahezu unabding-
bare Voraussetzung für den angestrebten lyrischen Rezeptionsvorgang ist. Das wird in den Liedern wiederum in vielfältiger
Weise angelegt.

Z e i t l i c h e V e r w e i s e sind natürlich bevor-
zugte Stilelemente e p i s i e r e n d e r Darstellungen.
Sie sind teils konkret, teils weniger konkret, wichtiger ist
stets die dahinter stehende philosophische Erfahrung. Für
den Gebrauch des erzählenden Imperfekts erübrigen sich hier
die Beispiele. Auffälliger sind Zeitangaben an hervorgeho-
bener Stelle, nämlich am Zeilen-, Vers- und Strophenanfang.
Die Beispiele dafür sind ungemein zahlreich: "Meine Herren,
h e u t e sehen sie ..." ('Lied der Seeräuberjenny', DREI-
GROSCHENOPER, B.B. 2.419); 'Meine Herrn, mit siebzehn J a h-
r e n ..." ('Nanas Lied', DIE RUNDKÖPFE, B.B. 3.931); "Herr
Puntila soff drei T a g e lang ..." ('Puntilalied', B.B.
4.1710); " E i n s t m a l s , vor das Alter..." ('Lied vom
Rauch', "DER GUTE MENSCH, B.B. 4.1507); " E i n s t , im
Lenze meiner jungen Jahre" ('Lied von der großen Kapitula-
tion', MUTTER COURAGE, B.B. 4.1394); "Ich war erst siebzehn
J a h r e " ('Lied vom Fraternisieren', COURAGE, B.B. 4.
1371); "In der ersten T a g e s s t u n d " ('Horenlied',
COURAGE, B.B. 4.1384); "Eines schönen T a g e s befahlen
uns ..." ('Deutsches Miserere', SCHWEYK, B.B. 5.1989).

R ä u m l i c h e Z u o r d n u n g ist ein beinahe
ebenso wichtiges Mittel e p i s c h e n Verweisens. Hier
werden bei Brecht eher geistige bzw. soziale Orte angegeben,

auch dort, wo es sich um reale geographische Ortsbezeichnun-
gen zu handeln scheint wie etwa Bilbao, Mahagonny oder Ta-
vastland. Auch hier einige Beispiele für Raumangaben an ex-
ponierter Stelle, also zu Beginn einer Zeile oder einer
Strophe: 'Bills Ballhaus i n B i l b a o " ('Bilbao-Song',
HAPPY END, B.B. 9.319); "Reis gibt es u n t e n a m
F l u ß / In den obern Provinzen..." ('Song von der Ware',
DIE MASSNAHME, B.B. 2.645); "Es lebt eine Gräfin i m
s c h w e d i s c h e n LAND..." ('Ballade vom Förster und
der Gräfin', PUNTILA, B.B. 4.1694); "Herr Puntila soff drei
Tage lang/ I m H o t e l z u T a v a s t h u s ..."
('Puntilalied', B.B. 4.1710); "Am Grunde der M o l d a u
wandern ..." ('Lied von der Moldau' , SCHWEYK, B.B. 5.1968).
Von den Ortsangaben wird sogar das ganze Lied in seinem Auf-
bau geformt bei den beiden anderen Liedern des SCHWEYK: "Und
was bekam des Soldaten Weib" (B.B. 5.1920) und 'Deutsches
Miserere' (B.B. 5.1989).

G e d a n k l i c h e   K o n k r e t i s i e r u n g von
Vorgängen und von diesen beeinflussenden Personen erfüllen
im Grunde die gleiche Aufgabe wie die beiden vorigen, nämlich
e p i s c h e   Bestimmung des Erzählgegenstandes. Auch hier
lassen sich einige Beispiele rasch zusammentragen: " D a s
i s t   unsere Genossin Wlassowa ..." ('Lob der Wlassowas',
DIE MUTTER, B.B. 2.872); "In dem System, das sie gemacht
haben ..." (DIE AUSNAHME UND DIE REGEL, B.B. 2.820);
" H i e r   i s t   der Fluß ..." ('Lied vom Ich und vom Wir',
DIE AUSNAHME, B.B. 2.805); " I n   E r w ä g u n g unserer
Schwäche ..." ('Resolution der Kommunarden', 'TAGE DER COM-
MUNE', B.B. 5.2137); " W e n n   d u   keine Suppe hast/ W i e
willst du dich da wehren?" ('Lied von der Suppe', DIE MUT-
TER, B.B. 2.730); " W e n n   die Unterdrückung zunimmt..."
('Lob des Revolutionäres', DIE MUTTER, B.B. 2.857).

Die Prägung der äußeren Form, die Determinierung des Er-
zählraumes und der Erzählzeit sind nicht die einzigen Form-
einflüsse der Episierung auf die lyrische Gestalt, die sich
nachweisen lassen. Interessanter noch ist der Vorgang der
O b j e k t i v i e r u n g   d e s   S u b j e k t s , die
sich nicht nur über das Lied (s. voriger Abschnitt über die

'Kontinuität') vollzieht, sondern auch innerhalb seines
Aussagefeldes selbst nachweisbar ist. In dem vorhin erwähnten ' L i e d   d e r   S e e r ä u b e r j e n n y ' heißt
es "Meine Herrn, heute sehen sie m i c h Gläser abwaschen"
(B.B. 2.415), nicht aber, wie es zwar möglich, aber kaum der
dramatischen Grundkonzeption entsprechen würde, etwa "Ich
wasche heute Gläser ab" oder ähnlich.

Es gibt eine ganze Reihe von "Liedern zu Stücken", in
denen der Effekt der O b j e k t i v i e r u n g noch dadurch gesteigert wird, daß Erzähler und Erzählgegenstand
identisch sind. Der Song 'Denn wie man sich bettet' (B.B.
2.546), gesungen von Jenny der Oper MAHAGONNY beginnt: "Meine Herren, meine Mutter prägte auf mich einst ein schlimmes
Wort ..." Und im SCHWEYK schließlich beginnt das 'Deutsche
Miserere' mit der Zeile: "Eines schönen Tages befahlen
u n s unsere Oberen..." (B.B. 5.1989). Hier ist überaus
klar ausgesprochen, was wir als Motiv für die Objektivierung
ansahen: der Mensch fühlt sich nicht mehr frei in seinem
Handeln, er ist von außen gesteuert.

Eine bestimmte, nicht geringe Anzahl von Liedern stellt
nichts anderes dar als V o r g a n g s v e r g l e i c h e
mit parabelhaftem Charakter. In dieser wiederum stark
e p i s c h orientierten Struktur sind sie eine besondere
Form der Objektivierung des lyrischen Inhalts. Das "L i e d
v o m   a c h t e n   E l e f a n t e n " (B.B. 4.1482), das
wir bereits ausführlich vorgestellt haben, kann hier geradezu als exemplarisch angesehen werden. Sun, der Antreiber,
war vor kurzem selbst noch der Angetriebene. Die liedhaft
gestaltete Tierfabel von dem Elefanten, der seine Art verrät, folgt dem erzählerischen Grundzug der ganzen Szene,
geht nahezu in ihr auf. Das Gleichnis, das durch alle Strophen des Liedes beibehalten wird, bezieht sich natürlich auf
die Handlung, ist aber auch für sich selbst logisch und vom
Szenischen losgelöst - wie Hacks sagt: in seiner "Diskretheit" - verständlich. Einen ähnlichen Aufbau zeigen etwa
das " H o r e n l i e d " (B.B. 4.1384) mit dem Tod Chri-
sti als Gleichnis und die " B a l l a d e   v o m   F ö r -
s t e r   u n d   d e r   s c h ö n e n   G r ä f i n " (B.B.

4.1694), die auf das Getändel zwischen Eva und Matti verweist.

Ein anderer Typus eines solchen, auf einem Vorgangsver-
gleich aufbauenden Liedes arbeitet mit einer ganzen Reihe
von solchen Vergleichen (meist sind es historische Persön-
lichkeiten), die in die Funktion einer Parabel eingebracht
werden. Hier denken wir vor allem an den ' S a l o m o n -
S o n g ' der DREIGROSCHENOPER (B.B. 2.467),der in einer
umgearbeiteten Fassung auch in der COURAGE (B.B. 4.1425) erscheint. Salomon, der weise, der kühne Caesar, der redliche
Sokrates, der heilige Martin befinden sich plötzlich und
überraschend am Ende dieses Liedes in Gesellschaft mit den
Sängern des Liedes selbst. Doch damit beginnt erst die
Schwierigkeit, mit diesem Gleichnis zu Rande zu kommen, es
wird also keineswegs die Parabel geschlossen.

Einen wiederum anderen Typus verkörpert die " B a l l a -
d e v o m W a s s e r r a d " (B.B. 3.1007). Hier werden
die "Großen dieser Erde" gleichfalls in Relation zu den Niederen gebracht, doch sie werden nicht mehr namentlich aufgeführt. Wichtiger ist das Gleichnis des Rades, in dem alles
aufgeht, die Strophe mündet jeweils in den Refrain:

"Freilich dreht das Rad sich immer weiter
Daß, was oben ist, nicht oben bleibt.
Aber für das Wasser unten heißt das leider
Nur: daß es das Rad halt ewig treibt."

Hier liegt also im Kehrreim das entscheidende Gleichnis des
Rades und des Wassers, ein Gleichnis, in dem es ‚überraschen-
derweise' kein Oben gibt, auch für das Wasser nicht. Auch im
" L i e d v o m F l u ß d e r D i n g e " (B.B. 1.337)
wird im Gleichnis von der Welle, die immer neue Wellen nach
sich zieht, ein Bild gebracht, das sowohl seine Entsprechung
im Stück als auch in dem Erfahrungsbereich der singenden
Frau, es ist konkret die Leokadja Begbick des Stücks, findet:
"Beharre nicht auf der Welle, solange der Fuß im Wasser
steht," d.h. solange die Existenz derart bedroht ist, ein Rat,
dessen Doppelbödigkeit wohl nicht weiter gedeutet werden
muß. In ähnlicher Weise ist auch das " L i e d v o m
R a u c h " (B.B. 4.1507) aufgebaut und in der gleichen Nähe zur Resignation stehend. Wiederum im Kehrreim jeweils

das Bild, hier das des Rauchs, der in "immer kältere Kälten"
vergeht, und in der Strophe eine bestimmte Situation, ein
bestimmtes Erlebnis, eine bestimmte Erfahrung oder Erkenntnis. Der Großvater, der die erste Strophe singt, erinnert
sich der betrogenen Hoffnungen seiner Jugend. Seine Enkelin
singt von der Hoffnungslosigkeit der Alten und Jungen, der
Mann, der durch den Diebstahl des Tabaks die Shen Te zu
Reichtum bringt, singt von der Hoffnungslosigkeit der Red-
lichen und der Diebe, Hinweis also auf den Kontext. Und wiederum blitzt damit die Bedeutung des im Kehrreim beschlossenen Bildes auf, die Gültigkeit des Bildes vom Rauch auch für
die Hoffnungen der Shen Te, die selbst in "immer kältere
Kälten" gehen muß.

Insgesamt ist das Lied in den Stücken Brechts kein einma-
lig persönliches Lied, selbst dort nicht, wo es sich scheinbar um Selbstdarstellung einer Person oder eines Kollektivs
handelt. Immer spricht es über das Individuelle hinaus kollektive Lebenserfahrung aus, zeigt engagierte Parteilichkeit,
wo es um die Sache der Erniedrigten und Ausgebeuteten geht,
und die betont klassenkämpferische Sicht des Autors immer
dort, wo historisch-soziologische Zusammenhänge des Kampfes
um Menschenwürde aufgerissen werden. Nicht das Ich des Lyrikers steht also im Vordergrund, sondern das Wir des mit
den Augen der Partei Beobachtenden und Berichtenden. Ein erster Blick auf die wichtigsten Aussageformen des Liedes zu
Stücken bestätigt, daß in der Tat erst Brechts Übergang zum
Marxismus-Leninismus dem Lied jene "neue, rigorose Verpflichtung zum Objektiven"[1] auferlegt, von der Hacks gesprochen hat. Die Reihe der Lieder, die eine vertiefende
Reflexion über gesellschaftliche Zustände etwa zum Inhalt
haben, steigt enorm an und überwiegt bald an Zahl recht
deutlich jene Lieder, die etwa die Selbstdarstellung einer
Person oder eines Kollektivs, die Wiedergabe oder Vertiefung einer "sozial relevanten" Stimmung zum Inhalt haben.

---

1) Hacks: a.a.O.: S.421.

Übersicht II: Aussageformen

a.) <u>Selbstdarstellung einer Person oder eines Kollektivs</u>

    (1) Lieder der Niederen
    (2) Lieder der Herrschenden
    (3) Lieder der klassenbewußten Arbeiter, der Partei

(1) Die <u>Lieder der Niederen</u> überwiegen in dieser Gruppe -
das <u>ist kein Zufall.</u> Die Verachtung, der Hohn der Ausgestoßenen ergießt sich über die bürgerliche Welt der
scheinbaren Ordnung in der " B a l l a d e , i n   d e r
M a c h e a t h   j e d e r m a n n   A b b i t t e   l e i -
s t e t " (DREIGROSCHENOPER, B.B. 2.482). Von den ohnmächtigen Träumen und den Hoffnungen der Mißachteten und Getre-
tenen hören wir im " L i e d   d e r   S e e r ä u b e r -
j e n n y " des gleichen Stückes(B.B. 2.415). Sie werden
gezeigt in einem erbarmungslosen Existenzkampf: Jenny lebt
in der Oper MAHAGONNY vom Verkauf der Liebe, sie kann sich
aber Gefühle nicht leisten. Während sie singend an der
Rampe auf und ab geht, wird Paul Ackermann gefesselt und
abgeführt (B.B. 2.546). - Wang, der Wasserverkäufer, kann
wegen des Regens sein Wasser nicht verkaufen, er träumt von
der großen Dürre, die dem Ohnmächtigen alle Macht über die
Menschen gäbe. - Im " L i e d   v o n   d e r   g r o ß e n
K a p i t u l a t i o n " zeigt die Courage ihr wahres Gesicht - von tiefer Resignation geprägt. - Kapitulation vor
den Verhältnissen ist auch das Thema des " L i e d e s
v o m   F l u ß " , in dem die Begbick schildert, wie sie
ihren Mann und ihren Namen verlor und den Weg nach unten,
den Weg aller dieser Niederen, antrat. -
    Insgesamt ist hier auffällig, daß der Verlust der körper-
lichen Würde der Frau sozusagen als das Äußerste an Erniedrigung vorgeführt wird. Die bisher angeführten Lieder werden - von zwei Ausnahmen abgesehen - alle von Frauen gesungen, ebenso auch das " L i e d   v o m   S u r r a b a y a -
J o n n y " in HAPPY END (B.B. 8.325), der " S o n g   v o m
N e i n   u n d   J a " (DREIGROSCHENOPER, B.B. 2.423) und
das " L i e d   v o m   F r a t e r n i s i e r e n ", das
die Yvette in der COURAGE   singt (B.B. 4.1371).
    Der Verlust an zwischenmenschlichen Beziehungen unter
einem unmenschlichen gesellschaftlichen System wird aufgezeigt an der intimsten Beziehung zwischen zwei Menschen:
die Liebesbeziehung wird zur Ware. Im Stück DIE RUNDKÖPFE
UND DIE SPITZKÖPFE stellt Nana sich mit dem " L i e d
d e s   F r e u d e n m ä d c h e n s " (B.B. 3.931) vor.
Doch sie ist keineswegs eine Hure, der Pachtherr hat ihre
Abhängigkeit dazu benutzt, sie zu einem Verhältnis mit ihm
zu zwingen. - In der " Z u h ä l t e r b a l l a d e " (B.B.
2.443) der DREIGROSCHENOPER stellen sich Mac und Jenny als
ein Liebespaar vor, das im Bordell vom Verkauf der Liebe
lebt. Das Lied ist insofern hier für uns von besonderem

Interesse, weil es zugleich die Mentalität des Zuhälters
zeigt, der Jenny zur Ware gemacht hat, und die der Jenny,
deren Sich-Aufbäumen brutal zerschlagen wird. In diesem Lied
stellt sich sowohl der Erniedrigte als auch derjenige vor,
für den die Erniedrigung ein Geschäft ist.

(2) Der Räuber Macheath spricht in seiner " B a l l a d e
    v o m   a n g e n e h m e n   L e b e n " in der DREI-
GROSCHENOPER (B.B. 2.447) die Devise der Oberschicht aus:
nicht die geistige und moralische Größe löst das Glücks-
problem, sondern "Nur wer im Wohlstand lebt, lebt angenehm".
Diese Aussage erfährt im übrigen in der Neufassung des Liedes aus dem Jahre 1946 eine schärfere Kontur.

Die Lieder, in denen die Handlanger der Ausbeutung sich
selbst charakterisieren, sind gerade beim frühen Brecht etwas zahlreicher. Hierzu gehören vor allem die Lieder der Soldaten im Stile Kiplings, die die Hohlheit und Gewissenlosig-
keit dieser willigen Werkzeuge kolonialer Unterdrückung aufzeigen. Wichtig ist hier der " M a t r o s e n - S o n g"
(B.B. 8.321) aus HAPPY-END und manches andere.

(3) Mit den Lehrstücken, die Brechts Übergang zum Marxismus-
    Leninismus auch auf dem Theater fixieren, kommt der drit-
te in diesem Zusammenhang zu erwähnende Typus, die Lieder
der klassenbewußten Arbeiter, die in der Regel die Lieder
der Partei des Klassenkampfes sind. Gerade hier liegt der
ganze Unterschied zu den beiden erstgenannten Gruppen: es
sind Lieder eines Kollektivs, einer verschworenen Gemeinschaft, während die vorigen Lieder der Vereinzelung waren
und damit Zeichen setzen für die Gefahr einer systembeding-
ten Entmenschlichung und Verrohung. Die Resignation und
Hoffnungslosigkeit des ersten Typus, des Liedes der Niederen,
und die Sinnlosigkeit und die Leere manisch-besessenen Ge-
winnstrebens, die in den Liedern der Herrschenden deutlich
zutage tritt, erhält nun in den Liedern der Kämpfenden einen völlig anderen Akzent.

Die Lieder, in denen sich die Partei im Kollektiv oder
durch das Einzelmitglied vorstellt, sind immer zugleich
Programm. Bei den Liedern der Niederen war die Vergangenheit
der Beginn des Untergangs, die Zukunft lag verschüttet unter Resignation und Hoffnungslosigkeit. Die Lieder der Herrschenden äußerten den Willen, das System der Ausbeutung noch
perfekter zu gestalten. Auch in ihrem Lied bedeutet Zukunft
nichts anderes als Ausbeutung des Menschen durch den Menschen. Bereits das erste Lied aber, in dem sich die Kommunistische Partei in Brechts Stücken selbst einführt, trägt
den erwähnten programmatischen, zukunftsweisenden Akzent.
In der MASSNAHME singt der Kontrollchor in der 7.Szene:
    "Wenn man uns trifft, wo immer es sei
     Weiß man: die Herrschenden
     Sollen vernichtet werden."   (B.B. 2.659)
Der Kampf für die Unterdrückten ist die "dritte Sache", von
der die Mutter Pelagea Wlassowa in dem Stück DIE MUTTER sagt,
daß sie nicht nur die gemeinsame Sache für sie selbst und
ihren Sohn sei, sondern die "große, gemeinsame Sache" vieler

Menschen, die um ein menschenwürdiges Dasein kämpfen (B.B.
2.878). - Im Lied " K e i n e r o d e r a l l e " in
DIE TAGE DER COMMUNE (B.B. 5.2181) ist das Selbstverständnis der Commune - und damit ist sicherlich die Partei gemeint - als einigende und führende Kraft formuliert. Und
ganz pronounciertes Programm ist die " R e s o l u t i o n
d e r K o m m u n a r d e n " in der 4. Szene dieses Stük-
kes. Die letzte Strophe dieses Liedes lautet:
"In Erwägung, daß wir der Regierung
Was sie immer auch verspricht, nicht traun
Haben wir beschlossen, unter eigener Führung
Uns nunmehr ein gutes Leben aufzubaun."
                                    (B.B. 5.2137)

---

b.) <u>Darstellung einer Person, eines Kollektivs oder einer</u>
    <u>Handlungsweise</u>

    (1) Die Welt der Ausgestoßenen und Gesetzlosen
    (2) Die Herrschenden und die Basis ihres Herrschafts-
        systems
    (3) Der klassenbewußte Arbeiter und die Partei

Die Lieder dieser zweiten Gruppe stehen im Grunde zwischen
denen der ersten und denen der dritten Gruppe, in der es
um Darstellung gesellschaftlicher Zustände geht. Das heißt,
auch sie dienen der Charakterisierung einer Person, allerdings nicht in der Form der Selbstdarstellung, sondern der
von außen projizierten Darstellung durch den Autor. Dadurch
sind diese Lieder schon fast in der Nähe der Reflexion bzw.
des Kommentars angesiedelt.
    Die Lieder dieser Gruppe lassen sich wieder denselben Be-
reichen zuordnen wie die der vorigen Gruppe: dem Bereich der
Niederen, dem Bereich der Herrschenden und dem Bereich der
klassenbewußten Arbeiter, der Partei.

(1) Lieder, die <u>die Welt der Ausgestoßenen und der vom Bür-</u>
    <u>gertum Verachteten, der Gesetzlosen</u> aufzeigen, finden
sich vor allem im BAAL. Es handelt sich hier um den " C h o -
r a l v o m g r o ß e n B a a l " (B.B. 1.3), der seine
Fortsetzung findet in dem Lied " V o n S o n n e k r a n k"
(B.B. 1.60) und weiter um " O r g e s G e s a n g " (B.B.
1.15). Der hier auf der Basis einer romantischen Natur-
schwärmerei verkündete Anarchismus hat immer die Nähe des
Untergangs und des Vergehens. Es ist nicht eine Welt kraftvollen, zügellosen Sich-Auslebens, sondern eine Welt des
Versinkens in "absinthene Meere", des "versinkenden Gesichts",
eine Welt, in der der Himmel, unberührt durch Tod und Verge-
hen, stets gleich und unverändert "groß und still und fahl/,

Jung und nackt und ungeheuer wunderbar" ist. Der " C h o -
r a l v o m g r o ß e n B a a l " stammt im übrigen aus
der 5.Lektion der 'Hauspostille' (B.B. 8.249), die die Überschrift trägt: "Die kleinen Tageszeiten der Abgestorbenen". -
Untergang in der realen Existenz der Lebenden findet sich
als Kennzeichen einer völlig veränderten Weltsicht in der
" B a l l a d e v o m K n o p f w u r f " (B.B. 3.959) des
Lehrstücks DIE RUNDKÖPFE UND DIE SPITZKÖPFE des Jahres 1934.
Nicht einmal die 'Befragung' des Glücks kann das Schicksal
der Niederen beeinflussen: der Knopf erweist es, dessen Lö-
cher, wie immer man ihn auch wirft, stets "auswärts schaun",
weil sie "durch gehen". Dieses in Sprache und Bild an Karl
Valentin erinnernde Gleichnis des Knopfes bringt es an den
Tag: Der krumme Mann kann die Liebe nicht einmal kaufen, der
dumme wird mit Sicherheit übervorteilt, keiner von denen,
die arm sind, findet einen gerechten Richter, der ihn vor
der Willkür der Reichen schützt. - Ein solcher Richter wird
in einem anderen Stück vorgestellt, im " L i e d v o m
A z d a k " des KAUKASISCHEN KREIDEKREISES (B.B. 5.2079f).
Dieser Richter ist 'billig', doch er ist gut versehen mit falschen Maßen. Um Recht zu sprechen, so heißt es in dem Lied
weiter, muß er die bestehenden Grenzen brechen, die Klage
"mit gefälschter Waage" messen: nur so hatten "die Niedren
und Gemeinen" endlich einen Richter, "den die leere Hand
bestochen". Doch es ist eine Hoffnung auf schwankendem Boden, nicht auf dem Boden 'gesicherten Rechts'. Was im Lied
nur angedeutet wird, erweist sich in der 'Kontinuität' des
Stückes: Über dem Richterstuhl des gerechten Richters Azdak
ragt der Galgen, der Armeleuterichter muß sich aus dem Stau-
be machen, weil er das Recht pervertiert, den Armen nutzbar
gemacht hat. Für den Armen bleibt die Hoffnung und das Leiden. - Im " H o r e n l i e d " (COURAGE, B.B. 4.1384) erscheint der Leidensweg des Jesus Christus als Gleichnis von
exemplarischer Gültigkeit, allerdings eine Wendung, die eine theologische Wahrheit und zugleich auch eine Herausfor-
derung an den gläubigen Christen enthält: Der Gottessohn
(3.Str.) erhält sozusagen auf dem Wege über das Leiden in
mannigfacher Hinsicht (3.-9.Str.) die zweifelhafte Würde
des "Menschensohnes". Sollte sie sich darin erschöpfen, Leiden zu ertragen, nur um des Leidens und des Profites anderer
willen? Die Frage nach dem Sinn des Leidens stellt sich gerade dort, wo dieser Sinn - wie auch in diesem Lied - nicht
sichtbar ist.

(2) Eine gewisse Antwort geben nahezu alle Lieder, die der
    Charakterisierung der Herrschenden und der Basis ihres
Herrschaftssystems dienen. Die Herrschenden sind angesprochen im " M o r g e n c h o r a l d e s P e a c h u m "
(DREIGROSCHENOPER, B.B. 2.397) als die "verrotteten Christen". Ihre doppelbödige Moral geißelt die " B a l l a d e
v o n d e r s e x u e l l e n H ö r i g k e i t " (B.B.
2.439) desselben Stückes. Dem Räuber Mackie Messer, dem
"Hai" unter den kleinen Fischen, gilt in der " M o r i -
t a t v o m M a c k i M e s s e r " fast schon ein wenig
Sympathie. Denn er verzichtet auf die Moral, er mordet und
schändet und brandschatzt in aller Offenheit. Er nimmt, was

er braucht, den Preis zahlen die andern - in der Regel mit
ihrem Leben. Das System der Ausbeutung von Arbeitskraft wird
Jahre später weitaus präzises im " L i e d   v o m   a c h -
t e n   E l e f a n t e n " (DER GUTE MENSCH, B.B. 4.1582)
gleichnishaft dargestellt, genauer in dem Bild von den sie-
ben Elefanten, die von dem achten zur Arbeit angetrieben werden. Dieser Achte ist es auch, der als williges Werkzeug des
Herrn Dschin ihre Empörung niederschlägt. - Und wiederum
dient eine ganze Reihe von Liedern dazu, solche willigen
Werkzeuge der Ausbeutung zu charakterisieren. Das reicht von
der " M o r i t a t   v o m   t o t e n   S o l d a t e n "
(TROMMELN IN DER NACHT, B.B. 1.108) und dem " L i e d
v o m   W e i b   u n d   d e m   S o l d a t e n " (COURAGE,
B.B. 4.1366), über das " K a m p f l i e d   d e r   s c h w a r -
z e n   S t r o h h ü t e " (HL. JOHANNA, B.B. 2.673) bis hin
zum " K a n o n e n - S o n g " (DREIGROSCHENOPER, B.B. 2.
419) und dem S o l d a t e n l i e d   (COURAGE, B.B. 4.
1402). - Wir nannten das " L i e d   v o m   a c h t e n
E l e f a n t e n " (B.B. 4.1582) an anderer Stelle einmal
eine in Verse gekleidete Tierfabel. Das stimmt nicht ganz,
denn die Fabelstruktur ist durchbrochen: die Arbeitenden
sind Tiere, der Ausbeutende aber ist der Mensch. - Im P u n -
t i l a - L i e d   (B.B. 4.1710) wird auf eine solche fabel-
hafte Umschreibung verzichtet: Puntila wird in diesem Lied,
dessen Strophen über das Stück verteilt gesungen werden,
konkrete Gestalt mitsamt der Welt, in der er lebt, und mitsamt der schäbigen Gesinnung, auf die diese Welt gegründet
ist. Würde und Menschlichkeit aber zeigen die einfachen Frau-
en von Kurgela, die "das Spottlied" über ihn anstimmen (7.
Str.), und der Knecht Matti, der die Tochter Puntilas zurück-
weist, weil sie ihm "nicht gut genug" ist (8.Str.). - In dem
" N e u e n   I b e r i n l i e d " (DIE RUNDKÖPFE, B.B. 3.
971) wird in der ersten Strophe das Prasserleben des Pachtherrn geschildert, das Pächtervolk schafft Suppe, Fisch,
Wein, Kotelett mit Kartoffelsalat und auch die unvermeidli-
che Virginia heran. Hitler-Iberin aber macht die Sache des
Pächtervolkes scheinbar zu seiner eigenen. Und in der zweiten Strophe des Liedes wird von den singenden Huas, Anhänger
und Soldaten des Iberin, an dem Pächter Parr demonstriert,
wie die Verhältnisse umgekehrt werden sollen: sie heben ihn
auf den Tisch, 'verleihen' ihm, wie es in der Szenenanmerkung heißt, den Hut des Herrn Saz, die Zigarre und die Gläser der Herren de Hoz und Peruiner (B.B. 3.972). Und allem
Anschein nach hat Iberin die Weltordnung zurechtgerückt,
denn nun ist es Tag und Nacht Sorge des Pachtherrn, wie er
den Pächter zufriedenstellen kann. Das Stück zeigt dann, daß
Hoffnungen, die sich im Lied ausdrücken, völlig unbegründet
sind. Iberin hütet sich, den Pachtherrn den Besitz ihres Bo-
dens zu nehmen, der die Basis ihrer Macht ist. Hier erweist
sich in der Tat, "daß sein Haß gegen den Pachtherrn und sein
Verständnis für den Pächter aus einer und derselben Quelle
stammen" (B.B. 17.1084): er will nicht die Ausbeutung beseitigen, sondern seinen eigenen Anteil daran erkämpfen.

(3) In den Liedern der Stücke DIE MASSNAHME und DIE MUTTER
wird sozusagen ein Ideal des klassenbewußten Arbeiters
und einer Partei entwickelt, die für dessen Interessen uner-
müdlich kämpft. In " L o b   d e r   W l a s s o w a s " (B.
B. 2.872) und " L o b   d e s   R e v o l u t i o n ä r s "
(B.B. 2.859) erfährt der Zuhörer, wie schwer dieser Kampf
ist und welche Tugenden er erfordert. Im " L i e d   v o m
F l i c k e n   u n d   v o m   R o c k " (DIE MUTTER, B.B. 2.
839) wird von den klassenbewußten Arbeitern eine Analyse
ihrer Situation gegeben und daraus folgernd ihre programma-
tische Forderung nach der Macht im Staate (3.Str.) gestellt.
In einem anderen Lied desselben Stückes wird die Partei, die
einzige Partei vorgestellt, die diese Forderung an ihre Fahnen geheftet hat (" L o b   d e s   K o m m u n i s m u s ",
B.B. 2.852). In " L o b   d e r   P a r t e i " (DIE MASS-
NAHME, B.B. 2.657) wird die Kommunistische Partei als "Vor-
trup" der Massen, als Führerin im Kampf der Unterdrückten
dargestellt. Zwei Lieder des Stückes DIE MASSNAHME sind in
diesem Zusammenhang zu sehen. In " L o b   d e r   U D S S R "
(B.B. 2.635) wird die Sowjet-Union als unermüdliche Treu-
händerin der Sache der Revolution dargestellt. Und in " L o b
d e r   i l l e g a l e n   A r b e i t " (B.B. 2.638) wird
die Schönheit, aber auch die Gefährlichkeit der Arbeit der
Partei in geradezu hymnischer Weise geschildert.

---

c.) Darstellung gesellschaftlicher Probleme

    (1) Die Situation der Ausgebeuteten

    (2) Das kapitalistisch begründete Herrschaftssystem

    (3) Die Veränderung der menschenunwürdigen Verhältnisse

Die Lieder dieser Gruppe wurden bereits unter dem Aspekt der
Funktion, genauer gesagt der Kommentarfunktion behandelt.
Unter dem Aspekt der Aussage ergeben sich folgende Gruppierungen: Einer Anzahl von Liedern, die Reflexionen über die
Situation der Ausgebeuteten bringen, steht eine etwa gleich
große Gruppe von Liedern mit Reflexionen über das kapitalistische Ausbeutungssystem, wie wir es einmal vereinfachend
nennen wollen, gegenüber. Eine dritte, nicht ganz so umfang-
reiche Gruppe befaßt sich unmittelbar mit Reflexionen über
die Möglichkeit einer Veränderung der Verhältnisse durch Revolution.

(1) Die Reflexionen über die Situation der Ausgebeuteten
haben im Grunde immer den gleichen Tenor: sie realisie-
ren die Not, die Verzweiflung und die Hoffnungslosigkeit und
führen die Gedanken bis hin zur Gewißheit, daß nur ein revolutionärer Aus- und Aufbruch Veränderung der Verhältnisse
und damit Rettung bringt. Der " C h o r   d e r   F r a u e n "

(DIE MUTTER, B.B. 2.826), der Wlassowa zugesungen von den
revolutionären Arbeitern, führt vor Augen, daß es sinnlos
ist, den Rock zu bürsten, er bleibt ein Lumpen. Trotz aller
Sorgfalt ist die Suppe nur Wasser, trotz Arbeit und Sparsamkeit ist Armut unausweichlich. Und in der letzten Strophe
führen diese Überlegungen hin zu der Erkenntnis: "Über das
Fleisch, das euch in der Küche fehlt/ Wird nicht in der Küche entschieden" (B.B. 2.826). Die Frage nach dem Ausweg,
die der Refrain ständig stellt, erhält plötzlich einen anderen Akzent, hat nicht mehr Frage-, sondern Hinweischarakter.
- " D e r   G e s a n g   d e r   R e i s k a h n s c h l e p -
p e r " (DIE MASSNAHME, B.B. 2.640), als ein Arbeitslied der
Kulis vorgeführt, benutzt ebenso wie das " L i e d   v o m
I c h   u n d   W i r " (DIE AUSNAHME UND DIE REGEL, B.B. 2.
805) das Bild des Flusses, um die menschenunwürdige, verzwei-
felte Existenz dieser Menschen darzustellen. Im ersten dient
der Fluß dazu, den Weg des Leidens zu versinnbildlichen
   "Aber der Kahn ist schwer, der hinauf soll
   Und das Wasser fließt nach unten.
   Wir werden nie hinauf kommen."
                    (B.B. 2.640)
Im " L i e d   v o m   I c h   u n d   W i r " bezeichnet der
Fluß eine Grenzsituation: das Überschreiten bedeutet für den
Händler Geschäft, Besitztum, Essen, für den Kuli aber nur
das Nichts, die neue Gefahr, die erneute Niederlage im Kampf
um die Existenz: "... Aus dem gemeinsam besiegten Fluß/ stei-
gen nicht zwei Sieger." (B.B. 2.805). - Das " L i e d
v o m   S a n k t   N i m m e r l e i n s t a g " (B.B. 4.1562)
führt vor Augen, daß sich die Verhältnisse niemals von selbst
verändern, zum Guten verändern: das geschieht höchstens am
"Sankt Nimmerleinstag". Bis dahin bleibt die Verführung zur
Güte eine tödliche Gefahr, können die Guten sich nicht helfen und bleiben selbst die Götter machtlos, wie es im
" L i e d   v o n   d e r   W e h r l o s i g k e i t   d e r
G ö t t e r   u n d   d e r   G u t e n " ("DER GUTE MENSCH",
B.B. 4.1539) heißt: "... die Gebote der Götter helfen nicht
gegen den Mangel". - Der Hunger zwingt zum Verkauf der Lie-
be, "Geld macht sinnlich", so singt Frau Cornamontis im
" K u p p e l l i e d " (DIE RUNDKÖPFE UND DIE SPITZKÖPFE,
B.B. 3.1013). Die Tugenden der Weisheit, der Kühnheit, der
Redlichkeit und der Selbstlosigkeit - so erfährt man im
" S a l o m o n - S o n g " (B.B. 4.1425) - zahlen sich
nicht aus, "beneidenswert, wer frei davon". - Der Krieg
schließlich wird dargestellt als die tödliche Zuspitzung sozialer Mißstände. Azdak singt im KAUKASISCHEN KREIDEKREIS
das " L i e d   v o m   K r i e g ":
   "Damit das Dach der Welt erobert wird, werden die Hütten-
                    dächer abgetragen.
   Unsere Männer werden in alle vier Winde verschleppt,
                    damit die Oberen zu Hause tafeln können."
                    (B.B. 5.2071)

(2) Die Reflexionen über das kapitalistisch begründete Herrschaftssystem zeigen die Unmenschlichkeit einer Gesellschaftsordnung, die auf Unterwerfung und Ausbeutung gegründet ist. "In dem System, das sie gemacht haben", so beginnt
das Lied " D i e   A u s n a h m e" (DIE AUSNAHME UND DIE

REGEL, B.B. 2.820), "ist Menschlichkeit eine Ausnahme". Dem
Händler in dem Lehrstück DIE MASSNAHME bedeutet der Mensch
nichts. Sein " S o n g v o n d e r W a r e " macht deut-
lich, daß für ihn die Arbeit, die Not der anderen lediglich
eine Frage des Preises, des Geschäfts ist (B.B. 2.650). -
Der Aufstieg der Herrschenden und auch ihr Niedergang wird
stets von denen gezahlt, die "sie ernähren müssen". Die
" B a l l a d e v o m W a s s e r r a d " (DIE RUNDKÖPFE
UND DIE SPITZKÖPFE, B.B. 3.1007) macht deutlich, wie überflüssig diese "Tiger und Hyänen" für die sogenannten kleinen
Leute sind. Die Machenschaften dieser Mächtigen werden im
Lied " D e n n w o v o n l e b t d e r M e n s c h "
(DREIGROSCHENOPER, B.B. 2.457) schonungslos aufgedeckt. Ih-
rer falschen Moral wird der Hunger der Ausgebeuteten entge-
gengestellt, hart und kompromißlos. - Und im Stück DIE RUND-
KÖPFE UND DIE SPITZKÖPFE singt bezeichnenderweise der Richter das " L i e d v o n d e r b e l e b e n d e n W i r -
k u n g d e s G e l d e s " (B.B. 3.981): Geld ist die
Grundlage des Rechts und Recht ist dort, wo das Geld ist. -
Während in der 8. Szene die Bühne für die eigentliche Ge-
richtsszene umgebaut wird, singen die Spieler in dem Lehrstück DIE AUSNAHME UND DIE REGEL das " L i e d v o n
d e n G e r i c h t e n " (B.B. 2.812). Das Gericht, das
hier tagen wird, wird entlarvt als Handlanger des Systems:
"Im Troß der Räuberhorden
 Ziehen die Gerichte.
 Wenn der Unschuldige erschlagen ist
 Sammeln sich die Richter über ihn und verdammen ihn.
 Am Grabe des Erschlagenen wird sein Recht erschlagen."
                           (B.B. 2.812)
Am Beispiel der Courage wird die Skrupellosigkeit der kleinen Händler deutlich, die ebenfalls in diesem Troß mitzie-
hen und ihren Schnitt zu machen suchen. In ihrem G e -
s c h ä f t s l i e d (B.B. 4.1350f.) preist sie ihre Ware
an, macht muntere Späßchen, um die "Hauptleut" und den Krieg
bei Laune zu halten. Es gelingt ihr nicht, hinter die Fassa-
de des Krieges zu schauen, sie will es im Grunde auch nicht.
Insofern ist auch sie ein Opfer des Systems, das die Widersprüche überdeckt, so wie es in dem " L i e d v o n d e r
T ü n c h e " (DIE RUNDKÖPFE UND DIE SPITZKÖPFE, B.B. 3.936)
ironisch-entlarvend dargestellt wird. Übertüncht wird die
Schwäche des Systems, die Machtlosigkeit der Mächtigen und
die Dummheit der Verführten. In dem Lehrstück DIE RUNDKÖPFE
UND DIE SPITZKÖPFE glaubten die Pachtherrn, durch Hitler-
Iberin sei ihre Macht gesichert. In der 11.Szene erwägen sie
in einem " R U N D G E S A N G ", daß sie vielleicht doch
betrogene Betrüger sind (B.B. 3.1040). Ihre Macht hat stets
eine unsichere Basis. - Der Darsteller des Pawel singt in
der 7.Szene des Stücks DIE MUTTER das " L i e d f ü r
a l l e , d i e v e r z a g e n w o l l e n " (B.B. 2.865),
in dem dies ausgesprochen wird. Hier wird diese Basis umrissen: sie haben "Gesetzesbücher und Verordnungen", "Gefängnis-
wärter und Richter" (1.Str.), "Zeitungen und Druckereien",
"Pfaffen und Professoren" (2.Str.), "Tanks und Kanonen, Maschinengewehre und Handgranaten", "Polizisten und Soldaten"
(3.Str.) und fürchten doch zu Recht ihren Sturz und ihren

Untergang: "Eh sie verschwinden, und das wird bald sein/
Werden sie gemerkt haben, daß ihnen das alles nichts mehr
nützt". Ihr System der totalen Ausbeutung gründet sich also
auf die Skrupellosigkeit der Herrschenden, die Willfährig-
keit ihrer Handlanger und auf die dumpfe Beschränktheit der
von ihnen Verführten. In dem Lehrstück DIE RUNDKÖPFE UND DIE
SPITZKÖPFE singen alle, "dirigiert von den Iberin-Soldaten"
(B.B. 3.930), die " H y m n e   d e s   e r w a c h e n d e n
J a h o o " , deren letzte Strophe lautet:
        "Lobet den Führer, den jeder durch Mark
                            und durch Bein spürt!
        Dort ist der Sumpf
        Und hier erwarten wir dumpf
        Daß uns ein Führer hineinführt!"

Und die Befehle des Führers sind Inhalt des Liedes " D e u t-
s c h e s   M i s e r e r e " (SCHWEYK IM ZWEITEN WELTKRIEG,
B.B. 5.1989), gesungen von der Besatzung des Panzerwagens,
der plötzlich aus dem Schneetreiben auftaucht. Es beginnt
mit Danzig und Polen und endet in Rußland. Und Schweyk singt
zur Melodie des Horst-Wessel-Liedes einen neuen Text, den
"Kälbermarsch":
        "Der Metzger ruft. Die Augen fest geschlossen.
        Das Kalb marschiert mit ruhig festem Tritt.
        Die Kälber, deren Blut im Schlachthof schon geflossen
        Sie ziehn im Geist in seinen Reihen mit."
                                        (B.B. 5.1976)

(3) Die Reflexionen über eine <u>Veränderung der menschenunwür-
    digen Verhältnisse</u> werden stets bis zum Gedanken an Re-
volution, genauer gesagt an eine sozialistische Revolution
geführt. Der   C h o r   "Ändere die Welt: sie braucht es!"
(B.B. 2.651) in dem Lehrstück DIE MASSNAHME verkündet die
Erkenntnis, daß dieser erbarmungslose Kampf um Menschenwürde
und Freiheit jedes Mittel heiligt. - Das   " L i e d   v o n
d e r   S u p p e " ist in das Stück DIE MUTTER eingefügt
worden und trägt hier den Titel   " L i e d   v o m   A u s -
w e g " (B.B. 2.830). Hunger (1.Str.) und Arbeitslosigkeit
(2.Str.) und Hilflosigkeit und Schwäche (3.Str.) des Einzelnen wird nur durch die Entschlossenheit aller beseitigt,
die Macht zu ergreifen und den ganzen Staat neu zu gestalten. Das   "S i c h e l l i e d " (DIE RUNDKÖPFE UND DIE
SPITZKÖPFE, B.B. 3.938) führt vor Augen, daß niemand den
geschundenen Bauern etwa zu Hilfe kommt, es sei denn, sie
helfen sich selbst. Und noch einmal taucht in diesem Zusammenhang das Chaos auf, nun aber steht es für die Zeit revolutionärer Befreiung. Im KAUKASISCHEN KREIDEKREIS singt in
der 5.Szene Azdak, der Armeleuterichter, das   " L i e d
v o m   C h a o s " (B.B. 5.2087f.): Die Zeit ist aus den Fu-
gen, die Mächtigen werden vertrieben, die Leibeigenschaft
aufgehoben und die Herren "an die Mühlsteine" gesetzt. Menschen, die "den Tag nie sahen, sind herausgegangen." Sie
nehmen sich das Brot und die Schlafstelle, die Scheunen und
die Schiffe: "schaut ihr Besitzer nach ihnen, so sind sie
nicht mehr sein".
    Vor allem in dem Stück DIE MUTTER behandelt eine ganze

Reihe von Liedern die Führerschaft der Kommunistischen Partei in diesem Kampf der unterdrückten Klasse. In der 6.Szene singt die Wlassowa das " L o b   d e s   K o m m u n i s m u s" (B.B. 2.852). Er ist das Ende der Ausbeutung, die neue Ordnung, das "Einfache, das so schwer zu machen ist." Das " L o b   d e s   L e r n e n s ", in der selben Szene von den unter der Anleitung der Wlassowa Lernenden gesungen, berichtet von dem schwierigen Lernprozeß, der die Voraussetzung der Führungsübernahme ist.
"Scheue dich nicht zu fragen, Genosse!
Laß dir nichts einreden
Sieh selber nach!" (B.B. 2.857)
Später in der 11. Szene berichtet ein Chorlied von den Schwierigkeiten des Kampfes. Die Gefahr fordert den bedingungslosen Einsatz jedes Einzelnen bis hin zur Selbstaufopferung: "Steh auf, die Partei ist in Gefahr" (B.B. 2.886) singen die revolutionären Arbeiter der kranken Mutter Pelagea Wlassowa zu. Sie steht während des Liedes auf, kleidet sich an und eilt schwankend aus der Stube (s. Szenenanmerkung, B.B. 2. 886f). Im " L o b   d e r   D i a l e k t i k " wird die Sicherheit, die Siegesgewißheit dieser Partei beschworen:
"Wer seine Lage erkannt hat, wie soll der
                                aufzuhalten sein?
Denn die Besiegten von heute sind die Sieger von morgen
Und aus niemals wird: heute noch!" (B.B. 2.895)

---

d.) Wiedergabe oder Vertiefung "sozial relevanter" Stimmungen

    (1) Die Marionetten der Herrschenden

    (2) Das einfache Volk

Die Lieder dieses Aussagebereichs sind natürlich - bedingt durch die besondere szenische Struktur - nicht sehr zahlreich. Eine Wiedergabe von Stimmungen und Gefühlen zielt stets in Richtung auf Illusionierung des Zuschauers. Das aber will Brecht ja gerade vermeiden. Worauf er - vor allen Dingen bei den Stücken des Exils - nicht verzichtet, das sind solche Stimmungen und Gefühle, die im Zuschauer Verständnis, Sympathie und Solidarität mit der jeweiligen Lage der Bühnenfiguren wecken.
Folgerichtig gibt es keine Lieder dieser Art unmittelbar im Umkreis der Herrschenden. Wir finden einige wenige im Bereich der ihnen nahen Randgruppen, also bei den Soldaten etwa oder der Händlerin Courage. Sie tragen meist negativen, enthüllenden Charakter. Zahlreicher dagegen sind sie im Bereich des einfachen Volkes. Sie dienen meist der einfachen Wiedergabe, aber auch der Vertiefung ihrer Gedanken und Stimmungen.

(1) Lieder, die die Stimmung der Kolonialsoldaten, ihre seelische Leere und ihre Orientierungslosigkeit wiedergeben, finden sich in MANN IST MANN, in der DREIGROSCHENOPER
und in MAHAGONNY. Sie tragen hier oft genug Nummerncharak-
ter und erscheinen nur lose eingebettet in den szenischen
Vorgang. Zu nennen wäre der " M a n n   i s t   M a n n -
S o n g " (B.B. 8.138), der " S o n g   v o n   W i t w e
B e g b i c k s   T r i n k s a l o n " (B.B. 1.310), der
" K a n o n e n s o n g " (DREIGROSCHENOPER, B.B. 2.419)
und der " A l a b a m a - S o n g " (MAHAGONNY, B.B. 2.504).
- Interessant ist in diesem Zusammenhang das Lied der beiden
Panzerreiter im KAUKASISCHEN KREIDEKREIS. Es gibt plötzlich
Ausdruck von der tief menschlichen Seite der Verfolger Gru-
sches, von ihrer Traurigkeit und Ratlosigkeit. Trotzdem sind
und bleiben sie Marionetten der Herrschenden (B.B. 5.2034).
Courage aber, die Händlerin im Troß des Krieges, will ihren
Schnitt machen, will Anschluß finden an das große Geschäft
mit dem Krieg. Sie will skrupellos und gerissen sein, doch
zuweilen stolpert sie über ihre Gefühle, über ihre Menschlichkeit, die noch nicht ganz verschüttet ist. Das   " W i e -
g e n l i e d " (B.B. 4.1436), das sie am Ende des Stücks
der toten Katterin singt, enthält nicht nur die Trauer um
den Verlust des Kindes, sondern auch die Ahnung ihrer eigenen Schuld.

(2) Lieder, die in ihrer Aussage die Stimmungen des einfachen Volkes wiedergeben, dienen zunächst einmal rein äußerlich der Stützung des Volksstückhaften. Das gilt etwa für
das " P f l a u m e n l i e d " im PUNTILA (B.B. 4.1628f)
und für einige Lieder des SCHWEYK, in gewisser Weise auch
für die Lieder, die Grusche auf der Flucht mit dem Kind
singt (B.B. 5.2026f). Doch wenn die Lieder des SCHWEYK zugleich einen verschlüsselten Kommentar enthalten, der zwar
verschlüsselt, aber wichtig zum Verständnis der Denkweise
der Singenden ist, dann ist bei den Liedern Grusches weniger
der vielleicht enthaltene Kommentar wichtig als vielmehr die
Wiedergabe ihres Denkens und Fühlens. Später bringt auch der
Sänger ein Lied, das thematisch diesem verwandt ist und das
er mit folgenden Worten einführt: "Hört nun, was die Zornige
dachte, nicht sagte". Und dann singt er das Lied von den gol-
denen Schuhen, dessen letzte Strophe lautet:
"Wird es müssen den Hunger fürchten
Aber die Hungrigen nicht.
Wird es müssen die Finsternis fürchten
Aber nicht das Licht." (B.B. 5.2102)

Ein anderes Lied des Stückes, von Grusche gesungen, behandelt in anderer Weise den Gedanken an die Gefährdung der Liebe, des Geliebten durch den Krieg. Grusche ist mit dem Kind
bei ihren Verwandten in den nördlichen Gebirgen untergekom-
men und denkt nun voll Sorge an Simon Chachave, ihren Verlob-
ten. Das wird an dieser Stelle wiederum nur in dem Liede ausgesprochen. In ihren Gedanken an ihn bittet sie ihn, sich
doch im Getümmel der Schlacht in der Mitte zu halten:
"Die ersten sterben immer
Die letzten werden auch getroffen
Die in der Mitte kommen nach Haus." (B.B. 5.2048)

Es sei schließlich noch das " L i e d   v o n   d e r   Z u -
b e r e i t u n g   d e s   s c h w a r z e n   R e t t i c h s"
(SCHWEYK, B.B. 5.1946) erwähnt. Es ist Ausdruck ohnmächtiger
Empörung eines einfachen Mannes, dessen einziges Laster,
sein stets gegenwärtiger, unstillbarer Hunger, ihn immer
wieder in Konflikt mit dem Besatzungsregime bringt. Hier hat
das Lied - wir erwähnten es bereits - zugleich auch einen
ausgeprägt agitatorisch-polemischen Akzent.

---

3. Die besondere Wirkungsmöglichkeit des Liedes auf der Bühne

Um nun abschließend die besondere Wirkungsweise des Liedes in der Struktur des Szenischen zu erfassen, ist es zunächst notwendig, unsere bisherigen Überlegungen auf einen
präzisen Nenner zu bringen. Was wir zu Beginn als ein Parameter in die Untersuchung einbrachten, wurde durch diese grundsätzlich bestätigt: das "Lied zu Stücken" ist integraler Bestandteil der dramatischen Struktur. Die lyrische Qualität
eines solchen Liedes steht im Einflußfeld des Dramatischen
und erfährt von dort Impulse, die es in die Lage versetzen,
an einer bestimmten Stelle eines Dramas eine ganz bestimmte
Funktion zu erfüllen. Das "Lied zu Stücken" ist zugleich lyrisches Gebilde und dramatisch-dramaturgisches Element: es
ist mannigfach verknüpft und vielschichtig in der Funktionalität innerhalb Handlung und Aussage, innerhalb dessen also,
was wir als Fabel bezeichnet haben.
     Damit haben wir genau die besondere Wirkungsmöglichkeit
des Liedes in der Struktur der Fabel bestimmt: sie liegt in
der Einheit von lyrischem Ausdruck und dramatischem Formungs-
willen. Hier erreicht die lyrische Gattung "Lied zu Stücken"
in der Objektivierung des Subjekts seine spezifische Ausprägung. Der große ästhetische Reiz, der von ihr ausgeht, liegt
also in einer ganz spezifischen Wirkungsweise innerhalb der
szenischen Struktur begründet.

Ein sozusagen diachronischer Schnitt, genau an der Stelle eines solchen Liedes durch das Stück gezogen, kann dies verdeutlichen. Er legt offen, daß hier verschiedene Realitätsebenen im Raum des Theaters aufeinanderstoßen. In eigentümlich spannungsvoller Weise werden sie durch die Fabel getrennt und verbunden. Die wichtigsten Ebenen gilt es zu differenzieren.

Übersicht III: Realitätsebenen des Liedes

(a) Die Realität des Liedes
(b) Die Realität des Singenden und des Sängers selbst
(c) Die Realität des Stückeschreibers
(d) Die Realität der übrigen Bühnenfiguren
(e) Die Realität des Zuschauers

Es handelt sich hier also im wesentlichen um 5 Ebenen der Realitätsgestaltung auf der Basis der Fabel. Diese fünf Ebenen sind - um beim Bild des Schnittes zu bleiben - teilweise übereinander geschichtet, können sich aber auch gegenseitig durchdringen. Das sei nun am Beispiel des " L i e - d e s   v o n   d e r   B l e i b e " (B.B. 4.1429) verdeutlicht.

(a) Die Realität des Liedes

Für dieses Lied ist eindeutig ein freier Raum lyrischen Ausdrucks geschaffen in Form einer eigens vorbehaltenen Zwischenszene. Obwohl es zwar vergleichbare Szenen (auch in diesem Stück!) gibt, ist das natürlich nicht symptomatisch für alle Lieder im Stück.
Die Wirklichkeit, die in den Zeilen des Liedes beschlossen ist, unterscheidet sich von der des Stücks grundsätzlich: es ist eine Welt des Friedens und der Geborgenheit, nicht des Krieges und der Gefährdung. Die erste Strophe bringt das Bild des Gartens mit der blühenden Rose, die zweite das Bild des Daches, das Schutz gegen den Schneesturm bietet. Die Realität des Liedes steht in Kontrast zur Realität des Stückes, das ja von den verheerenden Auswirkungen des Krieges berichtet.
Die Musik wie auch das Bühnenbild des Modells unterstützen diesen Eindruck. Die Musik steht gegen das Heulen des Schneesturms. Sie hat volksliedhaften Charakter, wird nur

von einer Gitarre begleitet. Der Verzicht auf den Taktstrich
im Verein mit der historisierenden Sprache geben der Realität des Liedes etwas seltsam Unwirkliches, längst Vergange-
nes. Das Haus, von dem die Rede ist, steht auf kahler Flä-
che. Auch dieses Haus erscheint in seiner Vereinzelung gefährdet. Hier laufen also Geborgenheit und Gefährdung, Erinnerung und Sehnsucht wie auch Hoffnungslosigkeit und Ver-
lorensein zusammen zu einem lyrisch vertieften Eindruck.

(b) Die Realität des Singenden und des Sängers selbst

Selten bleibt der Singende in der Anonymität wie in diesem "Lied von der Bleibe". Das zeigt allerdings, daß Brecht
niemals starr und orthodox vorgeht, sondern seine Grundsät-
ze immer wieder zur Diskussion stellt. Hier also kommen die
Courage und Kattrin, den Planwagen ziehend, an einem Bauernhaus vorbei, "aus dem eine Stimme singt" (B.B. 4.1429). Man
geht zunächst wohl davon aus, daß Realität des Liedes und
Realität der Singenden übereinstimmen. In Brechts Münchner
Inszenierung vom 8.10.1950 wurde das Lied "in harter, heraus-
fordernder Selbstsicherheit"[1] gesungen. Die Realität des
Singenden erhält also einen besonderen Alzent: "Der anmassen-
de Besitzerstolz der singenden Bäuerin machte die Lauscher
auf der Straße zu Verdammten" schreibt Brecht in den Materialien[2]. Der Sänger gestaltet die Realität der "Stimme"
auf der Basis seiner eigenen Anschauung von der Wirklichkeit. Er bringt seine Parteilichkeit in die Gestaltung mit
ein (wenn man so will, auch eine Ebene im Phänotyp des Liedes auf der Bühne), indem er den sozialen Standort des Singenden anzuzeigen versucht.

(c) Die Realität des Stückeschreibers

Im Falle dieses "Liedes von der Bleibe" ist tatsächlich
kaum eine Haltung des Verfassers, sondern wohl ausschließlich die des Sängers formuliert, "der mit dem Verfasser nur
das zu tun hat, daß er von ihm verfaßt ist"[3]. Es gibt allerdings auch andere Beispiele, in denen sich der Autor in
der "Publikumsadresse" deutlicher zu erkennen gibt - zuweilen sogar expressis verbis. So spricht in MANN IST MANN die
Begbick in einem Z w i s c h e n s p r u c h die Welterfahrung des Herrn Bertolt Brecht aus. Zu dem " S a l o -
m o n - S o n g " (B.B. 4.1425) existiert eine spätere Strophe über den wissensdurstigen Brecht, der ins Exil getrie-
ben wurde. In diesem " L i e d v o n d e r B l e i b e "
gibt er sich zu erkennen durch Kenntnis dramatischer Zusammenhänge bzw. anderer Lieder. Mit der letzten Zeile "Wohl
denen, die .... han" korrespondiert es deutlich mit dem "Beneidenswert, wer frei davon" des Salomonliedes. Der Krieg

---

1) Courage-Materialien, S.65.

2) ebda.

3) Hacks: a.a.O., S.421.

löst die Fragen des Besitzes auf seine Weise - nämlich durch
Zerstörung, auch der sogenannten absoluten menschlichen Werte. Über die hier überschauten Beziehungen zwischen Lied,
Sänger und Autor schreibt Hacks:
"Das Lied behandelt die Wirklichkeit auf eine der singenden Person gemäße Weise; es ist das Ergebnis der
Attitüde, die sie zur Wirklichkeit einnimmt. Die singende Person ist eine Erfindung des Autors; sie ist das
Ergebnis der Attitüde, die er zum wirklichen Menschen
einnimmt. Vermittelt durch das Lied also erfahren wir
über die singende Person. Vermittelt durch die singende Person erfahren wir über den Autor." 1)
Das trifft genau die Situation des vorliegenden Liedes, sollte aber nicht generalisiert werden. Es trifft auf viele Lieder, zum Beispiel gerade des späten Brecht nicht zu, daß sie
das "Ergebnis der Attitüde" des Singenden zur Wirklichkeit
zum Ausdruck bringen. Oft überschreitet das Lied in seiner
Aussage ja gerade den Erkenntnishorizont des Singenden, daraus eben seine spezifische ästhetische Wirkung innerhalb
des Stückes schöpfend, daß die Meinung des Autors eingebracht wird.

(d) <u>Die Realität der übrigen Bühnenfiguren</u>

Im Gegensatz zu vielen anderen Liedern hat das vorliegende einen sichtbaren Adressaten auf der Bühne: "Mutter
Courage und Kattrin haben eingehalten, um zuzuhören und ziehen dann weiter" (B.B. 4.1429, Szenen-Anm.). Sie sind die
Ausgestoßenen, das Lied kennzeichnet zugleich auch ihren sozialen Standort. Das Modellbuch gibt die Anweisung, nicht
zu zeigen, was in ihnen vorgeht[2]: "das Publikum kann es
sich denken". Und doch wird ein sehr sprechendes Detail aus
der großen Darstellungskunst der Helene Weigel angeführt:
"Wieder losziehend warf die Weigel in einer der späteren
Vorstellungen den Kopf hoch und schüttelte ihn, wie ein mü-
der Schlachtgaul beim Losziehen."[3] Die Geste - sie wird
hier als kaum nachahmbar bezeichnet - umreißt in äußerster
Verknappung die Realität der Bühnenfigur und gibt zugleich
den Denkanstoß für den Zuschauer. Das Geschehen des Liedes
wird als gleichnishaftes Spiel in Bezug zu der zuhörenden,
aber keineswegs direkt 'angesungenen' Person auf der Bühne
gebracht.

(e) <u>Die Realität des Zuschauers</u>

Obwohl das " L i e d   v o n   d e r   B l e i b e " nicht
unmittelbar als Publikumsadresse zu werten ist, erhält es
erst durch das Wissen und die Erfahrung des Zuschauers die

---

1) Hacks: a.a.O. S.421.

2) Courage-Materialien, S.65.

3) ebda.

rechte Dimension. Es wird - wie aus dem Modellbuch hervorgeht - nicht ausgespielt, was das Lied für die draußen Stehenden bedeutet: das muß der Zuschauer vollziehen. Realität des Liedes, Realität der dramatischen Fabel (durch Autor und Sänger vorgetragen) und Realität des Zuschauers treten also stets in einen fruchtbaren Austausch, das ist die Voraussetzung für den künstlerischen Vollzug im Theater. Die Einheit des Widersprüchlichen muß der Zuschauer auf Grund seiner dialektischen Auffassung der Wirklichkeit stets aufs neue herzustellen versuchen. So ist auch hier der Zuschauer der eigentliche Adressat des Liedes, was folgerichtig durch ein Songemblem signalisiert wurde. Der Zuschauer ist aufgerufen, durch intensives Nachdenken die Verbindung sowohl im Stück und seiner Handlung als auch in seiner eigenen Realität aufzuspüren, um so den eigentlichen Sinn des Liedes über seine dramaturgische Motivation hinaus zu erhalten. Dazu schreibt Brecht in seinen Anmerkungen zum Stück: "Dem Stückeschreiber obliegt es nicht, die Courage am Ende sehend zu machen - sie sieht einiges, gegen die Mitte des Stückes zu, am Ende der 6. Szene, und verliert dann die Sicht wieder -, ihm kommt es darauf an, daß der Zuschauer sieht" (B.B. 4.1443).

Ein solcher Schnitt, wie der hier durchgeführte, ließe sich selbstverständlich bei jedem 'Lied zu Stücken' ziehen, würde aber keineswegs immer und in jedem Falle das gleiche Ergebnis zeitigen. Wie bereits angedeutet, können ganz bestimmte Realitätsschichten einen besonderen Akzent erhalten und in besonders spannungsreiche Beziehungen zueinander treten, andere wiederum sozusagen zurücktreten. Dieser Wechsel, der natürlich besondere Möglichkeiten eröffnet, unterliegt stets dem Gesetz der Fabel. Darin liegt zugleich auch das unerhört Neue dieser Form: sie entsteht und lebt in der Verbindung mit mehreren Künsten, sie ist selbständig und doch gebunden, enthüllt erst in der Beziehung mit der dramatischen Kontinuität die Vielfalt ihes Ausdrucks - und Wirkungsmöglichkeiten. So fügt sie sich ein in eine seit der Romantik beginnenden, in unserer Zeit sich vehement fortsetzenden Auflösungserscheinung alter Gattungsgrenzen, die sich für das Denken der neuen Zeit als allzu eng und damit ungeeignet erwiesen hatten. Dieser Entgrenzungsprozeß ist nicht

nur auf den engen Bereich der Gattung beschränkt, sondern
erfaßt auch zugleich die einzelnen Künste selbst, in unserem
Falle die Bildende Kunst etwa, das Theater und die Musik. Es
entstehen neue 'synästhetische' Formen: das 'Lied zu Stükken' ist ein Meilenstein auf diesem Wege. Brecht verteidigt
diese neuen Formen in den Auseinandersetzungen mit Georg
Lukacs. Wahrscheinlich aus dem Jahre 1938 stammt eine Notiz,
in der er feststellt:

> "Es kann der Literatur nicht untersagt werden, sich der
> neuerworbenen Fähigkeiten des zeitgenössischen Menschen,
> wie der, simultan aufzunehmen oder kühn zu abstrahieren
> oder schnell zu kombinieren, zu bedienen."
> (B.B. 19.307)

Es sei die Aufgabe des Künstlers, die "künstlerische Adap-
tion solcher Fähigkeiten" zu vollziehen. Und in der Tat: das
simultane Denken, die kühne Abstraktion, die schnelle Kombination, alle diese Fähigkeiten des neuen, "wissenschaftlich"
denkenden Menschen werden angesprochen durch eine sich in
mehreren Ebenen vollziehenden und in mehreren Ausdrucksmitteln vorgetragenen Fabel. Und hier erweist sich das "Lied
zu Stücken" zugleich als eine neuartige lyrische Form und
als formkonstituierend für eine veränderte dramatische Form,
die Brecht nun "Stücke" und "Versuche", "Parabel", "Modell"
und "Chronik" nennt.

Die im Zusammenhang mit dem Begriff der "Einlage" ent-
standenen Fragen der Bindung des "Liedes zu Stücken" an das
dramatische Geschehen (ist es austauschbar oder gebunden an
seine Stelle im Drama? herauslösbar, ohne Störung des dramatischen Körpers?) und die Verwendung bereits vorhandener Lieder erhalten hier eine neue Antwort. Die neue szenische Struktur, die durch das Eindringen episierender Elemente bestimmt
ist, erübrigt natürlich die im Zusammenhang mit der traditionellen Dramenstruktur stets gestellte Frage, inwieweit
die Lieder vom dramatischen Zusammenhang her motiviert sind:
wo die Handlung sich nicht mehr sozusagen linear und einschichtig bewegt, ist eine solche Frage sekundär. Und doch
ist die Frage nach der Position eines solchen "Liedes zu
Stücken" insofern wiederum nicht überflüssig, als es in der
umso empfindlicheren epischen Struktur, die ja auf die Gesetze des Theatralischen Rücksicht nehmen muß, eine ganz

bestimmte Aufgabe, ganz bestimmte (von uns ja bereits um-
rissene) Funktionen zu erfüllen hat. Als Beispiel sei auf
die Überlegungen um das G e s c h ä f t s l i e d der Courage etwa hingewiesen, die sich im Modellbuch finden[1]. Im
Zusammenhang mit seinen Arbeiten am GUTEN MENSCHEN VON SEZU-
AN notiert Brecht am 15. März 1939: "Interessant, wie sich
bei diesen dünnen Stahlkonstruktionen (gemeint ist die Struktur des epischen Theaters, B.T.) jeder kleinste Rechenfeh-
ler rächt. Da ist keine Masse, die Ungenauigkeit aus-
gleicht".[2] Lieder können also nicht wahllos einmontiert werden, sondern müssen sich in die Struktur einfügen, sich den
Gesetzen ihres zeitlichen Ablaufs, ihrer örtlichen Gebundenheit und ihrer inneren Logik unterordnen.

---

1) Courage-Materialien, S.19 u.a.
2) "Guter Mensch von Sezuan". Materialien. S.11.

B. Der Bezug zu der (auf theatralische Wirkung ausgerich-
    teten) Musik

> Kleines Organon für Theater
> § 74
> "So seien all die Schwesterkünste der
> Schauspielkunst hier geladen, nicht um
> ein 'Gesamtkunstwerk' herauszustellen,
> in dem sich alle aufgeben und verlie-
> ren, sondern sie sollen, zusammen mit
> der Schauspielkunst, die gemeinsame
> Aufgabe in ihrer verschiedenen Weise
> fördern, und ihr Verkehr miteinander
> besteht darin, daß sie sich gegensei-
> tig verfremden." (B.B. 16.698f.)

Eine der Prämissen dieser Arbeit ist die Betonung der Eigenständigkeit des "Liedes zu Stücken" in gattungsmäßiger
Hinsicht. Wir stellten sie zu Beginn unserer Überlegung auf
und versicherten uns dabei der Rückendeckung durch Peter
Hacks, dessen Äußerung gerade dadurch Gewicht hat, als er,
der Brecht-Schüler und Dramatiker, selbst Gebrauch von diesem
Genre macht. In seinem Essay "Über Lieder zu Stücken", dessen Bedeutung wir bereits andernorts herauszustellen hatten,
zeigt er dies Lied in einem Kräftefeld zwischen Lyrischem
und Dramatischem stehend und dort seine besondere Eigenart
entwickelnd: "Es gehört formal zur Lyrik, genremäßig zur
Dramatik."[1] Im Zusammenhang mit Brecht können wir da allerdings nicht stehen bleiben, sondern haben mit der musikalischen Komponente eine weitere Größe zur gattungsmäßigen
Bestimmung einzufügen, deren besondere Qualität für das Lied
in Form und dramatisch-theatralischer Wirkungsweise schon dadurch sehr auffällig ist, daß Brecht sie stets in seine Überlegungen mit einbezieht. Im MESSINGKAUF etwa spricht er von
"Gesängen" und gibt genaue Vorschriften in bezug auf ihre
Vertonung und ihren Vortrag. Daß Musikalisches bei Hacks -
zumindest in seinem Essay - so gut wie keine Bedeutung hat,

---

1) Hacks: a.a.O. S.421.

mag damit zusammenhängen, daß eben das Musikalische bei ihm
nicht derart ausgeprägt in den dramatisch-dramaturgischen
Plan einbezogen erscheint, wie wir das bei Brecht nachweisen können. Mit der Betonung der Eigenständigkeit des "Liedes zu Stükken" in gattungsmäßiger Hinsicht geriet also die musikalische Komponente geradezu zwingend in unser Blickfeld. Wir
sprachen in der erwähnten Einleitung bereits vom Lied als
der Nahtstelle zwischen Wort und Musik und kennzeichneten
so seine besondere Eigenart innerhalb des dramatisch-theatralischen Raumes. Dort hatten wir die Einschränkung auch
festgelegt, die wir uns notwendigerweise auferlegten, um
den Bereich einer literaturhistorischen Untersuchung nicht
zu überschreiten, die Einschränkung nämlich, die Klärung der
eigentlich musikwissenschaftlichen Probleme, die sich im besonderen aus der kompositorischen Faktur ergeben, auch der
musikwissenschaftlichen Untersuchung zur Klärung zu über-
lassen. Daran sei hier noch einmal erinnert. Wir gehen also
im folgenden nur auf einige Teilaspekte dieses Bereichs ein,
um die Umrisse des "Liedes zu Stücken" auch nach dieser Seite hin wenigstens anzudeuten. Eine dezidiert musikwissen-
schaftliche Untersuchung - das sei noch einmal wiederholt -
ist hier überaus wünschenswert.

1. Brechts Konzeption der Bühnenmusik

Musik im Stück ist nach dem Willen Brechts mehr als nur
'Musikkulisse', sie ist ein wichtiges Glied der umfassenden
Einheit 'dramatisches Theater'. Sie dient nicht mehr nur dazu, das Geschehen auf der Bühne zu untermalen oder zu über-
höhen, nur als Spannungselement, als Beruhigung der Affekte,
als Höhepunkt und Ausklang und dergleichen, als ein bloß
Äußerliches nur, zweckgebunden gesehen und recht brauchbar
dazu, die Szene wirkungsvoll zu gestalten. Musik ist nach
dem erklärten Willen des Stückeschreibers darüber hinaus
funktionales und zugleich konstituierendes Element der dra-

matisch-theatralischen Veranstaltung. Die Lieder aber in ihrer Tongestalt - Brecht verwendet hier die Begriffe "Gesänge" und "Musikstücke" - sind Teil dieser Bühnenmusik, den
Gesetzen ihrer Konzeption unterworfen. Den literarisch-dra-
matischen Rahmen in der Problematik des "Liedes zu Stücken"
haben wir bereits abgesteckt, wobei wir zunächst von der
Struktur der Fabel ausgingen. Nun soll mit der Konzeption
der Bühnenmusik auch der theatralisch-musikalische Bereich
abgesteckt werden, innerhalb dessen das Lied im Stück seine
besondere Gestalt erhält.

a.) <u>Der musiktheoretische Ansatz</u>

Brechts Beziehung zur Musik ist - wie sein gesamtes künstlerisches Arbeiten - von gesellschaftspolitischen Maximen bestimmt. Hier lag der besondere Beitrag, den er in die Zusammenarbeit mit den Komponisten einbringen konnte: er analy-
sierte mit ihnen soziale und ökonomische Probleme, regte sie
an, eine neue musikalische Sprache für die gewonnenen Erkenntnisse zu suchen.

Ausgehend von der marxistischen These, daß die Kunst von
gesellschaftlichen Interessen bestimmt ist, stellt Brecht
fest, daß ein neues gesellschaftliches Bewußtsein (eben das
kommunistische) eine neue künstlerische Sprache, eine neue
Musik bedingt. Diese neue Musik aber muß zunächst einmal
in der Lage sein, die noch herrschende, doch brüchig und
lebensunfähig gewordene Ordnung zu verändern, das System
der Ausbeutung zu beseitigen. Musik wird damit aus ihrer
(vermeintlichen) Autonomie, die sie im Laufe ihrer Entwicklung erlangt zu haben glaubte, herausgerissen und von neuem
in einen politischen Zusammenhang gestellt.

Brechts Kritik an dem zeitgenössischen Musikschaffen
orientiert sich stets an dieser soeben entwickelten Grund-
vorstellung. Seine Ablehnung von "Kunst" als übergesell-
schaftlichem Phänomen hat er bereits zu Beginn der Dreißiger
Jahre in seinen Gedanken zur "Musiklehre" (B.B. 18.88) for-

muliert. Darin lehnt er die Existenz einer übergesellschaft-
lich unabhängigen, prästablisierten Harmonie, d.h. musikalische Idealität strikt ab. Das vor allem in der Romantik so
oft beschworene Magisch-Numinose im Ausdruck der Musik war
seinem rationalen Denken fremd, ja verhaßt, da es den Menschen lähmt, ihn in Hypnose zur Untätigkeit verdammt. In dem
sehr wichtigen Aufsatz "Über die Verwendung von Musik für
ein episches Theater" aus dem Jahre 1935 schildert er in iro-
nischer Weise die Wirkung solcher Musik:

> "Ein einziger Blick auf die Zuhörer der Konzerte zeigt,
> wie unmöglich es ist, eine Musik, die solche Wirkungen
> hervorbringt, für politische und philosophische Zwecke
> zu verwenden. Wir sehen ganze Reihen in einen eigentüm-
> lichen Rauschzustand versetzter, völlig passiver, in
> sich versunkener, allem Anschein nach schwer vergifteter
> Menschen. Der stiere, glotzende Blick zeigt, daß diese
> Leute ihren unkontrollierten Gefühlsbewegungen willen-
> los und hilflos preisgegeben sind. Schweißausbrüche
> beweisen ihre Erschöpfung durch solche Exzesse. Der
> schlechteste Gangsterfilm behandelt seine Zuhörer mehr
> als denkende Wesen. Die Musik tritt auf als 'das Schick-
> sal schlechthin'. Als das überaus komplizierte, absolut
> nicht zu übersehende Schicksal dieser Zeit grauenvoll-
> ster, bewußter Ausbeutung der Menschen durch den Men-
> schen. Diese Musik hat nur mehr rein kulinarische Ambi-
> tionen. Sie verleitet den Zuhörer zu einem entnerven-
> den, weil unfruchtbaren Genußakt." (B.B. 15.480f).

Der Mißbrauch der Musik und der ihr inne wohnenden Möglichkeiten beginnt nach seiner Überzeugung dort, wo Musik nicht
in gesellschaftlicher Verantwortung steht. In apodiktischer
Schärfe stellt er in den Notizen zur "Musiklehre" fest:

> "Die bürgerlichen Musiker haben in ihrer Musik ihre Ge-
> fühle ausgedrückt und in ihren Zuhörern Stimmungen er-
> zeugt, auf deren Art es weniger ankam als auf deren
> Stärke. Diese Musik nennt der Denkende asozial."
> (B.B. 18.87)

Brecht findet einen solchen Mißbrauch, eine solche 'asoziale'
Musik nicht nur im Konzertsaal, sondern auch auf der Bühne
ganz offen praktiziert: auch hier arbeiteten nach seiner Ansicht die zeitgenössischen Komponisten 'introspektiv', 'subjektive Stimmungen' ausmalend (B.B. 15.487). Das führt zu
'Verschmierungen', die die Arbeit des Schauspielers gefähr-
den (B.B. 15.412), indem sie den Vorgang selbst ausspielen,
anstatt ihn zu kommentieren. Die Musik verhindert so die Be-
urteilung der Vorgänge auf der Bühne, anstatt sie zu ermög-

lichen, was nach Brechts Überzeugung doch ihre eigentliche
Aufgabe ist. Vollends als eine Beleidigung des Verstandes empfindet
er die Widersinnigkeit der Gattung O p e r , die er darin
sieht, "daß hier rationale Elemente benutzt werden, Plastik
und Realität angestrebt, aber zugleich alles durch die Musik wieder aufgehoben wird. Ein sterbender Mann ist real.
Wenn er zugleich singt, ist die Sphäre der Unvernunft erreicht." (B.B. 17.1007). Sein Versuch der Opernreform setzte
gerade hier ein. Indem er die Gesänge von dem übrigen, d.h.
von der Ebene des realen Geschehens trennte, hoffte er, einen betont rationalen Ansatz gefunden zu haben.

Brechts Kritik - das muß man sehen - ist geprägt von einem grundsätzlichen Mißtrauen gegenüber der Musik als solcher oder sagen wir besser: gegenüber der 'absoluten Musik'.
Bereits vom Material her ist ihm diese Sprache, die ja keine Begriffssprache ist, zutiefst suspekt. Sie entbehrt jeglichen gegenständlichen, begrifflichen Sinns, man kann mit
ihr nicht diskutieren. Hanns Eisler kennzeichnet sie in seinem Gespräch mit Hans Bunge als am weitesten entfernt von
der Welt der praktischen Dinge:

> "Das heißt, sie ist zurückgeblieben. /⁻.... 7 Gerade
> durch ihre Entfernung von der praktischen Welt hat
> die Musik etwas Dumpfes, Archaisches." 1)

Bereits in einem anderen Gespräch hatte Eisler zuvor über
"Musik ohne Worte" in historisch deduzierender Weise reflek-
tiert. Diese Gedanken spiegeln sicherlich Diskussionen mit
Brecht wieder, daher seien sie hier erwähnt. Nach Eislers
Ansicht ist Musik kein immanentes Phänomen, sondern ein hi-
storisches:

> "Wenn wir von Konzertmusik sprechen, müssen wir immer
> von bürgerlicher Musik sprechen. Und die bürgerliche
> Musik beginnt dort, wo sich Musik säkularisiert, das
> heißt, von der Kirche unabhängig macht. Dort tritt ein
> neues merkwürdiges Phänomen auf, nämlich der freischwei-
> fende Mensch, der sich in Musik ausdrückt. Das ist etwas
> ganz Modernes damals gewesen und auch heute noch für
> uns ungeheuerlich. Nun, aus diesen Umständen entstanden,
> ist Musik in unseren frühen Formen des Sozialismus
> nicht so einfach zu übernehmen.

---

1) Bunge: a.a.O. S. 45.

/⁻ .... ̄7
Das reine Zuhören - nicht die "reine Musik", sondern
das reine Zuhören der abstrakten Musik /⁻ .... ̄7 war
ein neues Ereignis im 18.Jahrhundert. Wie man das jetzt
behandeln soll, ist noch nicht sichtbar." 1)
Brecht selbst löst dieses Dilemma für sich dadurch, daß er
eben die absolute Musik als solche völlig ablehnt. Doch
Brecht ist nur Stückeschreiber, für den marxistischen Musiker ist die Lösung dieses Problems nicht ganz so einfach.
Einerseits sucht er sich einer neuen Zuhörerschaft mitzu-
teilen, nicht in subjektiv-introvertierter, sondern in gesellschaftlich verantwortungsbewußter Weise. Andererseits
aber ist er sich als Marxist bewußt, daß Töne und ihre Kombinationen nur dem Ausdrucksträger sind, der in der Lage ist,
sich durch Assoziation ihre Bedeutung zu erschließen. Musik
in der bürgerlichen Gesellschaft aber hat sich dahin entwickelt, daß der Kreis der Rezipienten oder der zur Rezeption überhaupt Fähigen immer weitgehend geschlossen war, ja
sich immer weiter verengte. Musikalisches Hören setzt neben
musikalisch-technischem Wissen in hohem Maße die Kenntnis
musikalischer Traditionen voraus, aber auch das Wissen um
den Standort der Gegenwart in dieser Entwicklung dort, wo
es sich um zeitgenössische Musik handelt. In dem Gespräch
mit Bunge kommt Hanns Eisler sehr bald auf die eigentliche
Problematik zu sprechen, in der der marxistische Komponist
steht: neue Musik zu machen für Menschen, die die klassische Tradition nicht kennen.

"Ich muß also etwas Neues bieten und die klassische Musik überspringen. Glauben Sie mir, ich sitze oft nach-
mittags an meinem Schreibtisch und halte meinen Kopf,
um diese Arbeit zu lösen, da ich mich ja nicht selber
ausdrücken will - und mich ungeheuer langweilen würde,
weil ich gar nichts auszudrücken habe - sondern etwas
Praktisches, Brauchbares, aber doch Neues geben und
den Standart meines musikalischen Denkens halten will."2)

Hier wird das ganze Dilemma ästhetisch-künstlerischen Arbeitens unter diesen Bedingungen sichtbar. Das ist allerdings
nicht primär auf Marxismus und Kommunismus zurückzuführen,
als vielmehr auf die unbefriedigende gesellschaftspolitische Situation, in der sich Kunst und künstlerisches Arbei-

---

1) H.Bunge: a.a.O. S.37f.
2) ebda. S. 38f.

ten in dieser Zeit befinden, ja im Grunde immer befunden
haben.

Die Lösung, die Brecht vorschlägt, nämlich Aufgabe absoluter Musik zugunsten einer Mischung zweier verschiedener
Mitteilungsmedien, der Sprache und der Musik, ist nur eine
Scheinlösung, da sie die Probleme der Musik auf lange Sicht
nicht zu lösen vermag. Für Brecht selbst aber, wie auch für
viele der Komponisten, die ihre Arbeit in marxistischem Sinne verstanden, war dies wohl die einzige Möglichkeit, die
Musik politisch, d.h. gesellschaftlich wirksam werden zu
lassen. Man verschloß sich ihrer magischen, ihrer metaphy-
sischen Dimension, lehnte solche Musik als klassenfeindli-
ches Narkotikum ab. Dagegen wurde die Forderung nach einer
neuen Musik aufgestellt, die nicht primär das Gefühl, sondern die Denkfähigkeit des Menschen ansprechen sollte. Aus
der Erkenntnis heraus, daß Musik in ihrer Aussagefähigkeit
begrenzt ist, verbindet man sie mit dem kommentierenden Wort.
In dieser Verbindung aber kommt im sozialistischen Lied zunächst einmal primär die massenbewegende Wirkung der Musik
zum Zuge. Doch Brecht, der sein Mißtrauen gegenüber der
Macht der Musik über die Menschen (auch hier) nie ganz los-
werden sollte, verlangte   m e h r   aus dem Bewußtsein
heraus, daß die Musik mehr zu geben in der Lage war: Stellungnahme, Kommentierung, Zustimmung und Kritik. Hier ist
Brecht durchaus als ein Anreger für das Musikschaffen seiner Zeit anzusehen.

Ehe wir uns aber damit beschäftigen, wie diese Forderungen im einzelnen entwickelt wurden und in welcher Weise er
ihnen bei seinen "Hauskomponisten" zum Durchbruch verhalf,
ist es notwendig, sich kurz zu vergegenwärtigen, wie weit
Brecht überhaupt in der Lage war, musikalische Fragestellun-
gen zu erfassen, wie weit sein eigenes Musikverständnis
reichte.

Während sein Jugendfreund H.O. Münsterer in seinen Erinnerungen von Brechts "außergewöhnlicher Begabung" spricht,
schreibt der finnische Dirigent und Komponist Simon Parmet
in dem bereits erwähnten Bericht über seine Zusammenarbeit
mit Brecht: "Brecht selbst war nicht musikalisch im tiefe-

ren Sinne, aber er hatte einen unfehlbaren Instinkt, wenn es
galt, sich die Musik vorzustellen, die am besten zu seiner
Art von Dramatik passen würde."[1] Er berichtet, wie Brecht
oft dazu überging, musikalische Vorschläge zu machen. Sie
waren "nicht immer gerade originell", ja Parmet opponierte
oft gegen ihre offenbare Banalität, konnte aber nicht leugnen, daß sie doch immer sich genau für die Szene eignete,
die zur Diskussion stand[2]. Musik an und für sich interessierte Brecht nicht, so stellt auch Parmet fest, sie interessierte ihn nur, insofern sie wirklich dem vorgesehenen
Zweck diente und wirklich das aussagte, was er in seinem
Drama gesagt haben wollte[3]. Zusammenfassend beurteilt er
Brechts Musikalität folgendermaßen:

> "Wie gesagt, war Brecht in der Musik nicht besonders be-
> wandert. Aber er wußte instinktiv, was man über solche
> Musik wissen konnte, die er zur Begleitung für seine
> Dramatik auswählte. Wenn es sein Werk galt, war er eine
> Art musikalische Wünschelrute, die immer auf der richti-
> gen Stelle ausschlug. Er fand deshalb immer, was er
> suchte. So fischte er, wo immer er sich in der Welt be-
> fand, Melodien auf, die seinem eigenartigen Sinn zusag-
> ten, und von denen er glaubte, sie anwenden zu kön-
> nen." 4)

In der Tat ist der geographische Bereich, aus dem solche Anregungen gewonnen wurden, erstaunlich ausgedehnt: er reicht
von der schottischen Hochebene bis Nordamerika, von Rußland
bis in den fernen Osten.

Interessant ist auch eine Bemerkung Hanns Eislers, des
wohl profiliertesten Kommunisten unter Brechts Mitarbeitern.
In seinen Gesprächen mit Hans Bunge nennt er Brecht einen
"hochmusikalischen Menschen", "eine ganz erstaunliche Begabung"[5]. Und er erläutert, wie er das verstanden wissen
will:

> "Ja, er konnte nur Gitarre spielen. Noten lesen konnte
> er nicht. Oder er hats vergessen. Das macht aber nichts.

---

1) S.Parmet: a.a.O. S.465.
2) ebda. S. 467.
3) ebda. S. 466.
4) ebda. S. 467.
5) H.Bunge: a.a.O. S. 210.

Wissen Sie, die Noten lesen können sehr viele Menschen
auf der Welt.
Aber die Musikalität von Brecht war eine riesige Musi-
kalität ohne Technik - genau wie der Brecht ein eigen-
tümliches mathematisches Talent war, ohne mathematische
Technik.
Das gibt es eben.
Und ich schätze so etwas ja viel mehr als irgendeinen
mittleren Herrn, der das berufsmäßig treibt.
Also größte Musikalität." 1)

Absolute Musik, die Schönheit einer Partitur wie das Lesen
einer Partitur überhaupt, differenziertere, diffizilere
musikalische Probleme sind Brecht verschlossen. Nach einer
Vorlesung Schönbergs "Über modernes Komponieren" notiert
er im Juli 1942, das Musikalisch-Technische habe er nicht
verstehen können und doch hätten die Theorien für ihn den
Anschein völliger Klarheit gehabt. Es sei "ein Jammer, daß
man noch nicht einmal so in Musik gebildet wird, daß man
wenigstens versteht, was man da nicht versteht."2) Dagegen
bewundert er an den Opernkompositionen Mozarts, wie gesellschaftlich belangvolle Haltungen der Menschen gestaltet werden, "Produktionen wie Kühnheit, Grazie, Bösartigkeit, Zärt-
lichkeit, Übermut, Höflichkeit, Trauer, Servilität, Geil-
heit und so weiter." (B.B. 15.486). Auch sein Urteil über
den Jazz, der als kompositionelle Anregung seit den Zwanziger Jahren eine enorme Rolle spielte, zeigt eine durchaus
eigene Betrachtungsweise:

> "(Dennoch ist eine Ablehnung des Jazz, welche nicht von
> einer Ablehnung seiner gesellschaftlichen Funktionen
> herkommt, ein Rückschritt.) Man muß nämlich unterschei-
> den können zwischen dem Jazz als Technikum und der wi-
> derlichen Ware, welche die Vergnügungsindustrie aus
> ihm machte. Die bürgerliche Musik war nicht imstande,
> das Fortschrittliche im Jazz weiterzuentwickeln, näm-
> lich das Montagemäßige, das den Musiker zum techni-
> schen Spezialisten machte. Hier waren Möglichkeiten ge-
> zeigt, eine neue Einheit von Freiheit des einzelnen
> und Diszipliniertheit des Gesamtkörpers zu erzielen
> (Improvisieren mit festem Ziele), das Gestische zu be-
> tonen, die Methode des Musizierens der Funktion unter-
> zuordnen, also bei Funktionswechsel Stilarten über-
> gangslos zu wechseln und so weiter." (B.B. 17.1032)

Eisler spricht übrigens von dem Selbstschutz, den sich
Brecht auferlegte, indem er sich mit Musik nur insoweit

---

1) H.Bunge: a.a.O. S.210.
2) ebda. S.169.

einließ, als er sie gebraucht hat[1]. In einer der zahlreichen Diskussionen über Fragen der Kunst, die Brecht mit Eisler und anderen Freunden im Exil geführt hat, wird deutlich,
was damit gemeint ist. Bunge berichtet: Eisler hatte darauf
hingewiesen, wie gefährlich es sei, "Neuerungen rein tech-
nisch, unverknüpft mit der sozialen Funktion in Umlauf zu
setzen". Brecht stimmte ihm zu, den Gedanken gleich für sich
selbst nutzbar machend. Bei einer Forderung nach aktivisie-
render Musik müsse man auch den Pferdefuß sehen, daß aktivisierende, jedoch konsumaktivisierende Musik in Amerika täg-
lich zu hören sei[2]. Wenn Brecht aktivisierende Musik fordert, so wird genau gesagt, um welche Aktivität es sich handelt, nämlich um politische im Sinne des Sozialismus. Angesichts einer Aktivisierung für den Verbrauch von Coca Cola,
so sagt Brecht einmal, könne man allerdings nur noch ver-
zweifelt nach l'art pour l'art rufen[3].

Brecht öffnet sich also der Musik nur dort, wo sie in
einem sozialen Bezug stehen, verschließt sich immer dort,
wo sie in subjektiver Introversion diesen Bezug leugnet.

"Musik /als/ lautes Fühlen (wobei es gleichgültig ist,
ob gesungen wird oder ob das 'werkzeugmachende Tier'
Instrumente benützt) gibt dem Fühlen des einzelnen, soweit es allgemein werden will, eine allgemeine Form,
ist also Organisation von Menschen auf Grundlage von
Tönen.
In der Musik muß, soll sie Musik bleiben, das Unvernünftige und die Disziplin voll erhalten bleiben."
(B.B. 18.87)

In diesem Kernsatz aus seinen Überlegungen zur "Musiklehre"
ist Brechts Musikverständnis in seinem ganzen Umfang, in
seiner ganzen dialektischen Hintergründigkeit enthalten. An
ihm maß er alle Bemühungen um Reform des musikalischen Ausdrucks, alle Strömungen und Modernismen.

Folgerichtig wird auch der Einsatz von Musik auf der Bühne von Brecht stets gesellschaftspolitisch motiviert: "Die
ordnenden Gesichtspunkte sind geschichtlich-gesellschaftli-
cher Art." (B.B. 17.1037). Immer wieder wendet er sich

---

1) H.Bunge: a.a.O. S.213.
2) ebda. S.29.
3) ebda.

dagegen, daß man das eigentlich Neue seiner Konzeption der
Bühnenmusik lediglich rein äußerlich in der bisher ungewohnten Verwendungsart sieht. Die für seine Bühne entwickelten
Neuerungen können nach seiner Ansicht "kaum anders als durch
solche Erörterungen geklärt werden, die den gesellschaftlichen Zweck der Neuerung herausarbeiten" (B.B. 15.476). Die
Musik, nach der Brecht bei seinen langjährigen Experimenten
suchte, mußte in der Lage sein, die Gedanken und Ideen der
Arbeiterbewegung und des Klassenkampfes auszudrücken. Musikalische Experimente auf der Bühne hatten für ihn ebenfalls
nur dann einen Sinn, wenn sie hier einen Fortschritt brachten (B.B. 17.1079). Von Eislers Musik zu DIE MUTTER sagte er
einmal, sie "ermögliche in einer bewunderungswürdigen Weise
gewisse Vereinfachungen schwierigster politischer Probleme,
deren Lösung für das Proletariat lebensnotwendig" (B.B. 15.
479) sei. Hier war genau das erreicht, wonach er strebte:
die Musik folgte der politischen Zielsetzung, wie sie in
der Fabel umrissen war. Von der Fabel her erhielten die charakteristischen Eigenheiten der Bühnenmusik ihre Bestimmung.
Der quantitative Einsatz musikalischer Mittel aber wird ganz
auffällig diktiert von dem erwähnten Mißtrauen Brechts gegenüber 'absoluter' Musik. Das wirkt sich aus auf die Zahl der
auftretenden Musiker ebenso wie auch in bezug auf die Zahl
ihrer Auftritte. In den Anmerkungen zu "Mahagonny" heißt es
dementsprechend:

> "Die große Menge der Handwerker in den Opernorchestern
> ermöglicht nur assoziierende Musik (eine Tonflut er-
> gibt die andere); also ist Verkleinerung des Orchester-
> apparates auf allerhöchstens 30 Spezialisten nötig."
> (B.B. 17.1011)

Im Laufe der Entwicklung war auch dieser Apparat für seine
Vorstellungen zu groß. In der COURAGE-Inszenierung von 1949
wurde beispielsweise die Ouvertüre von nur vier Musikern gespielt (B.B. 17.1136). Abgesehen von einigen geradezu melo-
dramatisch auskomponierten Szenen in den Stücken DER GUTE
MENSCH VON SEZUAN und DER KAUKASISCHE KREIDEKREIS ist der
Einsatz von Musik in dieser Zeit sparsam und präzise kalkuliert. In den "Gedanken zur Filmmusik" schreibt Brecht, ausgehend von seinen Erfahrungen als Stückeschreiber und Thea-
terpraktiker, es müsse der Musik, damit sie gehört werde,

erlaubt sein, verhältnismäßig selten zu sprechen:

"Die Musik wird umso wichtiger sein können, in je kleinerer Quantität sie verwendet wird. Und sie wird ihre Funktionen um so besser bedienen, je weniger Funktionen es sind. Vor allem müssen die Funktionen sorgfältig auseinander gehalten werden ...."
(B.B. 15.497)

Die Vorschrift von der "Sparsamkeit der Mittel" gilt also nicht nur für den Orchesterapparat, sondern auch für die Musik in ihrem quantitativen Auftreten. Man muß daran erinnern, daß solche Vorschriften durchaus im Gegensatz zur Bühnenpraxis früherer Jahre steht, erinnert sei nur an die Musik zu PEER GYNT und an die Musik, die Humperdinck noch zu den Shakespeare-Komödien lieferte. Brecht geht es nicht um Klangrausch und Gefühle. Er wehrt sich dagegen, daß der politische Gehalt eines Stückes durch einen exzessiven Einsatz von Musik erdrückt wird. Musik auf der Bühne - unter dieser Prämisse muß die bühnenmusikalische Konzeption Brechts stets gesehen werden - ist bei ihm eindeutig gebunden an das politische Programm, das hier verfolgt wird.

b.) Musik im dramatischen Entwurf: funktionelles und konstituierendes Element im "Kollektiv selbständiger Künste"

Wir können davon ausgehen, daß Musik seit den frühen Stücken Brechts bereits teil hat an dem dramatischen Entwurf selbst, also nicht erst dem abgeschlossenen Stück bei der Inszenierung aufgesetzt wird zur Steigerung der Bühnenwirksamkeit, wie es auch heute noch weitgehend Brauch an unseren Bühnen ist. Die Theorien vom Epischen Theater und auch die der Lehrstücke etwa entwickelte Brecht gemeinsam mit dem Komponisten. Darüber hinaus aber war es für ihn das Ideal, den Musiker, wie auch den Schauspieler und den Bühnenarchitekten bereits in die Arbeit am Entwurf eines Stückes einzuschalten. Schon hier bot er den mimetischen Künsten die Gelegenheit, ihren Ausdruck zu entfalten. Und Mimesis wird ähnlich wie bei Aristoteles sehr weit gefaßt. Sie bezieht alle künstlerischen Mittel ein, wenn es für die Darstellung der Wirklichkeit im Sinne des Wesenhaften (eidos) dienlich ist. Tanz, Musik, Gesang, Malerei, Projektion, Pantomime,

Schauspielkunst, alles wird dazu aufgeboten. Die Grenzen
der künstlerischen Form, von einer normativen Poetik allzu
sehr eingeschränkt, werden gelockert, wo nicht aufgehoben.
Alle mimetischen Künste werden im Stück selbst und auf dem
Theater ihrem Wesen gemäß eingesetzt.

Die Art, in der Brecht die mit ihm zusammenarbeitenden
Komponisten über die Musik orientierte, die für die einzelnen Szenen vorgesehen, eingeplant war, ist bereits mehrfach
von den Musikern selbst, etwa von Eisler und Parmet, angesprochen worden. Hier sei auf ein weiteres Beispiel hingewiesen, das nicht auf einen Bericht zurückgeht, sondern aus
den Arbeitsprotokollen Brechts selbst stammt. Es handelt
sich um eine Anmerkung zum KAUKASISCHEN KREIDEKREIS. Paul
Dessau schrieb, anläßlich der deutschen Erstaufführung des
Stückes am 15. Juni 1954 im Schiffbauerdamm-Theater, eine
recht interessante Musik, die den Versuch eines auskomponierten Berichts brachte und erstaunliche Partien stark melodramatischen Charakters aufwies. Brecht legte die Linien dieser
Musik im vorhinein selbst fest:

> "Im Gegensatz zu den paar Liedern, die persönlichen Aus-
> druck haben können, sollte die Erzählermusik lediglich
> eine kalte Schönheit haben, dabei nicht zu schwierig
> sein. Es scheint mir möglich, aus einer gewissen Mono-
> tonie besondere Wirkung zu holen; jedoch sollte die
> Grundmusik für die fünf Akte deutlich variieren. Der
> Eröffnungsgesang des ersten Aktes sollte etwas Barba-
> risches haben, und der unterliegende Rhythmus sollte
> dem Aufmarsch der Gouverneursfamilie und der die Men-
> ge zurückpeitschenden Soldaten vorbereiten und beglei-
> ten. Der Pantomimengesang am Aktende sollte kalt sein
> und dem Mädchen Grusche ein Gegenspielen ermöglichen.
>
> Für den zweiten Akt (Flucht in die nördlichen Gebirge)
> bräuchte das Theater eine treibende Musik, die den
> sehr epischen Akt zusammenhält, sie sollte aber dünn
> und delikat sein.
> Der dritte Akt hat die Musik der Schneeschmelze (poe-
> tisch) und in der Hauptszene den Kontrast der Trauer-
> und Hochzeitsmusiken. Das Lied in der Szene am Fluß
> hat die Melodie des Liedes im ersten Akt (Grusche ver-
> spricht dem Soldaten, auf ihn zu warten).
> Der vierte Akt müßte die treibende verlumpte Azdakbal-
> lade (die übrigens besser piano wäre) zweimal unter-
> brechen mit den zwei Gesängen des Azdak (die unbedingt
> leicht singbar sein müssen, denn man muß den Azdak mit
> dem stärksten Schauspieler besetzen, nicht mit dem be-
> sten Sänger). Im letzten (dem Gerichts-)Akt wäre eine
> gute Tanzmusik am Schluß nötig." (B.B. 17.1207f.)

Vieles an diesen Anweisungen ist als durchaus konventionell
anzusehen und trägt doch den Stempel der Eigenart Brechtscher Musikkonzeption. Musik soll einen szenischen Vorgang
"vorbereiten und begleiten", ja sogar "poetisch" sein. Sie
soll einen "sehr epischen" Akt zusammenhalten. Solche Forderungen würden einen altgedienten Bühnenkomponisten durchaus nicht überraschen. Auch nicht die Anweisung, den "Kontrast der Trauer- und Hochzeitsmusiken" in der Hauptszene
auszuspielen. Brecht würde hier allerdings auf einem Kontrast
bestehen, der seine Wirkung aus dem Verfremdungseffekt
schöpft, also nicht vordergründig an den Ereignissen haften
bleibt, sondern den gesellschaftlichen Konflikt miteinbezieht, in dem sich Grusche befindet und der ihr die Freiheit
ihres Handelns raubt.

Einen neuen Akzent setzt über die Forderung, Musik, Gesang sollte "kalt sein", eine "kalte Schönheit" haben, damit
also gegen vielerlei Affekte, die das Stück selbst bereits
aufweist, stehen. Musik soll auch der handelnden Figur, hier
dem Mädchen Grusche "ein Gegenspielen ermöglichen". Das ist
eine von Brecht oft erhobene Forderung, auf die wir noch einzugehen haben. Musik soll also gegen die Szene spielen, in
verfremdendem Kontrast der H a n d l u n g besondere Wirkung schaffen. Der Schauspieler aber soll "gegen die Musik"
spielen und singen, so der M u s i k zu besonderer Aufmerksamkeit verhelfend und dadurch auch indirekt seinem eigenen Handeln. Eine solche Musik jedoch ist nicht anders
denkbar als angelegt im dramatischen Entwurf selbst, von ihm
her Impuls und zugleich auch Gestalt empfangend. Das ist als
ein besonderes Charakteristikum zunächst festzuhalten.

Brecht schrieb - das ist kein Geheimnis - die Bühnenmusik
für die ersten Stücke noch selbst. Die dramaturgischen An-
sprüche, die an sie gestellt wurde, waren noch nicht so
hoch. Es handelte sich dabei zunächst tatsächlich nur um etwas, "was schon lange nicht mehr selbstverständlich war":
nämlich um 'poetisches Theater'[1]. Musik wurde hier in "ziemlich landläufiger Form" und kaum je ohne "naturalistische"
Motivierung eingesetzt:

---

1) B.B. Über die Verwendung von Musik für ein episches Theater, 15.472.

"Jedoch wurde durch die Einführung der Musik immerhin
mit der damaligen dramatischen Konvention gebrochen:
das Drama wurde an Gewicht leichter, sozusagen ele-
ganter; die Darbietungen der Theater gewannen artistischen Charakter. Die Enge, Dumpfheit und Zähflüs-
sigkeit der impressionistischen und die manische Ein-
seitigkeit der expressionistischen Dramen wurde schon
einfach dadurch durch die Musik angegriffen, daß sie
Abwechslung hineinbrachte."   (B.B. 15.472)

Nicht ohne Grund ist die Komödie MANN IST MANN das erste Stück, zu dem Brecht einen Komponisten, nämlich Kurt
Weill, heranzog. Wie erwähnt entwickelt Brecht bereits in
TROMMELN IN DER NACHT die Idee, Musik bzw. Gesang in ver-
fremdend-kontrastierender Weise einzusetzen. Er verwandte
dabei allerdings nicht eigene, für die besondere szenische
Situation geschriebene Lieder, sondern bekannte Lieder, Cho-
räle und Hymnen, die er zudem nicht auf der Bühne singen,
sondern über Grammophon einspielen ließ. Dieses Experiment
wird in MANN IST MANN, das wir in vielfältiger Hinsicht als
ein Übergangsstück ansehen können, konsequent weitergeführt.
In diesem Stück, an dem Brecht sehr lange gearbeitet hat,
sind bereits Ideen des 'Epischen Theaters' angelegt, wenn
auch noch nicht abgeklärt. Wichtig in unserem Zusammenhang
ist das Montagemäßige als der Anfang der Experimente um das
Epische Theater.

"Musik und Aktion wurden als durchaus selbständige Bestandteile des Kunstwerks behandelt. Die musikalischen
Stücke wurden kennbar einmontiert in die Aktion."
                              (B.B. 15.495)

Von hier aus unternahm Brecht dann die weiteren Schritte
zu den ersten "Theorien über die Trennung der Elemente" (B.B.
15.473), die er zunächst auf dem Felde der Opernexperimente
DREIGROSCHENOPER und MAHAGONNY erprobte. Die Aufführung der
DREIGROSCHENOPER im August 1928 brachte "eine erste Verwendung von Bühnenmusik nach neueren Gesichtspunkten. Ihre auffälligste Neuerung bestand darin, daß die musikalischen von
den übrigen Darbietungen streng getrennt waren." (B.B. 15.
473). In den sehr wichtigen Anmerkungen zu MAHAGONNY fordert
Brecht dann die radikale Trennung der Elemente. Die Montage
wird sozusagen zum Prinzip erhoben:

"Der große Primatkampf zwischen Wort, Musik und Darstellung (wobei immer die Frage gestellt wird, wer

wessen Anlaß sein soll - die Musik der Anlaß des Bühnenvorgangs, oder der Bühnenvorgang der Anlaß der Musik und
so weiter) kann einfach beigelegt werden durch die radikale Trennung der Elemente." (B.B. 17.1010)
Wenn Brecht allerdings schreibt, daß es sich hier um den
"Einbruch der Methoden des epischen Theaters in die Oper"
handelt, so ist das nicht ganz richtig. Die Methoden des
epischen Theaters erfahren vielmehr erst in diesen Opernversuchen ihre experimentelle wie theoretische Klärung.

Indem Brecht aber die Forderung nach Trennung und Selbständigkeit der Elemente Wort und Musik, die im Zusammenhang mit den Bestrebungen um eine Reform der Oper entwickelt
wurde, auf das gesamte (Sprech-)Theater übertrug, sah er
sich mehr und mehr dem Mißverständnis ausgesetzt, seine Bemühungen seien nichts anderes als der Versuch, die Idee des
"Gesamtkunstwerkes" neu zu beleben. Immer wieder verwahrt
er sich dagegen, daß seine Konzeption von dem gleichberech-
tigten Zusammenwirken der Künste in die Nähe der Vorstellungen Richard Wagners gerückt werden. Der Idee des "Gesamtkunstwerkes" wirft er vor, daß sie die Eigenständigkeit und
damit auch die Eigenart der Künste zerstört. Zur Entstehung
eines solchen "Gesamtkunstwerkes" sei es notwendig, heißt
es noch im 'Kleinen Organon für das Theater', daß die einzelnen Künste "sich alle aufgeben und verlieren" (B.B. 16.
698, §74). In den Anmerkungen zu MAHAGONNY bereits schrieb
er:

> "Solange 'Gesamtkunstwerk' bedeutet, daß das Gesamte
> ein Aufwaschen ist, solange also Künste 'verschmelzt'
> werden sollen, müssen die einzelnen Elemente gleicher-
> maßen degradiert werden, indem jedes nur Stichwortbrin-
> ger für das andere sein kann. Der Schmelzprozeß erfaßt
> den Zuschauer, der ebenfalls eingeschmolzen wird und
> einen passiven (leidenden) Teil des Gesamtkunstwerkes
> darstellt. Solche Magie ist natürlich zu bekämpfen.
> Alles, was Hypnotisierversuche darstellen soll, un-
> würdige Räusche erzeugen muß, benebelt, muß aufgege-
> ben werden." (B.B. 17.1010f.)

In seiner Ablehnung gegenüber dem Gesamtkunstwerk betont
Brecht die Selbständigkeit der einzelnen Glieder. Der Musiker soll nicht etwa nur "Diener des unsichtbaren Hinter-
grundes" sein, wie sich noch der traditionsverhaftete Büh-
nenkomponist Kurt Heusser[1] bezeichnete. Die Musik soll

---

1) K.Heusser: Die Bühnenmusik im Schauspiel. In: MuK 1960.
   S.186.

nach der Vorstellung Brechts selbständig und in ihrer Weise
zu den Themen "Stellung nehmen" und sich nicht einfach "der
Stimmungen entleeren", die sie bei den Vorgängen befällt[1].
"Musik mit Selbstwert" (B.B. 15.495) soll zur Erhöhung der
Gesamtwirkung beitragen, d.h. aber bei Brecht zur verfrem-
denden, zur politischen Wirkung.

Wenn von der neuen Freiheit, von der besonderen Selbständigkeit die Rede ist, die Brecht bei der Niederlegung und
Inszenierung seiner Stücke dem Bühnenmusiker einräumt, so
ist damit jene von uns bereits näher bestimmte Freiheit in
der kollektiven Arbeit am Stück gemeint, die Selbständigkeit,
mit der hier der Musiker seiner Stellungnahme in das zur Diskussion stehende Stück einbringen kann. Gegen das "Gesamtkunstwerk" setzt Brecht das Ideal vom "Kollektiv selbständiger Künste". In ein und derselben Aufführung, so heißt es
in den Anmerkungen zum KAUKASISCHEN KREIDEKREIS, soll es
drei Behandlungen des Themas geben, durch die Dichtung, durch
die Musik, durch das Bild (B.B. 17.1210). Den thematischen
Zusammenhang aber gibt die Fabel und hier liegt deren besondere Bedeutung begründet: die Fabel ist das "gemeinsame Unternehmen", zu dem sich die verschiedenen "Elemente" unter
Wahrung ihrer Selbständigkeit vereinigen. In dem "Kleinen
Organon für das Theater" (§§ 70-74) beginnt daher die Erörterung des Verhältnisses, in dem die Künste innerhalb der
theatralischen Veranstaltung zueinander stehen sollen, folgerichtig mit dem Hinweis auf diese besondere Stellung der
Fabel:

§ 70

"Die Auslegung der Fabel und ihre Vermittlung durch ge-
eignete Verfremdung ist das Hauptgeschäft des Theaters.
Und nicht alles muß der Schauspieler machen, wenn auch
nichts ohne Beziehung auf ihn gemacht werden darf. Die
F a b e l wird ausgelegt, hervorgebracht und ausge-
stellt vom Theater in seiner Gänze, von den Schauspielern, Bühnenbildnern, Maskenmachern, Kostümschneidern,
Musikern und Choreographen. Sie alle vereinigen ihre Künste zu dem gemeinsamen Unternehmen, wobei sie ihre Selbständigkeit freilich nicht aufgeben." (B.B. 16.696f.)

Das Gesetz, das in beiden Bereichen, dem des Theatralischen

_____

1) § 71 des "Kleinen Organon". B.B. 16.697.

wie dem des Dramatischen, ordnungsschaffende Funktion aus-
übt, ist also das Gesetz der Fabel und ihrer eigentümlich
geschlossenen Aufgliederung gemäß dem gesellschaftlichen
und dem deiktischen Gestus. Der Fabel also sind die einzelnen Elemente zugeordnet, ihrer Verdeutlichung und Klärung haben Dichtung, Musik und Bühnenbild zu dienen. Die Fabel ist
es, die ihnen den Rahmen und den Raum zu ihrer inneren und
äußeren Entfaltung gibt.

Die Selbständigkeit der Künste, die Betonung ihres Eigen-
wertes, die Forderung nach Trennung und ökonomischem Einsatz der bestimmenden Elemente im theatralischen Kunstwerk
dies alles bedeutet demzufolge keineswegs ein anarchisches
Neben- und Durcheinander der Künste, sondern vielmehr - auf
der Basis der Bindung an die innere Struktur des Dramas - die
besondere gegenseitige Zuordnung der am theatralischen Ereignis teilhabenden Künste. Die Trennung der Elemente ergibt
die Möglichkeit ihrer erneuten, durchdachten Zuordnung. Erst
wenn man dies berücksichtigt, versteht man Brechts oft wiederholte Anweisung, die Elemente zu "trennen", in der rech-
ten Weise.

Die Möglichkeit der Z u o r d n u n g einzelner künstlerischer Ausdrucksformen gab Brecht ein ganzes Spektrum
wirkungsvoller Kombinationen in die Hand, deren Einsatz auf
der Bühne ungeheuer belebend war. Uns interessieren hier natürlich in erster Linie Verbindungen, deren eines Glied jeweils die Musik ist.

Die Zuordnung der Musik zum g e s t a l t e n d e n
W o r t sei hier zuerst erwähnt. Sie ist einmal möglich in
der Form des Liedes, des lyrischen, aber auch des reflektierenden Liedes, Formen also, mit denen wir uns ja beschäftigen. Sie ist zum anderen aber auch möglich in der musikalischen Stützung s z e n i s c h e r , insbesondere monologi-
scher Partien, im melodramatischen Auskomponieren stimmungs-
voller, meist zwischenmenschlicher Vorgänge. Eine andere
Form der Zuordnung zeigt der KAUKASISCHE KREIDEKREIS. Der
Bericht des Sängers wird in 'kalter und unbewegter Singweise' (B.B. 16.697) vorgetragen zu der auf der Bühne p a n -
t o m i s c h dargestellten Rettung des Kindes durch

die Magd Grusche. Die besondere Art der Zuordnung soll "die Schrecken der Zeit entblößen, in der Mütterlichkeit zu selbstmörderischer Schwäche werden kann." (B.B. 16.697). - Im GUTEN MENSCHEN VON SEZUAN begleitet Musik das Auftreten der Götter, also die A k t i o n auf der Bühne. Das ' L i e d v o m   n e u n t e n   E l e p h a n t e n ' wird zum l e - b e n d e n   B i l d der Ausbeutung in der Tabakfabrik des Shui Ta gesungen. - Bereits in MANN IST MANN spielt Brecht mit der Möglichkeit, Musik (eine 'kleine Nachtmusik') und P r o j e k t i o n in wirkungsvoller Weise zu verbinden. Die Anregung dazu wird wohl vom Film ausgegangen sein, wie überhaupt das Filmische hier eine große, bisher zu wenig beachtete Rolle spielte. Wir haben bereits erwähnt, daß alle mit Brecht zusammenarbeitenden Komponisten für den Film schrieben.

Die Musik in ihrer Zuordnung zum gestalteten Wort, zur szenischen Aktion auf der Bühne, zur pantomimischen Darstellung eines Vorgangs, zu auf Leinwand projizierten Bildern: die Reihe der denkbaren oder von Brecht bereits verwirklichten Kombinationen ließe sich sicherlich noch erweitern. Die Beispiele genügen, um die Vielfalt der theatralischen Gestaltungsmittel aufzuzeigen, die sich aus der Möglichkeit der Zuordnung der Künste ergeben. Auf ein letztes sei noch eingegangen, weil es auch von Brecht in diesem Zusammenhang gern herangezogen wurde. Es ist der Oper AUFSTIEG UND FALL DER STADT MAHAGONNY entnommen. Nach dem großen Hurrikan gilt in Mahagonny nur noch das Wort "Du darfst!". Zu Beginn der 13.Szene treten die Männer an die Rampe und singen:

Chor

"Erstens, vergeßt nicht, kommt das Fressen
Zweitens kommt der Liebesakt
Drittens das Boxen nicht vergessen
Viertens Saufen, laut Kontrakt.
Vor allem aber achtet scharf
Daß man hier alles dürfen darf."

(B.B. 1.532)

Und nun werden in den folgenden Szenen diese für die Welt von Mahagonny wichtigsten Tätigkeiten vorgeführt: das "Essen" in der 13.Szene, das "Lieben" in der 14.Szene, das "Kämpfen" in der 15. und schließlich das "Saufen" in der

16.Szene. Jede dieser Verrichtungen, ermöglicht durch die
scheinbar totale Freiheit des Systems, ist von tödlichem Ausgang für einen der Beteiligten. Nur in der eigenartigen Liebesszene ist das nicht der Fall, doch auch sie ist ohne
tröstlichen Ausblick, an ihrem Ende steht Trennung und Verrat. Paul Ackermann, dem Liebenden dieser Szene und sport-
lichen Totschläger der nächsten, wird die letzte, das "Saufen", selbst zum Verhängnis. Er verstößt gegen den 'Kontrakt'
und erfährt, daß man hier in Mahagonny, der kapitalistischen
"Netzestadt", zwar "alles dürfen darf", nur eins nicht, kein
Geld haben, arm sein. Er muß zahlen - und zwar mit seinem Leben.

Die Szenenanmerkungen weisen aus, daß Tafeln im Hintergrund der Bühne in riesengroßen Lettern die jeweilige Tätigkeit anzeigen (B.B. 2.235). In der Inszenierung Brechts im
Jahre 1931 am Berliner "Theater am Kurfürstendamm" war auf
diesen Tafeln eine "überlebensgroße", bildliche Darstellung
der betreffenden Verrichtungen zu sehen. Jede Szene wird
von dem Chor der Männer von Mahagonny, die ersten drei Szenen zudem von Musik begleitet. Hier die Szenenanmerkungen:

13.Szene "Essen": "Seitlich die beiden Musiker."

14.Szene "Lieben": "Im Hintergrund Musik."

15. Szene "Kämpfen": "Auf einer seitlichen Tribüne spielt
eine Blasmusik."

In der 16.Szene, dem "Saufen", markieren die Männer("feier-
lich wie ein Männergesangverein") einen Sturm, "indem sie
pfeifen und grölen", sie singen das Lied "Stürmisch die
Nacht". Und in der Tat wird es für Paul Ackermann "dunkel"
(s.17.Szene): 'Dreieinigkeitsmoses' will sein Geld. Der Zah-
lungsunfähige wird festgenommen und Jenny, zwei Szenen zuvor noch als die 'Liebende' gezeigt, singt, während Paul gefesselt wird, ihr Lied, das zeigt, daß das Schicksal des anderen sie völlig kalt läßt:

"Denn wie man sich bettet, so liegt man
Es deckt einen keiner da zu
Und wenn einer tritt, dann bin ich es
Und wird einer getreten, dann bist's du."
(B.B. 2.546)

Brecht beschreibt den Aufbau dieser Szenen, die insgesamt
von der Fabel her episodenhaft die zerstörende Wirkung des

kapitalistischen Systems auf das Bild des Menschen aufzeigen sollen, folgendermaßen:

"Die drei Elemente Aktion, Musik und Bild traten vereint
und doch getrennt auf, indem in einer Szene, die zeigt,
wie ein Mann sich zu Tod frißt, vor einer Tafel, auf
der überlebensgroß ein Fresser zu sehen war, der Schauspieler (der ihm nicht glich) das selbstmörderische
Fressen spielte und dazu ein Chor den Vorgang singend
berichtete. Musik, Bild und Akteur stellten den gleichen Vorgang selbständig dar." (B.B. 15.495)

Die Regie hat diesen Linien zu folgen, den Künsten Gelegenheit zu geben, aus ihrer Anonymität herauszutreten, sich
"auf viele Arten und durchaus selbständig" (B.B. 16.697) zu
etablieren und in ihrer spezifischen Weise und als souveräne
Kunst zu den Themen Stellung zu nehmen. Gerade die Betonung
der Selbständigkeit der Künste schärft Auge und Ohr für die
Aufnahme besonderer Ausdrucksweisen und -möglichkeiten. Die
Vielschichtigkeit im ästhetischen Ausdruck ist keineswegs
zu verdecken, sondern im Gegenteil herauszuarbeiten und stilistisch wirksam werden zu lassen. Brecht selbst entwickelt
eine ganze Reihe von Möglichkeiten, die teilweise schon im
dramatischen Entwurf, in der Szenenanmerkung detailliert angelegt sind. Einige davon erwähnt er zu Beginn eines Ge-
dichts über die "Gesänge", das er für den "Messingkauf"
schrieb:

"Trennt die Gesänge vom übrigen!
Durch ein Emblem der Musik, durch Wechsel der Beleuchtung
Durch Titel, durch Bilder zeigt an
Daß die Schwesterkunst nun
Die Bühne betritt. Die Schauspieler
Verwandeln sich in Sänger. In anderer Haltung
Wenden sie sich an das Publikum, immer noch
Die Figuren des Stücks, aber nun auch offen
Die Mitwisser des Stückeschreibers."
(B.B. 9.795)

Zu diesen hier aufgezählten Möglichkeiten, die Trennung bzw.
Zuordnung der Künste auf der Bühne sichtbar zu machen, kommen noch einige weitere, die hier nicht aufgezählt sind, so
etwa das auf der Bühne sichtbar aufgestellte Orchester, Fahnen und Transparente, die die Lehren der Songs auf einen
knappen Nenner bringen, und anderes mehr. Die wichtigsten
Formen sollen im folgenden durch einige Anmerkungen kurz
umrissen werden, um im besonderen die Bühnengestalt an

Stellen zu verdeutlichen, an denen zum Musikalischen "um-
geschaltet", der "Musik das Wort erteilt" (B.B. 17.1135)
wurde.

Übersicht IV: Dramaturgische Verweise auf das Lied

1. Das Song-Emblem
2. Wechsel der Beleuchtung
3. Song-Titel
4. Ausgestellte Bilder und Projektionen
5. Fahnen und Transparente
6. Das Orchester auf der Bühne
7. Stellungswechsel des Schauspielers
8. Die betonte Wendung an das Publikum
9. Der Wechsel in der Vortragsweise

(1) Das Song-Emblem wurde von Brecht bereits im Zusammenhang
    mit der DREIGROSCHENOPER entwickelt. Die hier verwandte
Form, leuchtende Bälle, war relativ einfach, einschichtig
in der Funktion, den Übergang zur Musik anzuzeigen. Zu den
Lampenbällen treten in der COURAGE-Inszenierung (1949) Trom-
pete, Trommel und Fahnentuch, Symbole des Krieges, die vom
Schnürboden herabhingen, seine stetige Anwesenheit signali-
sierend, aber auch seine zerstörerische Kraft, wenn die Em-
bleme in der neunten Szene "zerschlissen und zerstört" (B.B.
17.1135) waren. Dieses Songemblem erschien jedesmal dann,
so lautete die Anweisung Brechts, "wenn ein Lied kam, das
nicht unmittelbar aus der Handlung herauskam, oder, aus ihr
herausgekommen, deutlich außen blieb...." (B.B. a.a.O.).
Was allerdings in der DREIGROSCHENOPER von der erwähnten
operettenhaften Form her relativ einfach und logisch durch-
zuführen war, wurde in der COURAGE doch recht schwierig zu
begründen. Welche Lieder bleiben hier nun wirklich "deutlich außen", welche kamen nicht unmittelbar aus der Handlung? Auf diese Problematik wird an anderer Stelle noch einzugehen sein. Auffällig ist, daß Brecht diese Möglichkeit
des Songemblems im Zusammenhang mit der Inszenierung anderer Stücke nicht mehr aufgenommen hat.

(2) Der Wechsel der Beleuchtung hebt die Person des Sängers
    oder des oder der Musizierenden heraus, eine Möglich-
keit vor allem, den Zeigecharakter seiner Darbietung zu unterstützen, die Besonderheit des Vortrags zu betonen. Dies
konnte auch durch Färbung des Lichts geschehen, doch bevor-
zugte Brecht in der Regel das grellweiße Licht. In seiner

Frankfurter Inszenierung der MAHAGONNY-Oper im Jahre 1966
bezog Harry Buckwitz aus dem Wechsel der Beleuchtung neue,
interessante Wirkungen. Bei bestimmten Songs wurde auch
der bis dahin abgedunkelte Zuschauerraum schlagartig durch
volles Licht aus einer Anonymität gerissen, einbezogen in
die Lehren und Anklagen des Stücks. Die Absicht war wohl,
aufzuzeigen, daß der Zerrspiegel auf der Bühne sein wunder-
liches Bild geradewegs aus diesem Zuschauerraum empfangen
hat. In dieser besonderen Weise bildeten Bühne und Parterre
einen Kommunikationsraum.

(3) Die Song-Titel. Auch die Songtitel dienen dazu, den
"Wechsel zu einer andern ästhetischen Ebene, der musikalischen, sichtbar zu machen" (B.B. 17.1136). Sie wurden entweder auf Tafeln vom Schnürboden herabgelassen oder aber
auf einer Gardine oder einer Leinwand des Hintergrunds projiziert. Ihre Wirkung bezogen sie von der Moritat, von den
Schlagzeilen der Zeitungen, d.h. sie gaben vorweg und konzentriert die behandelte Thematik bzw. den berichteten oder
vorgeführten Vorgang des Musikstücks wieder: "Lied von der
Unzulänglichkeit menschlichen Strebens" (B.B. 2.465) oder
"Durch ein kleines Lied deutete Polly ihren Eltern ihre Ver-
heiratung mit dem Räuber Macheath an" (B.B. 2.423). - Der
Titel blieb während des ganzen Vortrags sichtbar - das ist
nicht unwichtig. Neben der konzentrierenden Wirkung auf
den Vortrag selbst wurde so auch die Aufmerksamkeit des Zuschauers bzw. Zuhörers ständig auf die Thematik, auf den
Vorgang hin gesammelt. Das Thema selbst bzw. der eigentliche Vortrag wird entscheidend, der Zuschauer kann vom "Was"
zum "Wie" übergehen (B.B. 15.464).

(4) Ausgestellte Bilder und Projektionen stehen in Charakter
und Wirkung den Song-Titeln nahe. Auch sie erscheinen
auf herabgelassenen Tafeln oder wurden projiziert. Das Beispiel aus MAHAGONNY haben wir bereits erwähnt, ebenso das
aus MANN IST MANN. Brecht nutzte auch die Möglichkeit, den
aktuellen Bezug mittels der Projektion politisch brisanter
Photographien, Montagen und Zeichnungen herzustellen. Die
Arbeiten Wieland Herzfeldes (Fotos, Fotomontagen u.a.m.)
wurden für ihn wichtig. Caspar Neher lieferte Zeichnungen
für MAHAGONNY, George Grosz für den SCHWEYK (s. B.B. 15.
441). - Erwin Piscator, das hatten wir bereits erwähnt, hat
diese Projektion künstlerisch nutzbar und zu einem "Mitspieler" auf die Bühne gemacht (s. B.B. 15.466f). Die Projektionen, so wie sie von Piscator und Brecht verwandt wurden, dienten nicht dazu, illusionsschaffende Kulissen zu
ersetzen. Indem sie in Kontrast zu den Vorgängen stehen
oder aber diesen in eindringlicher Weise erhöhte Beweiskraft
geben, machen sie die eigentliche gesellschaftliche Bedeutung des Vorgangs auffällig und sind so Denkstützen für den
Zuschauer: also realistische Betrachtungen an die Stelle
"vorsätzlicher Verwirrung der Begriffe, bewußter und unbe-
wußter Verfälschung der Gefühle" (B.B. 15.465).

(5) <u>Fahnen und Transparente</u>. Auch sie wurden wohl in der
Massivität des Einsatzes und der Wirkung von Erwin Piscator in das Theater eingebracht. Bereits in MANN IST MANN
verwendet Brecht Transparente, auf denen jene bekannten
'Publikums-Beschimpfungen' zu lesen waren. MAHAGONNY bereits
bringt sie in ihrer ursprünglichen Gestalt, als Losungsträ-
ger einer Demonstration (B.B. 2.561). Im Lehrstück, vor allem in der HEILIGEN JOHANNA DER SCHLACHTHÖFE und in der
MUTTER werden sie dann massiver, zeit- und arbeitskampfbe-
zogen eingesetzt. Mit Piscator diskutiert Brecht die Möglichkeit eines "beweglichen Tabulatoriums": ständig wechselnde
Losungen sollten die immerfort sich ändernden Situationen
kenntlich machen, "zeigen, wie das eine Moment noch besteht,
während sich das andere schon geändert hat und so weiter"
(B.B. 16.596). - Fahnen und Transparente können Schlagworte
und Losungen der vorgetragenen Lieder - in der Regel Massen-
lieder während Demonstrationen auf der Bühne - tragen und
in dieser Weise unterstreichen.

(6) <u>Das Orchester auf der Bühne</u>. Mit der gleichen Absicht,
in der Brecht den Beleuchtungsapparat sichtbar werden
ließ, stellte er sichtbar das in der Regel kleine Orchester
auf oder neben die Bühne und ließ es bei Darbietungen zusätzlich beleuchten. Brecht schreibt dazu:

> "Der Parabelerzähler tut gut, alles, was er für seine
> Parabel braucht, jene Elemente, mit deren Hilfe er den
> gesetzmäßigen Verlauf seines Vorgangs zeigen will, of-
> fen den Zuschauern vorzuweisen. Der Bühnenbauer der Pa-
> rabel zeigt also offen die Lampen, Musikinstrumente,
> Masken, Wände und Türen, Treppen, Stühle und Tische,
> mit deren Hilfe die Parabel gebaut werden soll."
> (B.B. 15.454)

In der COURAGE-Inszenierung am Deutschen Theater Berlin
(1949) brachte er die Musiker "sichtbar in einer Loge neben
der Bühne" unter (B.B. 17.1136). Sie wurden ebenso beleuch-
tet wie die Jahrmarktsorgel, die Neher in der erwähnten
DREIGROSCHENOPER-Inszenierung 1928, also über 30 Jahre früher, in die Mitte der Bühne stellte. In der New Yorker Aufführung der MUTTER 1935 verwandte Max Gorelik die Hälfte
der Bühne zur Aufstellung zweier Klaviere. Hier ging allerdings die von Brecht beabsichtigte Wirkung einer "Verfremdung allzu 'bekannter' Schauplätze" (B.B. 15.464) dadurch
verloren, daß die Klaviere während der Musikstücke nicht be-
leuchtet wurden. So entstand der Eindruck, "es sei lediglich
kein Platz anderswo vorhanden gewesen" (B.B. 17.1048). Brecht
übte daran harte Kritik. Das zeigt, für wie wichtig er die
Verfälschung der richtigen Absicht des Bühnenbildners, den
Eingriff in seine Kompetenz ansah (s.B.B. 15.441).
    Damit ist die letzte der Möglichkeiten, die getrennten
Künste auf der Bühne sichtbar zu machen, erwähnt, die in
den Arbeitsbereich des Bühnenbauers gehören. Die folgenden
sind Möglichkeiten, die in der Hand des Schauspielers liegen. Brecht selbst aber - das soll am Rande erwähnt sein,
weil es bezeichnend für seine Anschauung der hier angesprochenen Problematik der Selbständigkeit und Zuordnung der
Künste ist - spricht davon, daß auch die Schauspieler in

gewisser Weise "Stücke des Bühnenbaus" seien, also Teil einer Gesamtkonzeption, einzubeziehen auch in den Aspekt des
Bühnenarchitekten. Insofern ist der Schritt zum folgenden
nicht allzu groß, denn:

> "Wenn der Bühnenbauer einig geht mit dem Spielleiter,
> dem Stückeschreiber, dem Musiker und dem Schauspie-
> ler, was die gesellschaftliche Aufgabe anlangt, jeden
> von ihnen unterstützt und jede Unterstützung benutzt,
> so muß er seine Arbeit keineswegs aufgehen lassen in
> einem 'Gesamtkunstwerk', einer restlosen Verschmel-
> zung aller Kunstelemente. In gewisser Weise hält er,
> in seiner Assoziation mit den anderen Künsten, durch
> eine Trennung der Elemente die Individualität seiner
> Kunst ebenso aufrecht, wie dies die anderen Künste tun.
> Das Zusammenspiel der Künste wird so ein lebendiges;
> der Widerspruch der Elemente ist nicht ausgelöscht."
> (B.B. 15.440f).

(7) Der Stellungswechsel des Schauspielers. Bei den schauspielerischen Möglichkeiten, den Wechsel der ästhetischen Ebenen anzuzeigen, ist einiges bereits erwähnt worden. Erwähnt wurde bereits in der Erörterung der Form bzw.
der besonderen Vortragsweise des "Songs", daß die Sänger
aus ihrer Rolle heraustreten, durch den Stellungswechsel
den Wechsel der Mitteilungsebene anzeigend. In dem bereits
zitierten 'Messingkauf'-Gedicht "Die Gesänge" sagt Brecht:
"Die Schauspieler verwandeln sich in Sänger" und an anderer Stelle berichtet er:

> "Der Darstellungsstil der Schauspieler änderte sich,
> wenn Gesangsstücke kamen oder eine Musikuntermalung
> eines Dialogs erfolgte."   (B.B. 15.495)

Erwähnt wurde ebenfalls die besondere Art, beim Vortrag
die Bühnenmitte zu meiden, den Raum zu brechen, um so die
Spannung des Textes durch den Gestus zu stützen. - In den
sichtbar vorgeführten Stellungswechsel hinein nehmen die
Schauspieler "nur wenige ausgewählte Züge der Charaktere,
die sie darstellten" (B.B. 15.495). Also auch hier wieder
der Hinweis auf Zuordnung und Zusammenhang. - In seiner
scharfen Kritik der gerade durch eine falsche Regie der
Chöre und Lieder mißglückten New Yorker Inszenierung im
Jahre 1935 schreibt Brecht:

> "Da die Regie Gruppierung und Gestus der Singenden
> nicht für die Sache des Musikers hielt, verloren ei-
> nige Stücke ganz ihre Wirkung, da ein falscher poli-
> tischer Sinn entstand. Das Chorlied 'Die Partei ist
> in Gefahr' beschädigte die ganze Aufführung. Die Re-
> gie ließ, anstatt den oder die Sänger auf der Seite
> der Musikapparatur oder hinter der Szene zu postie-
> ren, die Sänger in das Zimmer eindringen, wo die Mut-
> ter krank lag, und diese mit heftigen Gebärden auf-
> fordern, der Partei zu Hilfe zu kommen. Aus dem Zu-
> streben des einzelnen zu seiner Partei in der Stunde
> der Gefahr wurde ein Rohheitsakt, aus dem überallhin

ausgesandten Ruf der Partei, auf den sich selbst die
Todkranken erheben, wurde das Aus-dem-Bett-Jagen einer kranken alten Frau."   (B.B. 17.1050f.)

(8) Die betonte Wendung an das Publikum wird da, wo das Lied
    sichtbar aus dem Stück heraustritt, in besonders poin-
tierter Weise vollzogen. Zurückgenommen erscheint diese Geste dagegen dort, wo die Ansprache an das Publikum nur in
direkter Weise erfolgt, innerhalb des Stückes aber eine
deutliche Reaktion der handelnden oder mithandelnden Personen zu bemerken ist, wie etwa im Falle des "Liedes von
der großen Kapitulation", wo Brecht fordert, "dass der Zorn
des Stückeschreibers/ Zum Zorn der Marketenderin geschla-
gen" (B.B. 9.795) werde. - Um zu verdeutlichen, wie diffi-
zil hier die Zusammenhänge sind, sei noch ein weiteres Beispiel aus Brechts Kritik an der New Yorker Aufführung der
MUTTER angeführt.

> "Den zweiten Akt beschließt ein Musikstück 'Lob der
> Wlassowas', das eine öffentliche Ehrung einer Genos-
> sin für ihre revolutionäre Arbeit ermöglicht. Dieses
> Musikstück muß völlig getrennt von der vorhergegange-
> nen Szene direkt zum Publikum gesprochen werden. Der
> in diesen Dingen noch völlig unerfahrene junge Regis-
> seur ließ dieses Stück in der Szenerie, die eine Kü-
> che darstellt, von den Schauspielern, die noch eben
> vorher Streikbrecher dargestellt hatten, der Darstel-
> lerin der Mutter selbst ins Gesicht brüllen. Dadurch
> wurde die ganze Art der Musik, die eine kalte, schar-
> fe und komplizierte ist, unwirksam gemacht und hatte
> zur Folge, daß der Zuhörer völlig verständnislos und
> kopfschüttelnd sich dieses wilde Herumschreien in der
> Küche betrachtete."   (B.B. 17.1079f.)

Der Gestus, der von dem Komponisten richtig erkannt und gestaltet worden war, wurde durch die Regie zerstört, in sein
Gegenteil verkehrt. Brecht führt an, daß der Komponist keineswegs ein "Zwiegespräch" zwischen den Vertretern der Partei und einer kranken alten Parteigenossin komponiert habe,
eine solche Musik hätte ganz anders ausgesehen, sondern
den Aufruf der Partei in einer gefährlichen Situation:

> "Durch eine dilettantische, die Anweisungen des Kompo-
> nisten außer acht lassenden Verwertung der Musik durch
> die Regie entstand ebenfalls eine Schädigung der poli-
> tischen Wirkung des Stückes."   (B.B. 17.1079)

Mit den "Anweisungen des Komponisten" also auch hier der
Hinweis auf die von ihm zu leistende selbständige Arbeit,
die allerdings nur dann ihre sinnvolle Gestalt auf der Bühne erhält, wenn sie im Gesamt der Künste verstanden und integriert wird.

(9) Wechsel in der Vortragsweise. Ein weiteres Mittel, den
Wechsel der ästhetischen Ebenen sichtbar zu machen, ist
der deutliche Wechsel in der Vortragsweise. In den Anmerkungen zur DREIGROSCHENOPER, die sich mit dem "Singen der
Songs" beschäftigen, schreibt Brecht:

> "Nichts ist abscheulicher, als wenn der Schauspieler
> sich den Anschein gibt, als merke er nicht, daß er
> eben den Boden der nüchternen Rede verlassen hat und
> bereits singe. Die drei Ebenen: nüchternes Redes, ge-
> hobenes Reden und Singen, müssen stets voneinander ge-
> trennt bleiben, und keinesfalls bedeutet das gehobene
> Reden eine Steigerung des nüchternen Redens und das Sin-
> gen eine solche des gehobenen Redens. Keinesfalls also
> stellt sich, wo Worte infolge des Übermasses der Gefüh-
> le fehlen, der Gesang ein." -   (B.B. 17.996f.)

Brecht fordert von dem Sänger, daß er singend eine politische
Haltung einzunehmen hat. Das hat in die Vortragsweise einzugehen und erklärt Anweisungen wie die in der 'Maßnahme', daß
es den Sängern nicht gestattet sein soll, "sich auszudrük-
ken", daß bestimmte Lieder und Chöre "mit voller Stimmstärke
unter Anstrengung zu singen", daß sie als "Kampfmittel" (B.
B. 17.1051) zu bringen seien.

---

c.) Musik auf der Bühne: Die Wirkung auf den gesamten
Kommunikationsraum 'Theater'

Denken wir zurück: Wir sind davon ausgegangen, daß Musik als ein funktionales und formkonstituierendes Element
bereits im dramatischen Entwurf angelegt ist. Brecht kennzeichnet sie als Teil jenes "Kollektivs selbständiger Künste", deren "gemeinsames Unternehmen" die Fabel ist. Unter
dem Gesetz der Fabel aber ermöglicht die Trennung der Elemente (Dichtung, Musik, Bühnenbild usw.) besondere Formen
der Zuordnung verschiedenster Künste, die für das Brecht-
Theater charakteristisch sind. Ausgang für den Einsatz von
Musik auf der Bühne ist in jedem Falle die politische Zielsetzung, der neue gesellschaftliche Auftrag im Klassenkampf.
Diese Erkenntnisse setzen uns nun in die Lage, die zentrale
Frage in der Bühnenkonzeption Brechts anzugehen, die Frage

nämlich nach der Funktion der Musik im Kommunikationsraum des Theaters. Die bestehende, alteingefahrene Theaterpraxis kannte durchaus die Fähigkeit der Musik, einen Raum zu schaffen, doch sie nutzte diese Erkenntnis vor allem in Richtung auf Illusionierung des Zuschauers. Die Orgel schuf die Illusion einer Kathedrale, der Trompeter die eines Turmes, die Fanfaren die eines Königssaales. Die Geige suggerierte die Verlorenheit und Abgeschiedenheit der stillen Kammer, das Klavier als Statussymbol des arrivierten Bürgertums stimulierte einen wiederum anderen Innenraum, andere damit verbundene Gefühlsinhalte. Hier nun verlagerte Brecht den Akzent.

Das Spiel auf der Bühne, so hatten wir entwickelt, ist nicht mehr Selbstzweck, sondern es hat die Aufgabe, als Modell oder als Gleichnis rationale Bezüge zu den wirklichen Lebensvorgängen herzustellen, in dieser Weise in das Bewußtsein der Zuschauerrealität einwirkend. Brecht geht es um die Durchdringung beider Realitätsebenen, der scheinbaren des Bühnenvorgangs und der konkreten der Zuschauenden. Sein Ideal ist es, die Reaktionen des Publikums mit in den Vorgang 'Theater' eingeschlossen zu sehen. Der Raum, den er schaffen, den er gestalten will, greift über den Bühnenraum hinaus. Er ist ein gesellschaftlicher Raum, der Bühne und Zuschauerraum umschließt: e i n Kommunikationsraum Theater.

Um die Entwicklung deutlich zu machen, müssen wir noch ein zweites Mal zurückgreifen. Im Zusammenhang mit den theatertheoretischen Vorstellungen hatten wir bereits festzustellen, daß Brecht das Prinzip der Guckkasten-Bühne unangetastet ließ und nannten als Ausnahme einige wenige Experimente innerhalb der Lehrstücke. Hier unterscheidet er zwischen einem "politischen Lehrwert für die Zuschauenden" und einem "politischen Lehrwert für die Ausführenden". Die Arbeit am Theater hatte ihm klar gemacht, daß politische Aufklärung, soll sie wirklich wirksam werden, hinter der Bühne beginnt. Nur ein politisch überzeugter Schauspieler kann überzeugend die Notwendigkeit des Klassenkampfes darstellen[1]. Die harten Ausein-

---

1) s.B.B.: Der Volksschauspieler Busch, 16.764-768.

andersetzungen vor der Machtergreifung durch die Nationalsozialisten 1933 ließen ihn an der politischen Wirksamkeit
herkömmlicher Theaterveranstaltungen zweifeln, wirksamere
Möglichkeiten und Formen der Kommunikation, aber auch neue
Rezipienten seiner Kunst suchen. Aber auch hier ergaben sich
Schwierigkeiten, die Schuloper fand die Schultore verschlossen. Es blieben die Organisationen der Partei:

> "Da es in Deutschland eine halbe Million Arbeitersänger
> gibt, ist die Frage, was in den Singenden vorgeht, min-
> destens so wichtig wie die Frage, was in den Hörenden
> vorgeht."   (B.B. 17.1032)

Die Lehrstücke sind also auf weite Strecken nichts anderes
als Agitation für Agierende, "Revolutions-Etuden" für Schauspieler, Schüler und Arbeitersänger, orientiert an der Idee
des politischen "Lehrwertes für die Ausführenden".

Brecht verzichtet hier in der Tat auf die frontale Zu-
wendung von Schauspieler und Zuschauer, da es ihm nicht um
Mitteilung bzw. Vermittlung von Verhaltensweisen an den Zuschauer geht, sondern um Einübung solcher Haltungen.

> "Das Lehrstück lehrt dadurch, daß es gespielt, nicht da-
> durch, daß es gesehen wird. Prinzipiell ist für das Lehr-
> stück kein Zuschauer nötig, jedoch kann er natürlich
> verwertet werden. Es liegt dem Lehrstück die Erwartung
> zugrunde, daß der Spielende durch die Durchführung be-
> stimmter Handlungsweisen, Einnahme bestimmter Haltun-
> gen, Wiedergabe bestimmter Reden und so weiter gesell-
> schaftlich beeinflußt werden kann."
>   (B.B. 17.1024)

Bei einem solchen Training klassenbewußter, revolutionärer
Handlungen geht allerdings jene Dynamik des theatralischen
Raums verloren, die aus der Spannung zwischen den Mittei-
lenden und den Rezipierenden, zwischen Darbietung und Widerspruch bzw. Übereinstimmung resultiert. Die Vorstellung,
die sich Brecht von der (Lehrstück-)Musik macht, ist daher
bezeichnenderweise ganz anders geartet. Interessant sind
hier die Äußerungen, die er selbst über die Musik zu der
MASSNAHME niedergeschrieben hat. Den unterbrechenden Rezi-
tativakten im Teil I (Die Lehren der Klassiker, B.B. 2.
633ff.) weist er "disziplinierende Funktion" zu, die Chöre
haben "organisatorischen Charakter" (B.B. 17.1031). Insgesamt gilt für diese Musik, was zur Charakterisierung der
Musik zum Teil 2 (Die Auslöschung, B.B. 2.636ff.) gesagt

wird: sie ist nichts anderes als der Versuch, einen "heroischen Brauch zu konstituieren".

Bei diesen Experimenten um das Lehrstück verliert die Bühnenmusik unversehens ihren D a r b i e t u n g s c h a - r a k t e r , ohne daß es allerdings wirklich gelang, die Form der ' U m g a n g s m u s i k '[1] im Sinne eines aktiven Umgehens, einer kultisch-organisierten Prosamelodik oder eines körperlich-rhythmischen Musizierens im Bereich des Tanzes zu erreichen bzw. zu reaktivieren. Es geht auch hier um die Gestaltung eines Raumes, der aber seltsam irreal ist, was die geographische Lokalisierbarkeit angeht. Es ist bereits ein Allgemeingültigkeit beanspruchender gesellschaftlicher Raum, der nach den Vorstellungen Brechts überall dort Wirklichkeit bekommt, wo Ausbeutung die Menschen in Knechtschaft hält.

Die traditionelle Bühnenmusikkonzeption hatte Musik, Geräusche, Signal usw. hinter die Bühne verlegt. Hier war der Raum der eigentlichen sozialen Auseinandersetzung. Eine solche Technik findet sich noch beim frühen Brecht sehr ausgeprägt. In TROMMELN IN DER NACHT hört man "von draußen 'Die Internationale'"(B.B. 1.97), hört man Maschinengewehre (B.B. 1.101), "Kanonen durch die Straße jagen" (B.B. 1.109). Der 'private' Vorgang auf der Bühne erhielt durch eine solche Verwendungsweise zwar mit Hilfe des Tons in gewissem Umfang auch eine gesellschaftliche Vertiefung. Sie wuchs freilich selten genug zu einer den Zuschauer fordernden, politisch aktivierenden Präsenz, sie blieb eben - im Privaten stecken.

Indem Brecht aber auf der Bühne nicht mehr nur individuelles Schicksal sich abspielen läßt, sondern das "Schicksal" selbst in die Fragestellung miteinbezieht, indem er in Parabeln und Modellen den Menschen in seinem gesellschaftlichen Verhalten aufzeigen will, tritt auch die Musik selbst - das ist kein Zufall - auf die Bühne, nicht mehr getrennt von der Ebene der Handlung, sondern gleichberechtigt und parallel, als selbständige, doch zugeordnete Einheit. Dadurch, daß

---

1) s. H.Besseler: Das musikalische Hören der Neuzeit. Berlin 1959.

Brecht die Musiker auf der Bühne musizierend, die Sänger
auf der Bühne singend zeigt, verweist er auf eine bedeutsame
Neuerung: das Gesellschaftliche ist hier auf der Bühne wirksam, nicht etwa nur bloßer Hintergrund. Musik hat hier nicht
bloß den Ort des dramatischen Vorgangs auf der Bühne zu sig-
nalisieren oder bloß ein emotionales Feld aufzuladen, sondern sie soll in den Vorgang selbst eingreifen, deuten und
erklären, distanzieren und entlarven. Der "gesellschaftliche
Zweck", der sich mit dieser Neuerung verband, lag darin, das
Numinose, das Sphärisch-Überirdische zu durchbrechen, das man
mit jener Musik zu verbinden gewohnt war, die - Schicksalhaf-
tes beschwörend - aus unsichtbaren Bühnengrüften heraufstieg.
Indem er den Ursprung der Musik deutlich sichtbar bzw. loka-
lisierbar vorwies, den Musiker als "Handwerker", Musik aber
als eine Tätigkeit kennzeichnete, gelang es ihm, das Phänomen Musik zu verfremden, sein Erscheinungsbild ungewohnt und
damit neu verfügbar zu machen.

In der Zeit des Exils wird insgesamt die ursprüngliche
Aufteilung des Kommunikationsraumes "Theater" in die Funktionsräume der Agierenden und der Betrachtenden, in den Bühnenraum und den Zuschauerraum wiederhergestellt. Dies prägt
die bühnenmusikalische Konzeption dieser Zeit grundlegend,
ohne daß allerdings entscheidende Erkenntnisse, die am Lehrstück gewonnen wurden, aufgegeben worden sind. Die innere
Spannung des Kommunikationsgefälles zwischen Bühne und Zuschauerraum wird wieder nutzbar gemacht. Der Musik kommt bei
der wechselseitigen Beziehung der beiden Funktionsräume gerade dort eine zentrale Bedeutung zu, wo eigentlich der
empfindlichste Punkt in jedem theatralischen Vorgang berührt
wird: bei dem Eindringen des Spielgeschehens in das Bewußtsein der Zuschauer. Und hier wird der Musik zum Vorteil, was
ihr sonst immer - gerade von Brecht - vorgeworfen wird. Sie
vermag mit Hilfe ihrer unmittelbaren, das Rationale nur indirekt berührenden Sprache und der ihr innewohnenden Kraft
Brücken zu schlagen für das Wort, für den bewegenden Gestus.
Musik im Stück ist hier nicht primär auf den Bühnenvorgang
gerichtet, sondern auf den Rezeptionsvorgang durch den Zuschauer. Sie hat wieder " D a r b i e t u n g s c h a r a k -

t e r " , betont allerdings - und das verbindet sie mit der
des Lehrstücks - ihre Mitteilungs- und Aufklärungsabsicht.
Ihre kontaktierende Wirkung wird dabei in vielfältiger Weise
dazu benutzt, den Zuschauer aus seiner Anonymität herauszu-
holen, ihn zu einem mündigen Gegenpart in der theatralischen
Veranstaltung zu machen. Zugleich aber ist es auch ihre Aufgabe, ihn sozusagen einzustimmen und einzureihen in ein
kämpferisch revolutonäres Kollektiv, das von der Bühne her
seine Instruktionen empfängt. In einem 1947 im "Aufbau" er-
schienenen Aufsatz über "Gesellschaftliche Grundfragen der
modernen Musik" schreibt Hanns Eisler:

> "Die Einbeziehung, die Absorption des Individuums in
> eine Gemeinschaft, das Gefühl des Zusammenseins, das
> alle Musik auslöst, ist als ihre natürliche Funktion
> zu begreifen. Aber auch als ihre natürlichste ist sie
> dem Prozeß der allgemeinen gesellschaftlichen Entwick-
> lung unterworfen." 1)

In diesen Prozeß aber will Brecht eingreifen, indem er die
gemeinschaftsbildenden Kräfte, die der Musik innewohnen, in
besonderer Weise zu steuern sucht.

Die Frage nach der F u n k t i o n der Musik im Kommunikationsraum des Theaters ist eng verbunden mit der Frage
nach der geplanten W i r k u n g s w e i s e von Bühnenmusik auf den Zuschauer. Sie klang bereits verschiedentlich an
- nicht nur im letzten Abschnitt -, wurde jedoch noch nicht
dezidiert in den Zusammenhang der Konzeption der Bühnenmusik gestellt. Dies soll nun nachgeholt werden.

Innerhalb der theoretischen Überlegungen Brechts spielt
Musik z u n ä c h s t primär eine Rolle als Mittel zur
Desillusionierung des Zuschauers. Diese - von Brecht als
'antikulinarisch' apostrophierte - Grundhaltung resultierte
nicht nur vordergründig aus der Kritik am bestehenden Büh-
nenbrauch. Brecht stellte sehr früh die Frage nach den sozialen Kausalitäten, die durch Rausch und Trance überdeckt
werden sollten. Und er erkennt, daß ein Theater, das mit den
Mitteln der Illusion arbeitet, die anstehenden gesellschaftlichen Probleme eher verschärft als beseitigt, da es nicht
die Möglichkeit der Veränderung aufzeigt. Veränderung der

---

1) zit. n. Höntsch: a.a.O. S.79.

bestehenden Verhältnisse aber ist die Forderung der Lehrstücke. Musik ist in dieser   z w e i t e n   Periode bereits
eingesetzt zur Vermittlung einer politischen Haltung: es geht
nicht mehr nur um Desillusionierung und kritische Versachli-
chung, sondern darüber hinaus um Aktivierung für die Ziele
des Klassenkampfes, um Aufforderung zum politischen Engagement. Vor allem die bürgerliche Kritik warf Brecht mit Recht
vor, er halte sich nicht mehr an die im Zusammenhang mit
DREIGROSCHENOPER und MAHAGONNY aufgestellten Theorien des
Epischen Theaters. Sie bezog aber nicht den sachlich-politi-
schen Hintergrund in ihre Überlegungen mit ein. Das, was
ihr - nicht zuletzt durch die apodiktischen Präzisierungen -
als Formulierung einer neuen Gesetzlichkeit erschien, war
für Brecht nichts anderes als Denkmodell, den Gesetzen des
Experiments unterworfen, die wiederum stets politischer Notwendigkeit und dialektischer Antwort auf diese entsprangen.
In seiner Rezension der Uraufführung der MUTTER, die unter
der Regie Emil Burris am 17.Januar 1932 am Berliner Komödien-
haus, dem späteren "Theater am Schiffbauerdamm", stattfand,
schrieb Alfred Polgar:

> "Brechts Theorie verwirft das Theater, das sich an das
> Gefühl im Zuschauer wendet, aber er verschmäht nicht
> die Hilfe der Musik, die gar nichts anderes tut, gar
> nichts anderes tun kann, als Gefühle zu wecken. Was hat
> ihr abstinates Trommeln, ihr Drohen, Klagen, Aufpulvern
> und Verheißen mit der Ratio zu tun, auf die allein es
> dem epischen Theater ankommt, theoriegemäß ankommt? Es
> vermittelt dem Zuschauer Kenntnis und Erkenntnis auf
> kaltem Wege, nicht ohne ihm durch Klavier, Trompete,
> Posaune und Schlagwerk einzuheizen." 1)

Brechts Antwort auf solche und ähnliche Einwände findet sich
in dem Aufsatz "Über die Verwendung von Musik für ein episches Theater" (B.B. 15.472-482). Dort erklärt er, die Behauptung beruhe auf einem Irrtum, das Epische Theater ver-
zichte schlechthin auf emotionelle Wirkung: "Tatsächlich
sind ihre Emotionen nur geklärt, vermeiden als Quelle das
Unterbewußtsein und haben nichts mit Rausch zu tun" (B.B.
15.479). Es ist allerdings zu beobachten, daß in den Stücken
des Exils doch die Funktion der direkten Aktivierung der Zu-

---

1) zit. n. G.Rühle: a.a.O. S.1106f.

schauer vermittels einer agitanten Musik zurücktritt. Es ist
dies wohl nicht primär eine Reaktion auf die erwähnte Kritik,
sondern eher auf die veränderte politische Landschaft, für
die die Stücke des Exils geschrieben sind. Die Funktion der
Musik als Führung und Stütze im Denkprozeß des Zuschauers
wird mehr und mehr in den Vordergrund gerückt. Kommentierende Deutung des Geschehens löst die agitative Kampfparole
weitgehend ab.

Daß Musik in der Lage ist, die Vorgänge auf der Bühne zu
verknüpfen, war seit und auch vor Aristoteles nicht unbekannt.
Brecht versucht, dieses stilistische Mittel durch den besonderen Akzent auf der 'kritischen Haltung' zu erneuern und
aufzuwerten. Musik soll den Hörer in eine "kritisch-betrach-
tende Haltung" zwingen, nicht also die verstehend-genießende,
wie sie noch die privilegiert-gebildete Schicht des Bürgertums einnahm. Bezeichnenderweise findet sich gerade in den
Anmerkungen zur "Musiklehre" der Hinweis, daß auch das Kritisieren "als ein menschliches Funktionieren angesehen werden
und von seinen Folgen aus betrieben und gewertet werden" (B.
B. 18.87) müsse. Im § 71 des "Kleinen Organons für das Theater" führt Brecht ein Beispiel dafür an, wie Musik in der Lage ist, in kritischer Weise bei der theatralischen Veranstaltung mitzuwirken. Eisler habe "vorbildlich die Verknüpfung
der Vorgänge besorgt, indem er zu der Fastnachtsszene des
GALILEI, dem Maskenzug der Gilden eine triumphierende und
bedrohliche Musik machte, welche die aufrührerische Wendung
anzeigt, die das niedere Volk den astronomischen Theorien
des Gelehrten gab" (B.B. 16.697).

Ein durch und durch aufklärerischer Standpunkt löst in
dieser d r i t t e n Periode den agitatorischen ab. Und
wiederum kommt dem Verfremdungs-Effekt eine zentrale Bedeutung zu. Dieser V-Effekt, wie ihn Brecht in seiner Vorliebe
für technologisch klingende Terminologie nannte, ist letzten
Endes der besondere Ausdruck Brechtschen Kritik-Verständnis-
ses, seiner hermeneutischen Grundhaltung in der Erforschung
sozio-ökonomischer Beziehungen auf der Basis marxistisch-leninistischer Gesetzlichkeit, die er auf das Theater transponiert. Da gerade die Musik bei der theatralischen Umsetzung

dieser dialektisch begründeten Denkweise eine sehr wichtige Rolle spielt, ist später noch einmal auf diesen Begriff
einzugehen.

2. Die spezifische Gestaltung der "Gesänge"

Mit der bühnenmusikalischen Konzeption Brechts, die wir
soeben umrissen haben, ist sozusagen der Umkreis abgesteckt,
innerhalb dessen wir nun das Lied mit seiner spezifischen
Ausformung und seiner spezifischen Wirkungsweise noch näher
zu bestimmen haben. In seiner besonderen Struktur stützt
sich das Lied sowohl auf das Wort als auch auf die Musik.
Es gilt also im folgenden das für die Lieder Brechts besondere, signifikante Verhältnis von Wort und Musik zu bestimmen und damit unsere Überlegungen zum Typus des "Liedes zu
Stücken" abzuschließen.

a. Die Dominanz des Wortes und die Forderung nach Singbarkeit

Es handelt sich bei dem "Lied zu Stücken" - entsprechend
dem Brechtschen Musikverständnis - nahezu immer um ein
"sprachgebundenes" Lied: die eindeutige Dominanz der Aussage und damit des Wortes darf ja nach dem Willen Brechts niemals in Frage gestellt werden. Das Wort vermittelt sozusagen
den sprachlich-gedanklichen Ausdruck, die Musik dagegen
setzt den 'gestischen' Akzent, nicht selten dabei zu den
Möglichkeiten der 'verfremdenden' Darstellung greifend. Wenn
wir dieses Verhältnis von Wort und Musik innerhalb dieser
Lieder weiter bestimmen wollen, ist es notwendig, das dialektische Spannungsverhältnis näher zu charakterisieren,
das sich hier andeutet.
Paul Angerer, einer der bekanntesten westdeutschen Bühnenkomponisten der Nachkriegszeit, sagt, daß seine Lieder
"maßgeschneidert" seien, d.h. sie seien auf eine bestimmte
Person zugeschnitten, auf seine bzw. ihre jeweilige Stimmlage wie auch den jeweiligen Stimmcharakter[1]. Solche Über-

---

1) P.Angerer: a.a.O. S.317.

legungen, die wohl stark von der Oper her bestimmt sind,
treten bei Brecht weitgehend zurück. Das Lied hat primär
eine Aussage zu tragen, die wichtig zum Verständnis des Ge-
samtzusammenhangs ist. Stünde das Lied nicht in der Regel
zugleich in einer bestimmten inneren Beziehung zur singenden Person bzw. zu ihrer gesellschaftlichen Position innerhalb des Stückes, wäre es zumindest vom Musikalischen her
durchaus austauschbar, was die Person des Vortragenden angeht. Einen solchen Austausch hat Brecht in der Tat zuweilen dort, wo es die Struktur zuließ, aus regielichen Überlegungen durchgeführt. Darauf wird noch einzugehen sein.

Es gibt in den Stücken Brechts Lieder, die - infolge der
hier angesprochenen D o m i n a n z der durch das Wort ge-
tragenen Aussage - bis hart in den Grenzbereich dessen führen, was wir noch als Lied bezeichnen können, ja diesen
Grenzbereich zuweilen überschreiten. Interessant sind in
dieser Hinsicht einige "Gesänge" des Stückes DIE MUTTER
(1930/31), zu dem Eisler wohl seine beste Bühnenmusik
schrieb. Bei "Lob der Dialektik" etwa fällt Ulla Lerg-Kill
der "sprunghafte Charakter" auf, den sie gegen die "übrigen
Lieder" abgesetzt sehen will:

> "Seine Sprache ist gehoben, dabei gleich weit entfernt
> von der offiziellen Parteisprache wie dem Sprachniveau
> des Proletariers, das in den vorher beschriebenen Lie-
> dern eingehalten wurde. Es ist die Sprache eines mate-
> rialistischen Pathos, in der Brecht mehrere dogmenhaf-
> te Theoreme der marxistisch-leninistischen Ideologie
> lehrgültig formulierte, eine Sprache der säkularisier-
> ten Liturgie, der verkündigenden Indoktrination." 1)

In der Tat bewirkt die Steigerung des Pathos, daß das gesprochene Wort selbst ins Musikalische erhoben erscheint.
Die Musik tritt lediglich hinzu in der psalmodierenden Art
des gregorianischen Gesanges. Spruchhafte Einschübe ersetzen dann - da ist diese Möglichkeit folgerichtig weitergeführt - in dem Stück DER GUTE MENSCH VON SEZUAN weitgehend
derart gestaltete Lieder. (Interessant sind in diesem Zusammenhang Äußerungen aus dem Aufsatz "Über reimlose Lyrik mit
unregelmäßigen Rhythmen" aus dem Jahre 1939, die sich auf
diese Entwicklung beziehen (B.B. 19.398).) Wenn allerdings

---

1) Lerg-Kill: a.a.O. S. 62.

von den "Gesängen" als dem "sprachgebundenen Lied" die Rede
ist, so sind damit nicht diese spruchartigen Gebilde mit musikalischer Untermalung im Grenzbereich des Liedes gemeint,
sondern die in der überwiegenden Mehrzahl auftretenden lied-
haft-strophisch gebauten Formen, die noch näher charakterisiert werden. Doch gerade hier wird eine spezifische Eigenart des Liedes genutzt, die als erste festgehalten zu werden
verdient, zumal sie ganz offensichtlich im Zusammenhang mit
der von uns betonten Eigenständigkeit des Liedes in gattungsmäßiger Hinsicht steht: es handelt sich um die durch Musik
' e n t w i r k l i c h t e ' Sprechsituation, die hier bei
Brecht paradoxerweise dazu genutzt wird, um wiederum auf die
Wirklichkeit zu verweisen. Eine solche Entwirklichung der
Sprechsituation wird bereits durch die versgebundene Sprech-
bzw. Singweise herbeigeführt; die Mehrzahl der Lieder hat einen volksliedhaft einfachen Endreim a b a b . So wird verhindert, daß das Gesagte mit dem Sänger selbst assoziiert
wird. Die Musik, die gesangliche Vortragsweise unterstützt
diesen Vorgang noch. Mit ihr kommt ein wesentliches anderes
Element in das Drama, ohne das es keine wirkliche Theater-
kunst geben kann: die Poesie. Mehr noch als in den einfachen
rhythmisierten Wendungen an das Publikum erhält sie hier in
den Gesängen Gewicht und Bedeutung im dramatischen Vorgang.
Lehrparabel, didaktische Unterweisung, politische Agitation
erfahren so eine Überhöhung in den Bereich allgemeingültiger
Werte und Welterfahrung. Ebenso wie Brecht verzichtet auch
Peter Hacks nicht auf diese besondere Möglichkeit der Realitätsgestaltung, die er in seinem Essay unter der bezeichnen-
den Überschrift "Das Lied als Stilbruch" so charakterisiert:

> "Der Gegenstand des realistischen Künstlers ist nicht
> die Wirklichkeit, sondern das Wesen der Wirklichkeit.
> Das Wesen, das ist der lebendige Widerspruch zwischen
> dem Einzelnen und dem Allgemeinen; es ist kein fixier-
> tes Substrat; es verändert ständig seinen Ort. Jetzt
> verbirgt es sich tief innen, nun ganz auf der Oberflä-
> che .... Der Realismus hat eine variable Optik. Das
> Lied ist eine neue Einstellung. Ein Wechsel des Werk-
> zeuges, also des Gegenstandes. Als das, was es ist, sei
> es gespielt und geschrieben." 1)

---

1) Hacks: a.a.O. S. 424.

Musik ist also Teil der besonderen dramatischen Funktion,
die dem Lied in der Gestaltung der Wirklichkeit anvertraut
ist. Bereits im Zusammenhang mit seiner Lyrik stellt Brecht
die Forderung nach ' S i n g b a r k e i t '. Sie gilt
umso mehr für die "Lieder zu Stücken". Brecht wandte sich
ausdrücklich gegen den Vorschlag, die Songs zu sprechen statt
zu singen und gab als Begründung an, daß die Musik Teil ihrer
Funktion sei. Käthe Rülicke-Weiler berichtet in diesem Zusammenhang von einer Diskussion mit Greifswalder Studenten.
Brecht wies hier daraufhin, "daß das 'Lied von der großen
Kapitulation' beispielsweise umgeschrieben werden müsse,
wenn es ohne Musik gebracht würde".[1] Dies gilt auch in der
Umkehrung, denn oft genug - vor allem im Zusammenhang mit
den frühen Stücken - schrieb Brecht Lyrik um, sie so für den
dramatischen Gebrauch (als "Lieder zu Stücken") einrichtend.
Für diese Umarbeitung war sehr oft der musikalische Akzent
der wichtigste: es ging um Singbarmachen der Verse. Hier
zollte der Dichter oft dem Musiker Tribut.

Den liedartigen Charakter unterstützt unter anderem auch
der Refrain, den erstaunlich viele dieser "Gesänge" aufweisen. Oft genug wird auch das Liedhafte bereits herausgestri-
chen durch den Titel, indem also "Ballade" oder "Lied" in
der Überschrift bereits angekündigt wird. Schon Wedekind
und Mehring, aber auch Erich Kästner gebrauchten solche Titel. Gisela Öttich gibt in ihrer Arbeit eine recht informa-
tive Übersicht[2].

Diese Forderung nach 'Singbarkeit' bringt Ulla Lerg-Kill
übrigens in Zusammenhang mit der 'publizistischen Medium-
Funktion' dieser Form, die ja die Übermittlung einer Aussage
zwischen Autor und Rezipienten bewerkstelligen soll:

> "So hat die Singbarkeit eines Gedicht den Vorteil, daß
> sie es zum Vortrag vor einer Gemeinschaft - einem pri-
> vaten oder öffentlichen Hörerkreis - oder aber zum ge-
> meinschaftlichen Nachvollzug prädestiniert, häufig da-
> zu noch mit der Nebenwirkung, daß der Rezipient zum
> Memorieren des Textes angeregt wird. Von hier aus ist
> es verständlich, daß Brecht die Songs seiner Stücke

---

1) K.Rülicke-Weiler: Die Dramaturgie Brechts. S.272.
2) G.Öttich: Der Bänkelsang.. S.317.

'musikalische Adressen an das Publikum' nannte ...
Daß die Musik zu den Themen 'Stellung nehmen' soll,
bedeutet nichts anderes als eine Verstärkung der auf
das Bewußtsein des Rezipienten zielenden Wirkungsab-
sichten." 1)

Tatsächlich ist eine ganze Anzahl solcher "Lieder zu Stükken" auch außerhalb seiner Stücke bekannt geworden, in Ma-
tineen und auf Schallplatten, im Rundfunk und im Fernsehen
gesungen worden. Die enorme Auswirkung des Singbarkeits-
Postulats zur Publizität eines Textes ist auch hier durchaus unter Beweis gestellt worden.

Der hier angesprochene "publizistische" Hintergrund führt
uns zugleich zu einem weiteren Spezifikum des 'Liedes zu
Stücken': dieses Lied ist - darin folgt es der dramatisch-
theatralischen Struktur - mitsamt seiner Musik auf den Zuschauer, also auf Einwirkung, nicht so sehr auf Ausdruck
ausgerichtet. Diese besondere Ausrichtung ist prägend, sowohl was die Aussage, als auch was die Form betrifft. Magret
Dietrich spricht im Zusammenhang mit dem 'lyrischen Drama'
von der "verweilend kontemplativen" Stimmung[2], in die der
Zuschauer bei den lyrischen Passagen versetzt werde. Hier
wird bereits der ganze Unterschied in der Behandlung des
Liedes im Drama Brechts deutlich. Brecht geht es nicht um
Kontemplation, sondern um kritische Unruhe, selten um einen
"Zustand ästhetischer Ruhe"[3], eher um engagierte Bewegt-
heit. Eine solche Aussagehaltung bedient sich natürlich einer anderen Form, der Form eines Aufschwungs oder der besonderen Konzentration, die in der Tat auch hier von dem "Mo-
tivspannungselement des dramatischen Bewußtseins"[4] her-
rührt. Doch die Verhältnisse scheinen bei Brecht eher umgekehrt zu liegen: ästhetische Ruhe liegt eher in den episch
breit angelegten Einzelszenen, etwa in der MUTTER. Sie wird
durchbrochen durch das Lied, durch die "musikalische Adres-
se an das Publikum", durch eine bewußt kommunikative Platt-
form also. Ulla Lerg-Kill hat in ihrer publizistikorientier-

---

1) U.Lerg-Kill: a.a.O. S.31.
2) M.Dietrich: Episches Theater. S.103.
3) ebda.
4) ebda.

ten Untersuchung Brechtscher Lyrik erstaunlich viele Lieder
aus den Stücken aufgenommen und nachgewiesen, in welchem
Maße kommunikative Disposition und publizistische Wirksamkeit hier im Blickpunkt der Gestaltung standen, ein poli-
tisch-publizistisch kalkulierendes Bewußtsein auch hier
vorausgesetzt werden kann. Sie weist auf eine ganze Reihe
von sprachlichen Techniken, von ausgesprochen rhetorischen
Figuren hin, wie etwa der Vereindringlichung der Aussage
durch Wortwiederholung und Worthäufung[1], Überbietung eines
Vorstellungsinhalts durch Amplifikation[2], Intensivierung
des Publikums durch Fragefiguren[3], sie weist die rationale
Verwendung emotionaler Elemente als eine besondere Auffäl-
ligkeit nach[4] und immer wieder werden Beispiele gerade aus
den "Liedern zu Stücken" herangezogen. In dieser Untersuchung wird deutlich, wie innerhalb der Lyrik und damit auch
der "Lieder zu Stücken" als einer ihr besonders nahestehen-
den Gattung der   p o l i t i s c h e n   Zielsetzung eine
konkrete   p u b l i z i s t i s c h e   entspricht. Der politischen Zielsetzung haben auch wir in unserer bisherigen
Untersuchung einige Aufmerksamkeit gewidmet. Sie geht aus
von der Kritik an der kapitalistischen Gesellschaft, sie erkennt ihre Aufgabe in der Aufklärung der gesellschaftlich
Benachteiligten, in der Werbung für das revolutionäre Ziel
und in der Förderung des Solidaritätsgedankens. Dem entspricht eine konkrete p u b l i z i s t i s c h e Zielsetzung: Enthüllung und Agitation, Information und Kommentar.
Und hier wird offenbar, in welchem Maße Musik von Brecht
primär als ein Vehikulum für die in den Liedern propagierten
Vorstellungsinhalte benutzt wird. Denn diesen beiden publizistischen Zielsetzungen entsprechen in verblüffender Weise
genau die wichtigsten Möglichkeiten der Musik im Lied sowie
die in Brechts "Gesängen" tatsächlich eingesetzten musikalischen Mittel: die   v e r f r e m d e n d e   Wirkung der Musik
im Lied und der   b e r a t e n d e   Gestus der Musik. Dies

---

1) U.Lerg-Kill: a.a.O. S.170ff.
2) ebda. S.174f.
3) ebda. S.177f.
4) ebda. S.145.

soll nun zum Abschluß unserer Überlegungen zum Themenkreis
Musik und Lied näher belegt werden, indem Wirkungsweise der
Musik, angestrebtes Ziel und eingesetzte musikalische Mit-
tel in ihrer Relation aufgezeigt werden.

b. Die verfremdende Wirkung der Musik im Lied

Es soll hier keineswegs der Eindruck erweckt werden, dies
sei die primäre Wirkungsweise der Musik im Liede, wie ja
auch die "Gesänge" selbst innerhalb der Stücke nicht immer
eine verfremdende Funktion ausüben. Die musikalische Komponente kann auch lediglich reflektierend, erheiternd, poeti-
sierend oder ausschmückend zu dem Wort hinzutreten. Was jedoch die verfremdende Wirkungsweise von den übrigen abhebt,
ist die besondere gesellschaftliche Relevanz der Wirkungsweise, die von Brecht ja auch hervorgehoben wurde.

In der bisherigen Untersuchung der theoretischen Grundlagen der Exilzeit hatten wir bereits mehrfach auf den Begriff
der Verfremdung einzugehen. Die dort entwickelten Erkenntnisse seien kurz in die Erinnerung zurückgerufen. Nach der Vorstellung des frühen Brecht ist Verfremdung zunächst ein Mittel dazu, den Zuschauer an einer allzu intensiven, blinden
Einfühlung zu hindern. Verfremdung stellt hier den auffälli-
gen Kontrast zum Bühnengeschehen her, unterbricht den Affekt,
deckt Widersprüche auf, provoziert. Damit ist die ursprüngliche Funktion in der "antikulinarischen" Grundhaltung umrissen. Unter dem zunehmend agitatorischen Aspekt der Lehrstücke wird die Verfremdung mehr und mehr zu einem Mittel,
sozialistisches Problembewußtsein zu wecken, d.h. Bewußtsein
der verzweifelten Lage der Arbeiterklasse, Aufforderung zum
Kampf und zugleich Einweisung in die Erfordernisse dieses
Kampfes. Beide Wirkungsweisen der Verfremdung, die antikuli-
narisch-desillusionierende der frühen Stücke wie die agitatorisch-inzitative der Lehrstücke bleiben zwar auch in den
späten Stücken des Exils wirksam, werden jedoch in weiteren
Experimenten verändert und zu neuer Form vertieft. Gesellschaftliche Erkenntnis durch Erkennen der Widersprüche,
durch In-Beziehung-Setzen theatralischer und realer Vorgänge

wird Sinn der verfremdenden Darstellungsweise, dem Zuschauer soll nach dem Willen Brechts die Freiheit zum eigenen Gedanken und zu bewußtem Fühlen gegeben werden. Ziel der theatralischen Veranstaltung bleibt allerdings unverändert die
Aktivierung des Zuschauers für den Klassenkampf.
Die Musik ist eines der wichtigsten Hilfsmittel einer solchen verfremdenden Darstellungsweise. In seinen theoretischen Überlegungen zur Musik stellt Brecht ihre Fähigkeit
heraus, Widersprüche zu stiften, distanzierte Nachdenklich-
keit, er sieht aber auch die Möglichkeit, mit ihrer Hilfe
den Sinngehalt zu intensivieren und auszuweiten. Indem die
spezifische Sprache der Musik neben die Wortsprache tritt,
zeigt sie deren Hintergründe, innere Zweifel, äußere Kraft-
meierei auf, weckt so Gefühle der Distanz bzw. eine distanzierte Betrachtungshaltung im Zuschauer. Damit haben wir bereits die verfremdende Wirkung der Musik durch den musikalischen Ausdruck, also mit Hilfe der Tonsprache charakterisiert. Das geforderte kritische Mit- und Weiterdenken des Zuschauers wird vor allem erreicht durch innere Spannung zwischen Ton und Wort: der Musik geht es hier nicht primär um
Illustration oder Wecken von Illusionen, sondern um Erhellung des Sinngehalts, um Aufdeckung der gesellschaftlich relevanten Hintergründe. Diese lehrhafte Absicht der Musik
wird dann erreicht, wenn der Hörer in der Lage ist, in kritischer Weise diese Wort-Ton-Beziehung zu analysieren, indem
er den Hilfen, die ihm die Musik an die Hand gibt, willig
folgt. Selbst dort, wo es um Illustration oder auch 'nur'
um Wecken von - allerdings gesellschaftlich relevanten - Emotionen geht, soll Verfremdung zur "Erhellung des Sinngehalts",
zur Aufdeckung des "gesellschaftlichen Gestus" verhelfen, indem ein dialektisch begründeter Bezug zwischen Wort (oder Geschehnis) und Ton die Stellungnahme der Musik in die theatralische Veranstaltung einbringt.
Natürlich ist das Wort als Begriffssprache dominierend,
wo es um Diskussion gesellschaftlicher Verhältnisse geht.
Doch das ursprüngliche musikalische Talent, das Brecht durchaus und ausgeprägt aufzuweisen hat, eröffnet der Musik neue,
nun aber betont rational begründete Möglichkeiten. Musik

als Ausdruckssprache der Töne und ihrer Kombinationen wird
in die Lage versetzt, in diesen Mitteilungs- und Meinungs-
bildungsprozeß durchaus selbständig einzugreifen, indem sie
in Korrespondenz zur Wortsprache tritt. Wir haben erwähnt,
wie bereits im "S o n g v o n W i t w e B e g b i c k s
T r i n k s a l o n " des Stückes MANN IST MANN Verfremdungseffekte der kompositorischen Faktur in die milieuschildernde
Inzidenzfunktion den Kommentar, die Kritik einfügt. Hier
wird bereits deutlich, daß die einem "Lied zu Stücken" unter-
legte Musik in zweifacher Hinsicht orientiert sein muß: zum
einen muß sie unter dem Gesamtaspekt des Stückes, der Fabel
stehen, denn Verfremdung stellt immer die Frage nach dem Warum des Verlaufs, ist somit ein Grundzug in erster Linie der
Fabelkonstruktion. Zum andern muß sie aber auch durch ihre
kritische Haltung den Text des Liedes unmittelbar auslegen.
Diese zweifache Orientierung unterscheidet die Kompositionsweise bei einem "Lied zu Stücken" grundsätzlich von der zu
einem freien, nichtgebundenen Lied. Der kritische Akzent in
dem oben erwähnten Lied wird nämlich primär von dem Kontext
des Stückes gefordert.

Ein 'Stück' wie "O M o o n o f A l a b a m a " (B.B.
2.504) ist ein geradezu vollendeter Text für eine "hitver-
dächtige" Schnulze. Die Musik Weills aber tritt in Kontrast
zu ihm, indem sie nur scheinbar seine Rührseligkeit aufnimmt.
Eine plötzliche Unstimmigkeit zwischen Ton und Wort macht
die Hohlheit der Aussage bewußt und provoziert zum Nachdenken und indem sie dies bewirkt, weist sie wieder ins Stück
und dessen kritisch zu durchleuchtende Realität zurück. Immer wieder wird auf diese Beziehung, diese dialektisch-span-
nungsvolle Beziehung einzugehen sein. Gerade die "Gesänge"
der Stücke des Exils leben später davon, daß sie "in Kontrast mit der Handlung gebracht werden", daß "die wörtliche
Aussage und der Sinn des Songs vom Dichter auseinandergehal-
ten wurden"[1]. Indem aber der Musik in dieser dialektisch
bezogenen Wirklichkeitsgestaltung eine besondere Bedeutung
zukommt, beansprucht sie - darin liegt die auffälligste Wech-

---

1) Stupinski: a.a.O. S.143f.

selwirkung - zugleich gesteigertes Interesse: sie wird bewußter aufgenommen, da sie fähig ist, diffizile Vorgänge zu erhellen, "vereinfachen" nannte das Brecht im Zusammenhang mit
Eislers Musik.

Dieses neue, kritische Wort-Ton-Verhältnis in der Vertonung der Lieder, das Brecht von seinen Komponisten forderte,
hat die Entwicklung neuer musikalischer Mittel notwendig gemacht. Fritz Hennenberg, der sich bei seiner verdienstvollen,
ersten Untersuchung musikalischer Aspekte des Phänomens Verfremdung vor allem auf Dessau konzentriert, stellte sehr richtig fest, daß beinahe jede der einzelnen Komponenten der kompositorischen Faktur gegen vertraute Verläufe verstoßen, gültige Regeln übertreten kann[1]. Wenn wir hier nun einige der
wichtigsten in aller Kürze zusammenstellen, so erhebt diese
Übersicht, die im wesentlichen anhand der Untersuchungen
Hennenbergs zusammengestellt ist (dort finden sich auch die
meisten Notenbeispiele), keineswegs Anspruch auf Vollständigkeit. Sie soll vielmehr der Klärung, der Verdeutlichung dienen und darüber hinaus aufzeigen, daß die Musik wie kaum eine andere Komponente des "Liedes zu Stücken" in der Lage ist,
den dem Text unterliegenden "gesellschaftlichen Gestus"
durch Verfremdung der Kritik durch den Zuschauer auszulie-
fern.

Übersicht V: Verfremdungseffekte durch die Musik

Verfremdung durch

1. Verstöße gegen die Form, die normative Metrik und Periodik eines Liedes
2. Rhythmisierung und Rhythmuskonflikt
3. abrupter Übergang in eine andere Tonart oder tongeschlechtliche Widersprüche
4. Eingriffe in die Harmonik einer Liedbegleitung
5. Verwendung sozusagen negativer musikalischer Erscheinungen
6. parodistische Verfahren
7. Zitat bzw. zitierten Stil
8. deklamatorische Verzeichnung in der Vortragsweise
9. die Rollen- bzw. Orchesterbesetzung

(1) Verfremdung durch Verstöße gegen die Form, die normative Metrik und Periodik eines Liedes:
Mit der Form eines Liedes verbindet sich eine bestimmte metrisch-periodische Struktur, die sich im Laufe der Zeit entwickelt und der Hör-Erfahrung eingeprägt und bestimmte Hör-Erwartung zur Folge hat, ein konstantes Metrum etwa, eine regelhafte Entfaltung der Form. Verstöße dagegen werfen das Hören aus der gewohnten Bahn, rufen einen Schock hervor. Ein in dieser Weise hervorgerufener Verfremdungseffekt "lenkt nicht nur gesteigertes Interesse auf den musikalischen Verlauf, sondern dient auch der Erhellung des beigegebenen Wortes. Daß die Form lädiert wird, ist ein Mittel der Textinterpretation."[1). - Bei dem G e s c h ä f t s l i e d der Courage etwa soll der Hörer eine hier verkündete Haltung mißbilligen: die zynische Verantwortungslosigkeit der Geschäftemacherin soll offenbar werden. Hennenberg weist nun nach, in welcher Weise Dessau die Form veränderte, die metrischen Zellen entgegen der normativen Liedstruktur verengte bzw. erweiterte und so das Fragwürdige der Aussage unterstrich[2). Zu ergänzen ist, daß die von Brecht bevorzugten übersichtlichen, weil volksliedhaft-einfachen Liedstrukturen ein solches Verfahren natürlich begünstigten.

(2) Verfremdung durch Rhythmisierung und Rhythmuskonflikt:
Auch im Rhythmischen gibt es Hörgewohnheiten, die durch eingeschaltete Konflikte oder auch nur durch Störung des metrisch-formalen Ablaufs durchbrochen werden. Dieses Verfahren wird hier pointiert dazu verwandt, auf Widersprüche des Wortinhaltes aufmerksam zu machen, als eine Aufforderung,

---

1) Hennenberg: a.a.O. S.225.

2) Notenbeispiele s. Hennenberg: a.a.O. S.226f.

der Wort-Ton-Beziehung achtsamer zu folgen. - Vor allem bei
Weill stoßen weite Melodienbögen auf harte rhythmisierte Linien, um so kulinarisches Genießen aufzufangen und umzufunk-
tionieren. Die sogenannten Eisler-Bässe in der Nähe des
Marschrhythmus haben später ähnliche Funktion. - Hennenberg
weist auf "rhythmische Komplikationen zwischen Motivfiguren
und einer Vorschlag-Nachschlag-Begleitung"[1] hin, die sich
etwa in den ersten beiden Strophen des PUNTILA-Liedes finden.

(3) Verfremdung durch abrupten Übergang in eine andere Tonart oder tongeschlechtliche Widersprüche:
Solche Eingriffe in die Tonalität eines Liedes können ganz
unterschiedlich gehandhabt werden. In der Vertonung des Liedes " U n d   w a s   b e k a m   d e s   S o l d a t e n
W e i b " des SCHWEYK unterbricht Paul Dessau durch eine
überraschende Modulation in der 8.(!) Strophe die bis dahin
stets gleiche musikalische Struktur. Dadurch wird die Aufmerksamkeit auf die entscheidende Aussage dieser Strophe ge-
lenkt. Eine Technik, die im Prinzip der verbindenden Überlei-
tung dient, wird geradezu in ihr Gegenteil verkehrt. - Hennenberg verweist auf eine ähnliche Erscheinung bei der " B a l-
l a d e   v o m   W e i b   u n d   d e m   S o l d a t e n " aus
MUTTER COURAGE. Wenn die Courage plötzlich in das Lied ein-
fällt, vollzieht sich sozusagen ein "resoluter harmonischer
Ruck"[2] von e-moll nach es-moll. Dieser V-Effekt entstand
durch die Notwendigkeit, die durchgehende Tonart e-moll der
Stimmlage von Helene Weigel anzupassen, d.h. einen Halbton
tiefer zu setzen, was ohne modulatorische Vermittlung geschah. - Tongeschlechtliche Widersprüche bewirkt die Dur-
Moll-Fusion, ein "für Dessaus reifen Personalstil konstitu-
tiver Akkordtyp"[3], der aus der Koppelung von großer (Dur-)
und kleiner (Moll-) Terz entstanden ist.

(4) Verfremdung durch Eingriffe in die Harmonik einer Liedbegleitung:
Verfremdungseffekte können nicht nur in den Verlauf, sondern
auch in die Struktur tonaler funktionsgebundener Harmonik
eingebracht werden. Akkordkleckse als "bitonale Enklaven innerhalb tonal eindeutiger harmonischer Verläufe"[4] entlarven
im Lied der Soldaten in MANN IST MANN die Lustigkeit der Soldaten. - Im " L i e d   v o m   S a n k t   N i m m e r -
l e i n s t a g " des GUTEN MENSCHEN VON SEZUAN weist bei
dem Wort "Sankt Nimmerleinstag" ein schroff dissonierender
Mischklang, der auf die Kombination von a-moll und c-moll
zurückgeht, auf die Hoffnungslosigkeit der Singenden. - Dis-
sonanzen, die effektiv als Mißklang wirken sollen, also
nicht "charakteristisch", nicht "koloristisch" sind, sollen
die melodische Tonalität verunsichern. Im " L i e d   v o n

---

1) Hennenberg: a.a.O. S.243.

2) ebda. S.232.

3) ebda. S.241.

4) ebda. S.237.

d e r   g r o ß e n   K a p i t u l a t i o n " dienen sie dazu, die Lehren der Courage als falsche zu denunzieren. Dessaus Musik lenkt kritische Aufmerksamkeit auf den Schluß-
satz: "Der Mensch denkt, Gott lenkt.". - Die sogen. "falschen" Bässe, eine besondere Eigentümlichkeit im Komposi-
tionsstil Dessaus, beruhen auf einer Inkongruenz zwischen
dem Funktionswert der Harmonien und dem der dazugehörigen
Bässe. In den Ritornellen der " B a l l a d e   v o m
W e i b   u n d   d e m   S o l d a t e n " sind die Motive im
oberen System der Klavierstimme regelhaft harmonisiert, der
Baß im unteren System stiftet Widersprüche[1].

(5) Verfremdung durch Verwendung sozusagen negativer musika-
     lischer Erscheinungen:
In dem Lehrstücke DIE MASSNAHME konnte die "Brutalität,
Dummheit, Souveränität und Selbstverachtung" des Typus des
Händlers "in keiner anderen Form 'gestaltet' werden" (B.B.
17.1031), gemeint ist der des Jazz. - Vor allem in Opern-
Versuchen dient Zwölftonmusik bzw. serielle Kompositionswei-
se zur Charakterisierung der Ausbeutung. In der PUNTILA-Oper
werden diatonische Volksmelodien mit zwölftönigen Struktu-
ren konfrontiert, der durch die Unvereinbarkeit der beiden
Ordnungssysteme bewirkte Widerspruch in der kompositorischen
Faktur soll auf gesellschaftliche Widersprüche hinweisen.

(6) Verfremdung durch parodistische Verfahren:
     Die literarische Parodie ist bei Brecht in allen Spiel-
arten, in karikaturistischer oder satirischer Manier, als
Kontrafaktur, als Cento usw. anzutreffen. So lag es nahe, daß
das parodistische Verfahren auch in die Vertonung eindrang.
Parodie als ein "Sonderfall der Verfremdung"[2], als ein Mittel der Kritik, das auch musikalisch durchaus ausgedrückt
werden kann, wurde von allen Komponisten, die mit Brecht zu-
sammenarbeiteten, angewandt. - Als eine literarisch-musika-
lische Parodie präsentiert sich das " H o r s t - D u s -
s e l - L i e d " (FURCHT UND ELEND DES DRITTEN REICHES). -
Das Terzett der Götter am Schluß des GUTEN MENSCHEN VON SE-
ZUAN steht mit seiner Parodie auf den Parlandostil der Opera
buffa in verfremdendem Kontrast zu der Verzweiflung Shen
Tes.

(7) Verfremdung durch Zitat bzw. zitierten Stil:
     Auch das Zitat, das ebenfalls in der literarischen Tra-
dition wie bei Brecht eine große Rolle spielt, kann man als
einen "Sonderfall der Verfremdung" ansehen. Es schafft stilistische Widersprüche, die das überdenkende Vergleichen
und Urteilen herausfordert. Genutzt wird in jedem Falle ein
ästhetisches Spannungsfeld zwischen Text und Zitat, die
konträr in der Regel gegeneinander stehen. Brecht gebraucht
das Zitat als Waffe, zitiert nicht genau, sondern er verändert. Die Ordnung im Bereich eines Zitats wird gründlich ge-
stört und umfunktioniert: sie wird oft durch den eigenen

---

1) Hennenberg: a.a.O. S.234.
2) ebda. S.247.

Text als unglaubwürdig oder als einer falschen Ideologie zugehörig entlarvt. So entsteht eine tiefgreifende Spannung zwischen Inhalt und Form, die Chiffren auflöst und neue entstehen läßt. - Als musikalische Zitate, die im Bereich des Stücks plötzlich neue innere Werte bzw. Unwerte erhalten, sind die Grammophon-Einblendungen in TROMMELN IN DER NACHT anzusehen, die wir an anderer Stelle bereits behandelten. - Der " B a l l a d e   v o m   F ö r s t e r   u n d   d e r   s c h ö n e n   G r ä f i n " in PUNTILA wurde die Melodie einer alten schottischen Ballade untergelegt. Hier stellt sich allerdings die Frage, was soll eine schottische Ballade in Finnland? Ein Zitat einer dem heutigen Zuschauer unbekannten Melodie hat wohl eher pretiös-kulinarischen Hintergrund. - Einem literarischen Zitat im Text eines Liedes (wie etwa im S a l o m o n s - L i e d mit dem Rückgriff auf "Die Kraniche des Ibikus": "Wohl dem, der frei davon") entspricht durchaus Eislers Zitat der Wiener Klassik im " L i e d   v o n   d e r   b e l e b e n d e n   W i r k u n g   d e s   G e l d e s " aus dem Stück DIE RUNDKÖPFE UND DIE SPITZKÖPFE, auf das W.Rösler hinweist[1]. - Durchaus anderer Natur ist dagegen ein Zitat aus "Brüder, zur Sonne, zur Freiheit" im " B e r i c h t   z u m   1. M a i ", das vor allem Gefühle der Übereinstimmung wecken sollte.

(8) Verfremdung durch deklamatorische Verzeichnung in der Vortragsweise:
Nach Brecht wird durch die Musik ein "emotionales Feld" aufgebaut. Die "Konstruktion der Musik" sucht dabei die Singstimme zu integrieren. Spricht diese Stimme aber gegen die Musik, so gibt dieses "feldfreie" Sprechen eine verfremdende Wirkung[2]. - Deklamatorische Verzeichnungen werden in der Regel bereits im Notenbild fixiert, können aber auch nachträglich vom Sänger selbst eingefügt werden. Das normative Verhältnis von Wort und Ton wird dadurch in verfremdender Weise beeinflußt, "daß der Gesang gerade dort Akzente setzt, wo, sinngemäßem Sprechen nach, keine sein dürften"[3]. Der Gesang setzt sich über die gebräuchliche Sprechmelodik hinweg, schwingt auf, wo er üblicherweise absinken sollte oder umgekehrt.

(9) Verfremdung durch Rollen- bzw. Orchesterbesetzung:
In dem Stück DIE MASSNAHME etwa war keine weibliche Rolle vorgesehen. Brecht aber zog bewußt eine Frau zur Darstellung heran. Ihre Stimme sollte die Illustration eines wirklichen Menschen verhindern, d.h. die Darstellung versachlichen und verallgemeinern. - Die Besetzung des Orchesters für die Ouvertüre zur COURAGE haben wir erwähnt. Bereits Kurt Weill arbeitete mit Besetzungen, die eher einer "mittelgroßen Tanzkapelle" ähnelten. Im Schlußchoral der DREIGROSCHENOPER etwa kontrastiert der Ausdruckscharakter der Musik (und auch der großen Worte) mit dem Klangbild des Orchesters.

---

1) W.Rösler: a.a.O. S.23.

2) s.a. Anmerkung zu DIE MASSNAHME, B.B. 17.1031.

3) Hennenberg: a.a.O. S.219

Nahezu alle hier aufgezeigten Verfremdungsmöglichkeiten
musikalischer Herkunft sind orientiert auf eine unstimmige
Beziehung zwischen Wort (oder Geschehnis) und Ton. Die Kritik, die die Musik in dieser Weise zu äußern in der Lage ist,
ist durchaus souveräner Art. Das wird deutlich, wenn etwa
der Singende weder selbst kommentiert noch sich von seinem
Gesang distanziert. Musik ist hier allein in der Lage und
eingesetzt, gesellschaftliche Erkenntnis zu vermitteln und
zwar in ihrer spezifischen Sprache und mit den ihr eigenen
Ausdrucksmitteln. Bereits in dem " L i e d v o n W i t -
w e B e g b i c k s T r i n k s a l o n " (MANN IST MANN)
etwa wird ein kritischer Akzent weitgehend durch die Musik
eingebracht. Das Wort preist das ungebundene Soldatenleben,
Kipling klingt an. Die singenden Soldaten werden als will-
fährige Werkzeuge der kolonialistischen Kriegsmaschinerie
gezeigt, ihr Verstand bewegt sich eben nur zwischen "Soda-
bergchen und Wisky-hang" (B.B. 1.310) und ist somit zur
Kriegsführung geradezu prädestiniert; Bereitschaft zur Kritik wie überhaupt eine eigenständige, distanzierte Denkweise
werden hier nicht gerade zu den soldatischen Tugenden gerech-
net. Die Musik ist hier in der Lage, mit Hilfe des Verfrem-
dungseffektes zum einen das Milieu zu zeichnen, zum andern
aber gleichzeitig Kritik an ihm einzubringen. Insofern ist
sie in der Tat ein kaum zu ersetzendes Element dieser besonderen dramatischen Darstellungsweise.

c. Der beratende Gestus der Musik

In den Jahren des Exils moniert Brecht immer wieder, daß
die Kunst, Epen zu musizieren, verloren gegangen sei (B.B.
15.481 u.a.). In der chinesischen und orientalischen Musik
glaubt er die Technik der gestischen Musik noch erhalten, da
der Musiker im Vortrag erzählender Dichtung stets die Wirkung auf die Zuschauer vor Augen hatte. Die Überlegungen um
eine "Erzählermusik" hatten ihren aktuellen Anlaß in der

Arbeit am KAUKASISCHEN KREIDEKREIS, an dem Brecht in den Jahren 1944/45 in Santa Monica arbeitete. Eisler, der zu diesem Stück ja noch ein paar Skizzen angefertigt hat, berichtet darüber in den sehr aufschlußreichen Gesprächen mit Hans Bunge[1]. Brecht forderte von Eisler immer wieder eine Musik, zu der man ein Epos von zwei Stunden bringen könnte, eine Musik von "kalter Schönheit", die "aus einer gewissen Monotonie besondere Wirkung" holen könnte und doch in den fünf Akten deutlich variieren müsse, wie es in den Anmerkungen "Über eine KREIDEKREIS-Musik" (B.B. 17.1207) heißt. Eisler berichtet an dieser Stelle auch über die Bewunderung Brechts für die Passionen Johann Sebastian Bachs, für die bei ihm immer wieder sichtbar werdende Kunst, solche Berichte zu komponieren. "Die Entfremdung des Textes, das reine Aufsagen - bei großer Schönheit - hat auf Brecht immer einen großen Eindruck gemacht."[2] Brecht ließ sich des öfteren das Rezitativ aus der Johannes-Passion vorspielen: "Und Jesus ging mit seinen Jüngern über den Bach Kidron. Da war ein Garten. Darein ging Jesus und seine Jünger". Und Eisler gibt den Hinweis, was Brecht hier so begeisterte. Der Tenor ist in seiner Stimmführung so hoch angesetzt, daß Ausdruck, Schwulst oder gar Gefühlsüberschwang unmöglich wird. Es wird referiert. Die genaue Angabe der Lokalität des Baches unterstreicht den Bericht in seiner dokumentarischen Treue. Die Kühle der Musik aber, die ja auch Brecht immer wieder forderte, verhindert, daß der Zuhörer mitempfindet. "Das empfand Brecht als ein Musterbeispiel gestischer Musik. Es ist es auch."[3]

Die Musik Bachs ermöglicht dem Sänger des Evangelisten zunächst einmal die Haltung, den 'Gestus' des Berichtenden einzunehmen. Ein solcher Gestus ist grundsätzlich jedem Leid, jeder musikalischen Darbietung zu eigen. Eine 'gestische' Musik nach den Vorstellungen Brechts aber b e t o n t ihn in besonderer Weise. Brecht spricht von diesem Gestus als

---

1) Bunge: a.a.O. S. 240f.
2) ebda. S.18.
3) ebda. S.17.

dem 'deiktischen', als dem allgemeinen Gestus des Zeigens.
Er bezieht sich grundsätzlich auf den Vollzug des Vorfüh-
rens, der keineswegs durch die Kräfte der Illusion oder
Suggestion überspielt wird, sondern auch dann bestehen bleiben soll, wenn der "besondere gezeigte Gestus" hinzutritt,
etwa der Gestus der Empörung und der Trauer, wie er ja auch
in der Johannes-Passion dem einfachen Gestus des Berichts
hinzugefügt ist. Der Gestus des Zeigens ist durchaus nicht
neutral, er hat keinen anderen Sinn als den, auf diesen besonderen Gestus hinzuweisen, ihn sozusagen anzukündigen und
als besonderen hervorzuheben.

Die musikalische Gestaltung dieses besonderen Gestus erfährt im Brecht-Theater aus ideologiekritischen Erwägungen
heraus eine gesellschaftspolitische Präzisierung und damit
neue Wirksamkeit.

> "Der Charakter dieser Songmusik als einer sozusagen
> gestischen Musik kann kaum anders als durch solche Er-
> örterungen erklärt werden, die den gesellschaftlichen
> Zweck der Neuerungen herausarbeiten." (B.B. 15.476)

Und damit wird Gestus für Brecht - darauf weist auch Hennenberg hin[1]) - ein "allumfassendes Gestaltungsprinzip", ähnlich
darin der Verfremdung, mit der Gestus, darauf wird noch einzugehen sein, in enger Verbindung und kommunizierendem Austausch steht.

Bereits der frühe Brecht lenkte in seinen Moritaten, wie
etwa in dem Lied von der "Kindsmörderin Maria A." (B.B. 8.
176f.), das Interesse von der Mordtat ab und nach dem Vor-
bild Wedekinds auf die Person des Täters hin, seine Reaktionen und Motivationen aufzeigend. Die Konsequenz ist in dem
Gedicht nicht ausgesprochen, der Leser bzw. Zuhörer muß hier
die versteckte Kritik an der herkömmlichen und gesetzlich
fixierten Moralauffassung der Gesellschaft erkennen, die den
"irrationalen" Elementen des Lebens nicht gerecht wird. Eine
solche 'Führung' der Gedanken kann in verschiedener Form
ihre Information übermitteln. Als einfachen "Gestus der
Agitation" stellt das " L i e d v o m R o c k " (B.B.

---

1) Hennenberg: a.a.O. S. 261.

2.839) den Zorn über den Verrat am kollektiven Interesse
heraus. Der Gestus der Argumentation kann einfach struktu-
riert sein, unkompliziert in den Thesen wie in den Schluß-
folgerungen. Doch die späteren Stücke bevorzugen die differenziertere dialektische Gedankenführung. Erinnert sei etwa
an den " S a l o m o n - S o n g " (B.B. 4.1425), wo Posi-
tives als Indiz des Negativen herausgestellt und in dieser
Weise ein nachhaltigerer Denkprozeß erzielt wird.

Gestische Musik ist für Brecht nur von Wert, wenn sie die
gesellschaftliche Funktion der Personen und Vorgänge fixiert.
Das Prinzip des Auf-den-Gestus-Achtens, so sagt Brecht, ermöglicht es dem Musik, "musizierend eine politische Haltung einzunehmen" (B.B. 15.483). Eisler erinnert in diesem
Zusammenhang an einen Satz aus der Hegelschen "Ästetik", der
leider nie richtig verstanden worden sei:

> "Wenn in der Musik Trauer über einen Verlust ausgedrückt
> wird, muß sofort gefragt werden: warum ist getrauert
> worden und was ist verloren worden." 1)

Der Schmerz und auch jeder andere Affekt - der Übergang zum
Gestus ist hier im übrigen fließend - muß"in Beziehung gesetzt werden zu den gesellschaftlichen Umständen, die ihn
hervorrufen"2).

Brecht fordert die marxistischen Komponisten auf, Musik
als ein Funktionieren von Menschen zu bezeichnen und zu behandeln: "Sie müssen die tatsächlichen Wirkungen einer Musik
beschreiben, und zwar jene Wirkungen, die innerhalb der Gesellschaft feststellbar folgenhaft sind." (B.B. 18.88). Musik aber ist, wie auch Hanns Eisler in seiner Untersuchung
zur Filmmusik feststellte, "am entferntesten von allen Künsten von der Welt der praktischen Dinge"3). Es sei zumindest
sehr schwierig, so äußert er hier, die von ihr freigesetzten
Emotionen mit einiger Eindeutigkeit zu bestimmen. Dies liest
sich fast wie eine resignierende Antwort auf die Forderung
nach Bestimmungen der Wirkungsweise von Musik, wie sie
Brecht in dem Aufsatz "Über die Verwendung von Musik für

---

1) Bunge: a.a.O. S.48.
2) Hennenberg: a.a.O. S.309.
3) Eisler: Kompositionen für den Film. S.225.

ein episches Theater" aus dem Jahre 1935 wiederholt. Hier
schreibt er mit bissiger Ironie:

> "Unsere Komponisten überlassen das Studium der Wirkung
> ihrer Musik im allgemeinen den Gastwirten. Eines der
> wenigen Forschungsergebnisse, die ich im Laufe eines
> Jahrzehnts vor Augen bekam, war die Aussage eines Pa-
> riser Restaurateurs über die verschiedenartigen Be-
> stellungen, welche die Gäste unter der Wirkung ver-
> schiedenartiger Musik vornahmen. Er glaubte herausge-
> funden zu haben, daß bei bestimmten Komponisten immer
> wieder ganz bestimmte Getränke konsumiert werden. Tat-
> sächlich würde das Theater sehr viel gewinnen, wenn
> die Musiker imstande wären, Musik zu liefern, die ei-
> nigermaßen exakt bestimmbare Wirkung auf die Zuschau-
> er ausüben würden." (B.B. 15.481)

Im Grunde ist die hier erhobene Forderung nicht neu, sie
überrascht und provoziert nur durch ihre unprätentiöse Formulierung. Die bürgerliche Musik, vor allem auch die Bühnenmusik hat in der Entwicklung gefühlsbezogener Mittel durchaus auf Wirkung kalkuliert, aber eben vor allem auf g e -
f ü h l s bezogene. Man verwandte Lieder, bei denen Text
oder Melodie oder gar beides gefühlsbeladen sind. Gefühl
gab das Timbre, die Klangfarbe des gewählten Instruments,
die Tonalität (dur - moll) oder auch die Dynamik: zarte,
leise, getragene Musik (im Gegensatz zur lauten, aktivierenden oder dramatischen Musik). Mit Hilfe der Modulation ließ
sich etwa ein Abebben des Gefühls nach den Kadenzen der Musik gestalten. Musik hinter der Szene konnte Gefühle des
Schmerzes und der Sehnsucht, Gefühle der Bedrohung durch
unbekannte, schicksalshafte Mächte wiedergeben. Man kannte
also ein ganzes Register solcher musikalischer Mittel, deren
gefühlsstimulierender Wirkung man sich genau bewußt war, Mittel jedoch, denen Brecht vorwarf, sie dienten der Narkotisie-
rung, der Entmündigung der Zuschauer. Es kam nicht so sehr
auf die Differenziertheit als auf die Stärke der wachgerufe-
nen Gefühle an.

Der Bereich des Gestus, vor allem durch ein virtuoses
Schauspielertum um des Effektes willen stark subjektbezogen,
wird von Brecht objektiviert als der "Bereich der Haltungen,
welche die Figuren zueinander einnehmen" (B.B. 16.689). So
legt es § 61 des "Kleinen Organon" fest. Und ausdrücklich
werden hier jene "anscheinend ganz privaten, wie die Äuße-

rungen des körperlichen Schmerzes in der Krankheit oder die
religiösen" (B.B. 16.690) einbezogen, die gerade dem Schau-
spielstil des 19.Jh.s einen ebenso pathetischen wie letzten
Endes unverbindlichen Effekt einbrachten. Hier liegt denn
auch der neue gesellschaftliche Auftrag der Musik, zu dessen
Erfüllung die Musik neue Ausdrucksmittel suchen muß. Die Musiker werden aufgefordert, solche v e r s t a n d e s - bezogenen Mittel zu entwickeln, die in ihrer Wirkung auf den
mündigen Zuschauer orientiert sind, Mittel, die eben auch
Affekt und Gebärde, aber immer einen Gestus von gesellschaftlicher Relevanz hervorzurufen in der Lage sind, nicht "allgemein menschliche", sondern solche, die "feststellbar folgenhaft" sind.

Wir sprachen von der engen V e r b i n d u n g von Verfremdung und Gestus. Sie ist nicht ohne Bedeutung für das
theatralische Gefüge. Gestische Musik soll hier eine Analyse
gesellschaftlicher Beziehungen, bestimmter sozialer Verhaltensweisen ermöglichen. Sie soll aber zugleich auch nach den
Vorstellungen Brechts "bestimmte Haltungen des Zuschauers
o r g a n i s i e r e n " . (B.B. 15.479). In dem Aufsatz
"Über die Verwendung von Musik für ein episches Theater"
ist das folgendermaßen formuliert:

> "Das epische Theater ist hauptsächlich interessiert an
> dem Verhalten der Menschen zueinander, wo es sozial-
> historisch bedeutend (typisch) ist. Es arbeitet Szenen
> heraus, in denen Menschen sich so verhalten, daß die
> sozialen Gesetze, unter denen sie stehen, sichtbar wer-
> den. Dabei müssen praktikable Definitionen gefunden
> werden, das heißt solche Definitionen der interessie-
> renden Prozesse, durch deren Benutzung in diese Pro-
> zesse eingegriffen werden kann. Das Interesse des epi-
> schen Theaters ist also ein eminent praktisches. Das
> menschliche Verhalten wird als veränderlich gezeigt,
> der Mensch als abhängig von gewissen ökonomisch-poli-
> tischen Verhältnissen und zugleich als fähig, sie zu
> verändern." (B.B. 15.474f.)

Das bedeutet also, daß der "gesellschaftliche Gestus", den
der Musiker mitzugestalten hat, sozusagen ein parteilicher
Gestus ist, ein Gestus also, der nicht naturalistisch-pho-
tographisch nachzeichnet, sondern der bereits von der Gestaltung her Stellungnahme und Kritik enthält bzw. ermöglicht. Und hier hat die Verfremdung ihre besondere Wirkungsmöglichkeit. Es ist erklärtermaßen ihre Aufgabe, "den

allen Vorgängen unterliegenden gesellschaftlichen Gestus zu
verfremden" (B.B. 15.346). Fritz Hennenberg, der sich innerhalb seines Buches über die Zusammenarbeit Brecht-Dessau eigentlich als erster verdienstvoll mit den musikalischen
Aspekten der Theorie von Verfremdung und Gestus auseinander-
gesetzt hat, definiert "gestische Musik" sehr schön als eine
Musik, die "die gesellschaftliche Funktion der Personen und
Vorgänge fixiert und zugleich kritisch kommentiert."[1] Im
kritischen Kommentar aber liegt jenes 'aktivisierende' Element, von dem wir gesprochen haben.

Es erscheint notwendig, ähnlich wie bei dem Abschnitt
über die Verfremdung, durch einige konkrete B e i s p i e -
l e das allzu Abstrakt-Theoretische zu erhellen. Grundsätzlich gilt dasselbe, was wir schon dort im Zusammenhang mit
der Erläuterung musikalischer Formen der Verfremdung, festzustellen hatten: jede der einzelnen kompositorischen Komponenten kann einen musikalischen Gestus schaffen. Es ist mit
"gestischer Musik" also eher eine gestalterische komposito-
rische Grundhaltung gemeint, eher ein Stil als eine bestimmte Kompositionstechnik.

Interessant ist der wohl erste Versuch in dieser Richtung,
TROMMELN IN DER NACHT (1920). Die gestische Wirkung durch
die Musik wird hier noch in recht einfacher Form hergestellt.
Die Lieder, die Brecht über Grammophon in die Szene einspie-
len läßt, sind Zitate, nicht von ihm selbst geschriebene Lie-
der und Kompositionen, sondern Äußerungen einer deformierten
Gesellschaft. Der Choral " I c h b e t e a n d i e
M a c h t d e r L i e b e " und das " A v e M a r i a "
Gounods sowie die Hymne " D e u t s c h l a n d ,
D e u t s c h l a n d ü b e r a l l e s " werden einge-
setzt, um die tragenden Säulen dieser Gesellschaft zu entlar-
ven: Kirche und Staat, eine gefühlsvolle, doch unverbindliche
Pseudo-Religiosität und eine Macht, unter der Ausbeutung
schützende Hilfe und Unterstützung findet. Im 1.Akt preist
Annas Vater zu den Klängen des Chorals, wie Deutschland durch
harte Arbeit wieder hochgekommen ist. Karl Balicke, der
Kriegsgewinnler, der im Krieg sein Vermögen mit der Fabrika-

---

1) Hennenberg: a.a.O. S.266.

tion von Geschoßkörben gemacht hat, erregt sich darüber, daß
"die aufgepeitschten Massen" ohne Ideale seien (B.B. 1.77).
Er verkündet seinen Entschluß, den Betrieb auf Produktion
von Kinderwagen umzustellen. Dieser Entschluß erhält seinen
bitter-ironischen Hintergrund durch die schwangere Anna Balicke, seine Tochter, die sich Friedrich Murke hingegeben
hat, während Kragler, ihr Verlobter, im Krieg steht. Auch
Murke, der Kriegsgewinnler, spricht von seinem Aufstieg und
es erklingt die Hymne "Deutschland, Deutschland über alles"
(B.B. 1.78). Er, der 'Überlebende', reißt Anna, die Braut
des Soldaten Kragler, an sich und wieder erklingt "Die Macht
der Liebe" (B.B. 1.81). Der eintretende, bisher totgeglaubte
Kragler stellt das Grammophon ab. Hier erfährt das Lied eine
doppelt ironische Tiefe angesichts des in der Tat vom Krieg
zerstörten Kragler. Die Schwere des kühl und scheinbar sach-
lich bleibenden dramatischen Textes e n t h ü l l t den
überzogenen Gefühlswert des Liedes. Der Choral, herabgewürgt
zu seelenloser Grammophonleier, z e i g t auf die ganze un-
menschlich kalte Geschäftigkeit der Kriegsgewinnler.

Im 2.Akt beginnt zu Gounods "Ave Maria" der Dialog Annas
mit dem heimgekehrten Kragler. Während also Kragler vor seiner geschändeten Braut steht, erklingen die Begrüßungsworte
Elisabeths "Gebenedeit ist die Frucht deines Leibes!", zu
einer Musik, die Bachs ursprüngliche Komposition pomphaft
aufblähte. Gegen das Rührstück bürgerlichen Musikempfindens
steht die Begegnung der beiden durch den Krieg Gezeichneten.
Die Worte Annas sind getragen von echtem Gefühl, Liebe
schwingt in ihren lyrisch gesteigerten Worten, aber auch das
Gefühl des Verloren- und Verlassenseins, der Hoffnungslosigkeit. Schwer steht dagegen die Sprache Kraglers, hart und
unbeholfen. In seiner ungeheuren Erregung findet er keine
eigenen Worte. So 'zitiert' er unbewußt, seine Zitate aber
charakterisieren seine seelische Zerstörung. Kraglers Worte
sind nur scheinbar an die Gesellschaft gerichtet, in Wahrheit aber suchen sie nur Anna. Die Umstehenden antworten
mit verständnislosem Gelächter, das sie selbst richtet, und
wenn Kragler dann von seinen Leiden in der Gefangenschaft berichtet, erklingt "von draußen" die 'Internationale' als Ant-

wort der Unterdrückten dieser Erde, als Alternative.

Das gesamte Stück ist im Grunde eine erbitterte Abrechnung mit einer Welt des verlogenen Pathos und der unechten Gefühle. Die Musik als der deutlichste und greifbarste Ausdruck ist das Mittel der Entlarvung einer Haltung, mit der abgerechnet werden soll. Hier ist angelegt, was später kennzeichnend für die epische Darbietung von Musik ist: auch sie verzichtet nicht auf emotionelle Wirkung. "Tatsächlich sind ihre Emotionen nur geklärt, vermeiden als Quelle das Unterbewußtsein und haben nichts mit Rausch zu tun" (B.B. 15. 479). Er gelingt Brecht in TROMMELN IN DER NACHT etwas, was zunächst als bestimmendes Stilprinzip die Bühnenmusik zu den folgenden Stücken prägt: therapeutische Wirkung durch Überdosis gefühlsstimulierender Mittel, um es einmal medizinisch auszudrücken. Es gilt hier das gleiche, was er über die Musik für die DREIGROSCHENOPER gesagt hat:

> "Die Musik arbeitete so, gerade indem sie sich rein gefühlsmäßig gebärdete und auf keines der üblichen narkotischen Reizmittel verzichtete, an der Enthüllung der bürgerlichen Ideologie mit. Sie wurde sozusagen zur Schmutzaufwirblerin, Provokateurin und Denunziantin."
> (B.B. 15.474)

Ihre gestische Funktion liegt hier in der Enthüllung.

Ehe wir nun auf einige markante Beispiele aus Paul Dessaus Opern-Kompositionen eingehen, ist es nicht uninteressant, kurz noch einige Äußerungen Brechts über "gestische Musik" Hanns Eislers zu überblicken. Mit Genugtuung bemerkt Brecht, daß das Singen und Hören Eislerscher Kompositionen weniger mimische Wirkungen hervorruft als ganz bestimmte Haltungen. In dem Geleitwort zu der Ausgabe Eislerscher "Lieder und Kantaten" heißt es weiter:

> "Die Gesamthaltung ist revolutionär im höchsten Sinn. Diese Musik entwickelt bei Hörern und Ausübenden die mächtigen Impulse und Einblicke eines Zeitalters, in dem die Produktivität jeder Art die Quelle aller Vergnügungen und Sittlichkeit ist. Sie erzeugt neue Zartheit und Kraft, Ausdauer und Wendigkeit, Ungeduld und Vorsicht, Anspruchsfülle und Selbstaufopferung."
> (B.B. 16.771).

Die Musik zu Brechts Gorki-Bearbeitung DIE MUTTER ist wohl die bedeutendste, die Eisler geliefert hat. Wenn Brecht über "gestische Musik" spricht, zitiert er mit Vorliebe Beispiele aus dieser Bühnemmusik. Hier seine Analyse:

"Bewußter als in irgendeinem anderen Stück des epischen
Theaters wurde in der 'Mutter' die Musik eingesetzt, um
dem Zuschauer die oben geschilderte kritisch betrach-
tende Haltung zu verleihen. Die Musik Eislers ist keineswegs das, was man einfach nennt. Sie ist als Musik
ziemlich kompliziert, und ich kenne keine ernsthaftere
als sie. Sie ermöglichte in einer bewunderungswürdigen
Weise gewisse Vereinfachungen schwierigster politischer
Probleme, deren Lösung für das Proletariat lebensnotwendig ist. In dem kleinen Stück, in dem den Anschuldigun-
gen, der Kommunismus bereite das Chaos, widersprochen
wird, verschafft die Musik durch ihren freundlich bera-
tenden Gestus sozusagen der Stimme der Vernunft Gehör.
Dem Stück 'Lob des Lernens', das die Frage der Macht-
übernahme durch das Proletariat mit der Frage des Lernens verknüpft, gibt die Musik einen heroischen und
doch natürlich heiteren Gestus. So wird auch der Schluß-
chor 'Lob der Dialektik', der sehr leicht als ein rein
gefühlsmäßiger Triumphgesang wirken könnte, durch die
Musik im Bereich des Vernünftigen gehalten. /¯......_7
Wer glaubt, daß einer Massenbewegung, die sich der
schrankenlosen Gewalt, Unterdrückung und Ausbeutung ge-
genübersieht, ein so strenger und zugleich so zarter
und vernünftiger Gestus, wie ihn diese Musik propagiert,
nicht angemessen sei, der hat eine wichtige Seite dieses Kampfes nicht begriffen." (B.B. 15.479)

Ein anderes Beispiel aus seiner Zusammenarbeit mit Hanns Eisler führt Brecht in dem Aufsatz "Über gestische Musik" an.
1937 arbeiteten beide an einer Kantate über den Tod Lenins.
Was Brecht hier schreibt, gibt durchaus einen guten Einblick
in die zur Synthese drängende Denk- und Arbeitsweise Brechts,
in die Art, in der er die Leitlinien absteckt für das jeweilige Projekt. Gestellt ist die Frage, in welcher Weise der
Komponist in seiner Haltung zum Text seine Haltung zum Klassenkampf wiedergeben kann:

"Der Bericht über den Tod Lenins kann, was den Gestus betrifft, natürlich sehr verschieden gebracht werden. Ein
gewisses feierliches Auftreten besagt noch wenig, da
dies auch gegenüber dem Feind im Falle des Todes für
schicklich gelten kann. Zorn über die 'blindwütende Natur', die den Besten der Gemeinschaft zur ungünstigen
Zeit entreißt, wäre kein kommunistischer Gestus, auch
weise Ergebenheit in dieses 'Walten des Fatums' wäre
keiner, der Gestus der kommunistischen Trauer um einen
Kommunisten ist ein ganz besonderer Gestus. Das Verhalten des Musikers zu seinem Text, des Referenten zu seinem Referat zeigt den Grad seiner politischen und damit
menschlichen Reife an. Worüber ein Mensch in Trauer ver-
fällt und in was für eine Trauer, das zeigt seine Größe.
Die Trauer zum Beispiel auf eine große Stufe zu heben,
sie zu einer die Gesellschaft fördernden Sache zu ma-

chen, ist eine künsterlische Aufgabe."
(B.B. 15.484)
Auf 'gestische' Funktionen in der Musik Paul Dessaus sind
wir bereits im Zusammenhang mit der Erörterung serieller
Kompositionsmethoden eingegangen. Dessau benutzt sie dazu,
so hatten wir gesagt, die Klassenverhältnisse von Handlungs-
figuren aufzuzeigen. In der Oper PUNTILA ist das sehr ausgeprägt. Den konkreten gesellschaftlichen Widersprüchen, wie
sie in Brechts Stück angelegt sind, entsprechen spezifisch
musikalische, die sich auf diesen aufgezeigten Antagonismus
beziehen. Puntilas "gestischer Charakterisierung" dienen neben der Gegenüberstellung volkstümlicher Intonationen und
harmonischer Bildungen, die auf der Zwölftonreihe beruhen,
auch Eigenheiten seines Gesangs, wie wechselnde Intonations-
arten und weitgespreizte Intervallik[1]. Nahezu alle Personen,
die auftreten, unterliegen dieser Kontrastierung zwölftönigen und dur-moll-tonalen Materials. Gradweise Verschiebungen
zum einen oder zum anderen zeigen den jeweiligen Grad der
Abhängigkeit von Klassenkonstellationen bzw. die Klassen-
konstellation selbst auf. Puntilas sozialer Gestus wird durch
serielle Kompositionsweise selbst hinlänglich charakterisiert.
Verfremdung schaffen eingeblendete volkstümliche Intonationen.
Genau umgekehrt ist das Verhältnis etwa bei dem Gesinde[2] und
bei den Frauen von Kurgela[3]. Hier kündet Tonal-Liedhaftes
von der überlegenen Weisheit und dem ungekünstelten Gefühl
des Volkes.

> "Doch dadurch, daß in diese Intonationen sich Motive oder
> Harmonien mischen, die aus der Zwölftonreihe abgeleitet
> sind, wird die Eindeutigkeit des Ausdrucks gestört. Zwar
> bleibt der volkstümliche Gestus erkennbar, aber es wird
> ihm ein Widerpart geboten; denn das Zwölftonprinzip ist
> volkstümlicher, umgangsmäßiger Musik fremd. Die Poesie,
> die den volkstümlichen Intonationen immanent ist, er-
> scheint da fragwürdig. Wie in der Klassengesellschaft
> die Poesie des Volkes keine widerspruchslose, sich
> rein entfaltende sein kann, weil sie sich immer an der
> Brutalität der gesellschaftlichen Zustände stößt, so
> kann sie es auch nicht in einer Musik, die diese Zu-
> stände widerspiegeln will." [4]

---

1) Beispiele s. Hennenberg: a.a.O. S.285.
2) ebda. S.199f.
3) ebda. S.292f.
4) ebda.

Der musikalische Gestus, damit sei dieser Abschnitt abgeschlossen, erfordert natürlich eine besondere s c h a u -
s p i e l e r i s c h e Technik. Brecht kennzeichnete es
einmal als das entscheidend Neue und Revolutionäre seines
Theaters, daß das mimische Prinzip von dem gestischen abgelöst worden sei (B.B. 15.472). Bestimmend für die Rollen-
gestaltung ist primär nicht die dramatische Situation, sondern gerade die soziale Stellung der darzustellenden Figur.
Allerdings ist es die Fabel, innerhalb der sie sich bewegt,
die ihr Kontur verleiht. Das bedeutet, daß der Schauspieler
von dieser als Gesamt, nicht also von der jeweiligen Situation her seine Impulse und Einsichten ableiten muß. Eine
'gestische' Musik aber, die ja auch die Fabel als Bezugspunkt hat, schreibt, so sagt schon Kurt Weill, "dem Darsteller eine bestimmte Haltung vor, die jeden Zweifel und jedes
Mißverständnis über den betreffenden Vorgang ausschaltet"[1].
Brecht selbst unterstreicht die wichtige Funktion der Musik:
"Praktisch gesprochen ist gestische Musik eine Musik, die
dem Schauspieler ermöglicht, gewisse Grundgesten vorzuführen" (B.B. 15.476). Damit ist nicht gemeint, sie lege bestimmte äußerliche Bewegungen, Körperhaltungen nahe oder versuche sie nachzuzeichnen. Auch dem musikalischen Gestus geht
es ja darum, soziale Verhaltensweisen nachzuzeichnen und
Brecht weist darauf hin, wie wichtig es ist, daß die Schauspieler den jeweiligen Gestus dieser Musik verstehend verständlich machen:

> "Erfassen schon die Schauspieler nicht ihren Gestus, so
> besteht wenig Hoffnung, daß sie ihre Funktion, bestimm-
> te Haltungen des Zuschauers zu organisieren, erfüllen
> kann."   (B.B. 15.479)

In den "Anweisungen an die Schauspieler" erläutert er an ei-
nem negativen Beispiel, wie er nicht gespielt haben will.
Er zeichnet die Folgen, wenn ein Schauspieler versucht, die
Gefühle seines Helden auszudrücken:

> "Der Darsteller hat kein Interesse mehr für die Hand-
> lung, also das Leben, sondern nur mehr für sich, also
> sehr wenig. Er ist kein Philosoph mehr, sondern nur

---

1) K.Weill: Über den gestischen Charakter der Musik.
   S.420.

mehr ein Sänger. Er ergreift andauernd nur die Gelegenheit, sich zu zeigen und eine Einlage unter Dach
zu bringen, er ist ein Mensch, der nur mitspielt, ein
Kiebitz, ein Mensch, dessen Sache nur er selbst ist,
kurz: ein Bourgeois."   (B.B. 15.413)

Ein gestisches Singen soll nicht die Gefühle des Singenden
zum Ausdruck bringen, sondern vielmehr die Haltung des Singenden und seine Stellungnahme zum Gesungenen. Das geht in
der Tat über eine bloße 'Einlage' hinaus. Indem der Sänger
zum Referenten wird, dessen Gefühle Privatsache bleiben müssen, wie es in einer Fußnote der Anmerkungen zu 'Mahagonny'
heißt (B.B. 17.1011), verschafft er dem Zuschauer die Möglichkeit, sein Urteil hinzuzufügen. Die Distanz des in den
Tönen beschlossenen Gestus vermittelt dem Zuschauer jene
"Kritik menschlichen Verhaltens vom gesellschaftlichen Standpunkt" aus, die für den Marxisten Brecht zentraler Angelpunkt politischen Handelns ist. Sie versetzt ihn so in
die Lage, "Vergleiche anzustellen, was die menschlichen
Verhaltensweisen betrifft" (B.B. 15.472) - und zu handeln.
Das aber vermag nicht eine illustrierende oder eine expres-
sive Gestik, sondern allein der soziale Gestus, gestützt und
hervorgehoben durch den allgemeinen Gestus des Zeigens. Beide zu gestalten ist der Musik aufgegeben.

Literaturverzeichnis

Aber, Adolf   Die Musik im Schauspiel. Geschicht-
liches und Ästhetisches.
Leipzig 1926

Adorno, Theodor W.   Einleitung in die Musiksoziologie.
Zwölf theoretische Vorlesungen.
Hamburg 1969. (= rde 292/293)

Adorno, Theodor W.   Opernfestspiele in Frankfurt a.M.
In: Die Musik. 23.Jg. 1931, H.3,
S.198-200

Angerer, Paul   Die Bühnenmusik als raumschaffendes
Element. In: Maske und Koth. 11.Jg.
1965, S.314-323

Antoine, André   Meine Erinnerungen an das Théâtre
Libre. Berlin 1960

Arendt, Hannah   Der Dichter Bertolt Brecht.
In: Die neue Rundschau. 61.Jg. 1950,
H.1, S.33-67

---   Das Ärgernis Brecht. Basel 1962
(= Theater unserer Zeit 1)

Aristoteles   Poetik. Übersetzung, Einleitung und
Anmerkungen von Olaf Gigon.
Stuttgart 1961 (= Recl.Bibl.2337)

Bab, Julius   Über den Tag hinaus. Kritische Betrachtungen. Heidelberg 1960

Baresel, Alfred   Dreigroschen-Epigonen. In: Die Musik. 23.Jg. 1931, H.8, S.594-596

Barfuß, Grischa H.   Bühne und Musik in der Neuromantik.
Diss. Köln 1948 /¯Masch._7

Beheim-Schwarzbach, E.   Dramenformen des Barocks. Die
Funktionen von Rollen, Reyen und
Bühne bei Joh.Chr. Hallmann (1660-
1704). Diss. Jena 1931

Benjamin, Walter   Schriften. Frankfurt 1955

Benjamin, Walter   Ursprung des deutschen Trauerspiels.
Frankfurt 1963

Benjamin, Walter   Versuche über Brecht. Frankfurt 1966
(= edition suhrkamp 172)

Benzmann, Hans   Die deutsche Ballade. 2 Bde.
Leipzig 1913

Benzmann, Hans   Die soziale Ballade in Deutschland.
Typen, Stilarten und Geschichte der
sozialen Ballade. München 1912

Berghahn, Wilfried   Festwochen der Schauspielunst.
In: Frankfurter Hefte. 9.Jg. (1954)
H.7, S.831-836

Bergstedt, Alfred   Das dialektische Darstellungsprin-
zip des "Nicht-Sondern" in neueren
Stücken Bertolt Brechts. Litera-
turästhetische Untersuchungen zur
"politischen Theorie des Verfrem-
dungseffektes". Diss. Potsdam
1963 /¯Masch.¯7

Bern, Maximilian (Hrsg.) Die zehnte Muse. Dichtungen
vom Brettl und fürs Brettl. Aus
vergangenen Jahrhunderten und aus
unseren Tagen gesammelt. Neu bear-
beitet und hrsg. von Richard Zooz-
mann. Berlin 1926

Besseler, Heinrich Das musikalische Hören der Neuzeit.
Berlin 1959 (= Berichte über die
Verhandlungen der sächsischen Aka-
demie der Wissenschaften zu Leipzig. Philologisch-historische Klasse Bd. 104, H.6)

Bierbaum, Otto Julius (Hrsg.) Deutsche Chansons
(Brettl-Lieder) von Bierbaum, Deh-
mel, Falke, Finckh, Heymel, Holz,
Liliencron, Schröder, Wedekind,
Wolzogen. Berlin-Leipzig 1901

Bingel, Horst (Hrsg.) Zeitgedichte. Deutsche politische Lyrik seit 1945.
München 1963

Bloch, Ernst   Verfremdungen I. Frankfurt 1962

Blümer, H. (Hrsg.) Lessings Laokoon. Berlin 1880

Bolte, Johannes   Die Singspiele der englischen Ko-
mödianten und ihrer Nachfolger in
Deutschland, Holland und Skandina-
vien. (= Theatergesch. Forschungen. Hrsg. Bertolt Litzmann Bd.
VII) Hamburg/Leipzig 1893

Borcherdt, Hans H. Das europäische Theater im Mittelalter und in der Renaissance.
Leipzig 1935

Bräutigam, Kurt   Die deutsche Ballade. Ffm - Berlin
- Bonn 1963

Brecht, Bertolt   Gesammelte Werke. 20 Bde. Frankfurt 1967 (= Werkausgabe edition
suhrkamp)

Brecht, Bertolt   Couragemodell 1949. Text. Aufführung. Anmerkungen. Berlin 1958

Brecht, Bertolt	Mutter Courage und ihre Kinder. Text. Aufführung. Anmerkungen. Berlin 1962 (= Modellbücher des Berliner Ensembles 3)
---	Bertolt Brechts Dreigroschenbuch. Texte, Materialien, Dokumente. Hg.v. Siegfried Unseld. Frankfurt 1960
---	Brecht - Chronik. Daten zu Leben und Werk. Zusammengestellt von Klaus Völker. München 1971 (= Reihe Hanser 74)
---	Brecht inszeniert. Der Kaukasische Kreidekreis. (Text von Angelika Hurwicz). Velber bei Hannover 1964 (= Reihe Theater heute 14)
Brecht/Dessau	Lieder und Gesänge. Berlin 1957
---	Brecht-Dialog 1968: Politik auf dem Theater. Dokumentation 9. bis 16. Febr. 1968. Hg. v. Sekretariat des Brecht-Dialogs. Berlin 1968
Brehm, Erich	Agitprop und Kabarett. In: NDL H.3 (1959) S. 113
Brock, Hella	Bertolt Brecht - Kurt Schwaen: Die Horatier und die Kuratier – ein Werk zur Förderung der sozial. Erziehung. In: Wiss. Ztschr. d. Mart.Luther-Univ. Halle-Wittenberg. Ges.-Sprachwiss. Reihe VIII/3 Jan. ('59) S. 479-486
Brockhaus, Hans Alfred	Hanns Eisler. Leipzig 1961
---	Der große Brockhaus. Handbuch des Wissens in 20 Bde. (15.Aufl.) Leipzig 1934
---	Der große Brockhaus. 12 Bde. u. 2 Ergänzungsbände. Wiesbaden 1953-57
Bronnen, Arnolt	arnolt bronnen gibt zu protokoll. Hamburg 1954
Bronnen, Arnolt	Tage mit Bertolt Brecht. Geschichte einer unvollendeten Freundschaft. Wien-München-Basel 1960
Brüggemann, Fritz (Hrsg.)	Bänkelgesang und Singspiel vor Goethe. Leipzig 1937 (= Deutsche Literatur. Sammlung literarischer Kunst- und Kulturdenkmäler in Entwicklungsreihen. Reihe: Aufklärung. Bd. 10)
Budenz, Toni	Kleinkunstbühne. Ein Arbeitsbuch für Laien. München 1957

Budzinski, Klaus   Die Muse mit der scharfen Zunge.
                        Vom Cabaret zum Kabarett.
                        München 1961

Bunge, Hans   Fragen Sie mehr über Brecht. Hanns
                        Eisler im Gespräch. Nachwort von
                        Stephan Hermlin. München 1970
                        (= Reihe Passagen)

Creizenach, Wilhelm   Geschichte des neueren Dramas.
                        5 Bde. Halle 1893-1916

Crumbach, Franz Hubert Die Struktur des Epischen Thea-
                        ter. Dramaturgie der Kontraste.
                        Braunschweig 1960 (= Schriften d.
                        Paed. Hochschule Braunschweig H.8)

Debiel, Gisela   Das Prinzip der Verfremdung in
                        der Sprachgestaltung Bertolt
                        Brechts. Untersuchungen zum Sprach-
                        stil seiner epischen Dramen.
                        Diss. Bonn 1960

Dedetius, Annemarie   Theorien über die Verbindung von
                        Poesie und Musik. Moses Mendels-
                        sohn. Lessing. Diss. (München)
                        Liegnitz 1918

Demetz, Peter   Das Geheimnis Brecht. In: Merkur
                        16.Jg. (1962) H.11/Nov.,Nr. 177
                        S. 1084-87

---   Deutsche Dichtung des Barock.
                        (Hg.v. Edgar Hederer) München 1965

---   Dictionary of American Slang.
                        (compiled and edited by Harold
                        Wentworth and Stuart B.Flexner)
                        New York 1960

Diebold, Bernhard   Dramatische Zwischenstufen. In:
                        Der Scheinwerfer. 5 ('32) 14.H./
                        April,S. 12-15

Dietrich, Magret   Das moderne Drama. Stuttgart 1961

Dietrich, Magret   Episches Theater? In: Maske und
                        Kothurn. 2.Jg. (1956) H.2, S.97-
                        124

Dürr, Walther/Walter   Gestenberg
                        Rhythmus. In: MGG.11.413

Egk, Werner   Beständigkeit der Oper. In: Stim-
                        men. Monatsblätter f.Musik. Berlin-
                        Dahlem. 1.Jg. (1948) H.11/12, S.
                        305f.

Ehrenstein, Albert   Brecht-Studie. zit.n. Die Litera-
                        tur. 27.Jg. (1924/25) S.347f.

Einem, Gottfried   Musikdrama oder szenische Kantate.
                        In: Europ. Rundschau. Wien. H.12
                        ('47) S.551ff.

Eisler, Hanns   "Einiges über das Verhalten der Arbeiter-Sänger und -Musik in Deutschland" (1935). In: Sinn und Form. Sonderh. Hanns Eisler (1964) S.137f.

Eisler, Hanns   Komposition für den Film. Berlin 1949

Eisler, Hanns   Reden und Aufsätze. Leipzig 1961

Engel, Hans   Soziologie der Musik. In: MGG 12.962

Esslin, Martin   Bertolt Brecht. Das Paradox eines politischen Dichters. Ffm.-Bonn 1962

Esslin, Martin   Bert Brecht. Vernunft gegen Instinkt. In: Merkur XV ('61) 9.H./ Sept., S.836-847

Esslin, Martin   Das Theater des Absurden. Frankfurt 1964

---   Europe. Revue Mensuelle. 35° Année. (1957) No.133-134 (Janvier-Fevrier) (Sonderheft Bertolt Brecht mit reichem Bildmaterial

Fassmann, Kurt   Brecht. Eine Bildbiographie. München 1958

Feuchtwanger, Lion   Bertolt Brecht. In: Sinn u. Form. 2.Sonderh.B.B. (1957) S.142-158

Flemming, Willy   Die Form der Reyen in Gryphs Trauerspielen. In: Euphorion 25.Bd. (1924) S.662-665

Frank, Günter   Zur Rezeption B.B.'s. In: Kürbiskern ('68) S.597-606

Franzen, Erich   Das Drama zwischen Utopie und Wirklichkeit. In: Merkur. Nr.150,XIV ('60) H.8/Aug. S.739-756

Franzen, Erich   Formen des modernen Dramas. Von der Illusionsbühne zum Antitheater. München 1961

Freiligrath, Ferdinand   Gesammelte Werke. 6 Bde. Stuttgart 1870

Friedrich, Heinz   Bertolt Brecht. Ein Versuch. In: Berliner Hefte für geistiges Leben. Berlin. 4 ('49) 1.Halbj. Ausg.B, S.164-182

Friedrich, Hugo   Die Struktur der modernen Lyrik. Von Baudelaire bis zur Gegenwart. Hamburg 1956. 1962 (= rde Bd.25)

Frisch, Max   Erinnerungen an Brecht. Berlin: Friedenauer Presse 1968 (= Sonderdruck aus 'Kursbuch' H.7)

Frisch, Max   Tagebuch 1946-1949. Frankfurt 1950

Fromm, Hans (Hrsg.)   Deutsche Balladen. München 1961³

Gaede, Friedrich W.   Figur und Wirklichkeit in Drama
                      Brechts. Diss. Freiburg/Br. 1963

Garten, Hugo F.   The Drama of Bert Brecht. In:
                      German Life and Letters. New Series.
                      Vol.V ('51) Nr.1/Oct., p. 126-134

Geißler, Rolf   Versuch über Brechts Kauk. Kreide-
                      kreis. In: Wirkendes Wort. 9 ('59)
                      2.H. S.93-99

Geißler, Rolf   Zur Struktur der Lyrik B.B.s In:
                      Wirkendes Wort 8 (1958) H.6, S.347-
                      52

Goethe, Johann W.v.   Briefe der Jahre 1764-1786.
                      Zürich 1951 (= Gedenkausgabe Bd.18)

Goethe, Johann W.v.   Der Briefwechsel zwischen Goethe
                      und Schiller. Zürich 1950 (= Arte-
                      mis-Ausgabe Bd.22)

Goethe, Johann W.v.   Gespräch mit Eckermann.
                      Zürich 1948. (= Gedenkausgabe Bd.24)

Goethe, Johann W.v.   Schriften zur Literatur.
                      Zürich 1950 (= Gedenkausgabe Bd.14)

Golther, Wolfgang   Die Musik im Schauspiel unserer
                      Klassiker. In: Die Musik. 6.Jg.
                      4.Quart.-bd. Bd.XXIV. (1906-07) S.
                      273-284

Görner, Otto   Der Bänkelsang. In: Mitteldeutsche
                      Blätter f. Volkskunde. Leipz. 7
                      ('32) 4.H./Aug. S.113-128

Grimm, Reinhold   Bertolt Brecht. Stuttgart 1961.
                      1963² (= Sammlung Metzler 4)

Grimm, Reinhold   Bertolt Brecht. Die Struktur seines
                      Werkes. Nürnberg 1959. 1965⁴. 1968⁵
                      (= Erlanger Beiträge zur Spr.- und
                      Kunstwissenschaft. Bd.5)

Grimm, Reinhold   Bertolt Brecht und die Weltlitera-
                      tur. Nürnberg 1961

Grimm, Reinhold   Brechts Anfänge. In: Aspekte des
                      Expressionismus. 1968. S.132-52

Grimm, Reinhold (Hrsg.)   Episches Theater. Köln-Berlin
                      1966 (= Neue wiss. Bibliothek. Lit.-
                      Wiss.15)

Grimm, Reinhold   Ideologische Tragödie und Tragödie
                      der Ideologie. Versuch über ein
                      Lehrstück von Brecht. (Die Maßnahme)
                      In: Jost Schillemeit (Hrsg.): Inter-
                      pretationen. Deutsche Dramen von
                      Gryphius bis Brecht. Ffm.-Hamburg
                      1965

Grimm, Reinhold   Strukturen. Essays zur dt.Lit. Göttingen 1963

Grimm, Reinhold   Verfremdung. Beiträge zu Wesen und Ursprung eines Begriffes. In: Revue De Littérature Comparee. Paris. 35 (1961) Nr.2/Apr.-Juni, S.207-36

Grimm, Reinhold   Werk und Wirkung des Übersetzers Karl Klammer. In: Neophilologus (1960) Januar

Haas, Willy   Bert Brecht. Berlin 1958. (= Köpfe des XX.Jahrhunderts 7)

Hacks, Peter   Über Lieder zu Stücken. In: SuF 14.Jg. (1962) H.3, S.421-425

Hammes, Fritz   Das Zwischenspiel im deutschen Drama von seinen Anfängen bis auf Gottsched, vornehmlich der Jahre 1500-1660. Berlin 1911 (= Lit.-hist.Forschungen, hg.v.J.Schick u. Frh.v.Waldberg. Heft XLVI)

Hampe, Theodor   Fahrende Leute in der deutschen Vergangenheit. Leipzig 1902 (= Monographien zur dt.Lit.-Gesch. 10. Bd.)

Hartmann, August   Histor.Volkslieder und Zeitedichte vom 16.-19.Jh. München 1907-13

Hartung, Günther   Zur epischen Oper Brechts und Weills. In: Wiss.Ztschr.d.Martin-Luther-Univ. Halle-Wittenberg. Gesell.- und sprachwiss. Reihe 8 (1958/59) S.659-73

Hausenstein, Wilh.   Die Masken des Komikers Karl Valentin. Freiburg i.Br. 1958

Heartz, Daniel   Vaudeville.In: MGG Sp.1319-1332

Hecht, Werner   Brechts Weg zum epischen Theater. Beitrag zur Entwicklung des epischen Theaters 1918-1933. Berlin 1962

Heinitz, Werner   Das Epische in der Sprache Bertolt Brechts. In: Neue Deutsche Literatur 5 (1957) H.4/Apr.,S.49-59

Hell, Hildegard   Studien zur Ballade der Gegenwart. Diss. Bonn 1937

Helwig, Werner   Bert Brechts Poesie und Politik. Zur Gesamtausgabe seiner Gedichte. In: Merkur. 16 (1962) H.11/Nov. Nr.177, S.933-43

Hennenberg, Fritz   Dessau. Brecht. Musikalische Arbeiten. Berlin 1963

Hermann-Neiße, Max   Karl Valentin. In: Der Kritiker 6.Jg. (1924) H.Sept./Okt., S.10

Herzfeld, Friedrich Ullstein Musiklexikon. Berl.-Ffm.-
                    Wien 1965

Heselhaus, Clemens Deutsche Lyrik der Moderne von
                    Nietzsche bis Yvan Goll. Die Rück-
                    kehr zur Bildlichkeit der Sprache.
                    Düsseldorf 1961

Heusser, Kurt   Die Bühnenmusik im Schauspiel.
                    In: MuK 6 (1960) S.182-186

Hinck, Walter   Die dt.Ballade von Bürger bis
                    Brecht. Kritik und Versuch einer
                    Neuorientierung. Göttingen 1968
                    (= Kleine Vandenhoek-Reihe 273)

Hinck, Walter   Bertolt Brecht. In: Deutsche Lite-
                    ratur des XX.Jahrhunderts, hrsg.
                    von Hermann Friedmann und Otto Mann.
                    Bd.2. Heidelberg 1961, S.323-44.

Hinck, Walter   Brecht und sein Publikum. In: Frank-
                    furter Hefte 9 (1954) S.938-40

Hinck, Walter   Die Dramaturgie des späten Brecht.
                    Göttingen 1959 (= Palaestra Bd.229)

Hirschenauer, Rupert / Weber, Albrecht (Hrsg.)
                    Wege zum Gedicht. II.Interpretatio-
                    nen von Balladen. München/Zürich
                    1963

Högel, Max   Bertolt Brecht. Ein Porträt.
                    Augsburg 1962

Hoffmann-Oswald, Daniel (Hrsg.)
                    Auf der roten Rampe. Erlebnisbe-
                    richte und Texte aus der Arbeit
                    der Agitproptruppen vor 1933.
                    Berlin 1963

Hoffmann, Ludwig /Daniel Hoffmann-Ostwald
                    Deutsche Arbeitertheater 1918-1933.
                    Berlin 1961

Höntsch, Wilfried (Hrsg.) Hanns Eisler. Eine Auswahl
                    von Reden und Aufsätzen. Leipzig
                    1961

Hoppe, Hans   Das Theater der Gegenstände. Neue
                    Formen szenischer Aktion. Zürich/
                    Bensberg 1971 (= Theater unserer
                    Zeit. Bd.10)

Hultberg, Helge   Die ästhetischen Anschauungen
                    Bertolt Brechts. Kopenhagen 1962

Janota, Johannes   Studien zu Funktion und Typus des
                    deutschen Liedes im Mittelalter.
                    München 1968 (= Münchener Texte
                    und Untersuchungen z.dt.Lit.d.Mit-
                    telalters, B.23)

Ihering, Herbert   Bertolt Brecht und das Theater.
Berlin 1959. 1962[5]

Ihering, Herbert   Berliner Dramaturgie. Berlin 1947

Ihering, Herbert   Der Volksdramatiker. In: Sinn und
Form. 1.Sonderh.: Bertolt Brecht.
Berlin 1949. S.5-10

Jens, Walter   Statt einer Literaturgeschichte.
Pfullingen 1957

Kaiser, Joachim   Brecht und die Komponisten.
Paul Dessaus 'Puntila'-Oper an der
Staatsoper in Ost-Berlin. In: Thea-
ter heute 8 (1967) Nr.1, S.21-23

Kaufmann, Hans   Geschichtsdrama und Parabelstück.
Berlin 1962

Kaulfuß-Diesch, Carl Hermann   Die Inszenierungen des
deutschen Dramas an der Wende des
16. und 17. Jahrhunderts. Leipzig
1905 (= Probefahrten 7)

Kesting, Marianne   Bertolt Brecht in Selbstzeugnissen
und Bilddokumenten (dokumentarischer
und bibliographischer Anhang, bearb.
v.Paul Raabe) Reinbek b.Hamburg
1959. 1963[7] (= rororo Bildmonogra-
phien Bd.37)

Kesting, Marianne   Entdeckung und Destruktion.
Zur Strukturumwandlung der Künste.
München 1970

Kesting, Marianne   Gedanken zum epischen Theater.
In: Merkur 10 (1956) H.11/Nov. Nr.
1127, S.1127ff.

Kesting, Marianne   Das epische Theater Bertolt Brechts.
Zur Struktur des modernen Dramas.
Stuttgart 1959 (= Urban-Bücher 36)

Kindermann, Heinz   Theatergeschichte Europas.
Bd.I-IX. Salzburg 1957-1970

Klein, Johannes   Geschichte der deutschen Lyrik.
Wiesbaden 1960[2]

Kleinig, Karl   Analysen zu Hanns Eislers Liedern
und Chören aus "Die Mutter" von
Brecht. In: Wiss. Ztschr.d.Mart.-
Luther-Univ. Halle-Wittenberg.
Ges.-sprachw. Reihe VIII/1, Nov.
(1958) S.219-224

Klotz, Volker   Bertolt Brecht. Versuch über das
Werk. Bad Homburg - Bln. - Zürich
1967

Klotz, Volker   Offene und geschlossene Form im
Drama. München 1962

Knellesen, Fr.Wolfg.   Agitation auf der Bühne. Das politische Theater der Weimarer Republik. Emsdetten 1970

Knebler, Georg   Hanns Eisler und das "Neue" in der Musik. In: Musik und Gesellschaft, H.6 (1957) (Nachdruck in Höntsch, Hans Eisler, S.155-178)

Knudsen, Hans   Schiller und die Musik. Diss.Greifswald 1908

Kohlschmidt, Werner (Hrsg.)   Das deutsche Soldatenlied. Nach seinen Hauptmotiven und ihrer Entwicklung ausgew.v.... Berlin 1935 (= Lit.-Hist.Bibliothek. Hg.v.G.Fricke, Kiel. Bd.16)

König, Helmut   Rote Sterne glühen. Lieder im Dienste der Sowjetisierung. Bad Godesberg 1962³

Könighof, Kaspar   Über den Einfluß des Epischen im Drama. In: Sinn und Form 7 (1955) H.4, S.278-91

Kopetzki, Eduard   Die dramatischen Werke Bertolt Brechts nach seiner Theorie vom Epischen Theater. Diss. Wien 1949 /Masch._7

Kotschenreuther, Hellmut   Kurt Weill. Berlin-Hallensee 1962

Krenek, Ernst   Zur Frage des Textverständnisses in der Oper. In: Der Scheinwerfer. Essen. 4 (1951) 12.H./März, S.12-13

Kuckei, Max   Moritat und Bänkelsang in Niederdeutschland. Hamburg 1941

Kuhnert, Heinz   Die Songs im Werk von Bertolt Brecht. In: Neue Deutsche Literatur. 11 (1963) H.3/März, S.77-100

Kutscher, Artur   Frank Wedekind. Sein Leben und Werke. Bde. 1-3. München 1922-31

Lammel, Inge   Das deutsche Arbeiterlied. Leipzig-Jena-Berlin 1962

Lammel, Inge (Hrsg.)   Lieder gegen den Faschismus und Krieg. Leipzig o.J. (= Reihe: Das Lied im Kampf geboren H.4)

Leibowitz, René   Brecht et la musique de scène. In: Théâtre populaire. Nr.11/Jan.-Febr. (1955) S.43-49

Lerg-Kill, Ulla   Dichterwort und Parteiparole. Propagandistische Gedichte und Lieder Bertolt Brechts. Bad Homburg v.d.H.-Berlin-Zürich 1968

Liliencron, R.v.   Die Chorgesänge des lat.-dt. Schul-
                    drama im XVI.Jh. In: Vjschr.d.Mu-
                    sikwiss. 6 (1890) 3.Vj.(Leipzig
                    1890) S.309-387

Lipschütz, Helene   Lyrische Einlage im neueren Drama.
                    Diss. Rostok 1922 /¯Masch._7

Lohner, Edgar   Schiller und die moderne Lyrik.
                    Göttingen 1964

Lüthy, Herbert   Vom armen Bert Brecht. In: Der Mo-
                    nat. 4 (1952) H.44/Mai. S.115-44

Luthardt, Theodor   Der Song als Schlüssel zur drama-
                    tischen Grundkonzeption in Bertolt
                    Brechts "Mutter Courage und ihre
                    Kinder". In: Wiss.Ztschr.d.Fr.-
                    Schiller-Univ. Jena 7 (1957/58)
                    Ges.-sprachwiss. Reihe H 1. S.119-
                    122

Mann, Otto   Bertolt Brecht. - Maß oder Mythos.
                    Ein kritischer Beitrag über die
                    Schaustücke Bertolt Brechts.
                    Heidelberg 1958

Mann, Otto   Geschichte des deutschen Dramas.
                    Stuttgart 1960 (= Kröner-Taschen-
                    ausgabe 296)

Mayer, Hans   Anmerkungen zu einer Szene aus
                    "Mutter Courage und ihre Kinder".
                    In: Deutsche Literatur und Weltli-
                    teratur. Berlin 1957. S.635ff.

---   Materialien zu Brechts "Der kauka-
                    sische Kreidekreis" zusammenge-
                    stellt von Werner Hecht. Frankfurt
                    1968 (= edition suhrkamp 155)

---   Materialien zu Brechts "Der gute
                    Mensch von Sezuan" zusammengestellt
                    von Werner Hecht. Frankfurt 1968
                    (= edition suhrkamp 247)

---   Materialien zu Brechts "Die Mutter"
                    zusammengestellt von Werner Hecht.
                    Frankfurt 1969 (= edition suhrkamp
                    305)

---   Materialien zu Brechts "Mutter Cou-
                    rage und ihre Kinder" zusammenge-
                    stellt von Werner Hecht. Frankfurt
                    1964. 1965 (= edition suhrkamp 50)

Martini, Fritz   Chanson. In: Reall.d.dt.Lit.-Gesch.
                    1.Bd. A∸K. Berlin 1958

Mauermann, Siegfried   Die Bühnenanweisungen im deut-
                    schen Drama bis 1700. Berlin 1911
                    (= Palaestra CII)

Mayer, Hans   Anmerkungen zu Brecht. Frankfurt
1956. 1967². (= edition suhrkamp
143)

Mayer, Hans   Bertolt Brecht und die Tradition.
Pfullingen 1961

Mayer, Hans   Essays zur Literatur der Über-
gangszeit. Essays. Berlin 1949

Mayer, Hans   Gelegenheitsdichtung des jungen
Brecht. In: Sinn und Form 10 (1958)
2.H., S.276-289

Mayer, Hans   Deutsche Literatur und Weltlite-
ratur. Pfullingen 1957

Mayr, Rolf   Zwischen Moritat und Song. In:
Merkur 3 (1949) 5.H./Nr. 15.,S.515-
518

Mehring, Walter   Berlin Dada. Eine Chronik mit Photos und Dokumenten. Zürich 1959

Mehring, Walter (Übers.)   Pottier und Clément.
Französische Revolutionslieder aus
der Zeit der Pariser Commune.
Berlin 1924

Mehring, Walter   Der Zeitpuls fliegt! Chansons,
Gedichte, Prosa. Eine Auswahl.
Mit einem Nachwort von Willy Haas.
Hamburg 1958 (= rororo 282)

Meier, John   Volksliedstudien. Straßburg 1917

Melchinger, Siegfried   Drama zwischen Shaw und Brecht.
Bremen 1961 (4.Aufl.)

Melchinger, S.   Entdeckung des frühen Brecht.
In: Universitas 23 (1968) S.589-
96

Mennemeier, Franz Norbert   Brecht - Mutter Courage und
ihre Kinder. In: Benno v.Wiese (Hg.):
Das deutsche Drama. Vom Barock bis
zur Gegenwart. Interpretation. Düs-
seldorf (1962) Bd.II, S.383ff.

Meyer, E.H.   Musik im Zeitgeschehen. Grundprobleme der Musiksoziologie.
Berlin 1952

Mirow, Franz   Zwischenaktmusik und Bühnenmusik
des deutschen Theaters in der klass.
Zeit. Berlin 1927 (= Schr.d.Ges.f.
Theat.Gesch. Bd.37)

Mitchell, D.   Kurt Weills "Dreigroschenoper" and
German Cabaret-Opera in the 1920's.
In: The Christian 25 (1950) July.
S.1-6

Mittenzwei, Johannes   Das Musikalische in der Litera-
                       tur. Ein Überblick von Gottfried
                       von Straßburg bis Brecht. Halle
                       1962

Mittenzwei, Werner   Bertolt Brecht. Von der "Maßnahme"
                       zu "Leben des Galilei".
                       Berlin 1962. 1965[2]

Mittenzwei, Werner   Gestaltung und Gestalten im moder-
                       nen Drama. Zur Technik des Figu-
                       renaufbaus in der sozialistischen
                       und spätbürgerlichen Dramatik.
                       Berlin/Weimar 1965

Mittenzwei, Werner   Größe und Grenzen des Lehrstücks.
                       In: Neue Deutsche Literatur 8
                       (1960) Okt/H.10, S.90-106

Mönnig, Richard (Hrsg.)   Bertolt Brecht. (Mit Beiträ-
                       gen von Ernst Wendt, Erwin Leiser,
                       Klaus Völker und Martin Walser.)
                       Bad Godesberg 1966

Müller, Joachim   Dramatisches und episches Theater.
                       Zur ästhetischen Theorie und zum
                       Bühnenwerk Bertolt Brechts. In:
                       Wiss.Ztschr.d.Friedr.Schiller-Univ.
                       Jena, Gesell.-u.sprachwiss.Reihe 8
                       (1958/59), S.365-82

Müller, Joachim   Romanze und Ballade. Die Frage ih-
                       rer Strukturen, an zwei Gedichten
                       H.Heines dargelegt. In: Germ.-Rom.
                       Monatsschrift. NF. Bd.1 (1959) 40.
                       Bd. d.Gesamtreihe, S.140-156

Münsterer, Hans O.   Bert Brecht. Erinnerungen aus den
                       Jahren 1917-22. Zürich 1963

---   Die Musik in Geschichte und Gegen-
                       wart (MGG). Allgemeine Enzyklopä-
                       die der Musik. Hg.v.Fr.Blume. (14
                       Bde.) Kassel 1949-1968

---   Musik und Gesellschaft. Hanns-Eis-
                       ler-Sondernummer. 6.H.(1958)

Müsel, Albrecht   Die Pflege des Arbeiterliedes in
                       Mitteldeutschland. Sonderdruck aus
                       dem Jahrbuch 1963 des Marburger
                       Univ.-Bundes

Nadel, Siegfried F.   Musik bei Shakespeare. In: Der
                       Scheinwerfer 4 (1930) 1.H./Sept.
                       S.3-6

Nespital, Margarete   Das deutsche Proletariat in seinem
                       Lied. Diss. Rostock 1932

Nick, Edmund   Marsch. In: MGG 8. 1974ff.

Notowicz, Nathan / Jürgen Elsner   Hanns Eisler
Quellennachweise. Leipzig 1966

Oettich, Gisela   Der Bänkelsang in der Kunstdichtung
des 20. Jahrhunderts. Diss. Wien
1963 /¯Masch._7

Parmet, Simon   Die ursprüngliche Musik zu "Mutter
Courage". Meine Zusammenarbeit mit
Brecht. In: Schweizerische Musik-
zeitung 97 (1957) Dez./Nr.12

Petersen, Klaus-Dietrich   Bertolt Brecht-Bibliogra-
phie. Bad Homburg/Berlin/Zürich
1968 (= Bibl.z.Stud.d.dt.Spr.u.Lit.
2)

Petsch, Robert   Gehalt und Form. Gesammelte Abhand-
lungen zur Literaturwissenschaft
und zur allgemeinen Geistesgeschichte. Dortmund 1925 (= Hamburger Texte u. Forschungen z.dt.Philologie.
Hg.v.Conr.Borchling, R.Petsch,
Agathe Lasch. Reihe II: Untersuchungen Bd.1)

Pfeiffer, Johannes   Über den Lyriker Bertolt Brecht.
In: Die Sammlung 13 (1958) S.225-
34

Pfützner, Klaus   Das revolutionäre Arbeitertheater
in Deutschland 1918-1933. Berlin
1959 (= Schriften z. Theaterwiss.
Hg.v.d.Theaterhochschule Leipzig
Bd.1)

Piontek, Heinz (Hrsg.)   Neue deutsche Erzählgedichte.
Stuttgart 1964

Piscator, Erwin   Das Politische Theater. Reinbek
1963 (1929)

Polgar, Alfred   Ja und Nein. Darstellungen von Darstellungen. (Hg.v.Wolfg.Drews) Ham-
burg 1956

Pütz, Peter   Die Zeit im Drama. Zur Technik
dramatischer Spannung. Göttingen
1971

Rath, Willy   Bänkellieder. In: Velhagen & Kla-
sings Monatshefte 27 (1913) H.11/
Juli (3.Bd./H.3) S.378-384

Refardt, Edgar   Die Musik im Basler Volksschau-
spiel d.16.Jh. In: Arch.f.Musik-
wiss.III (1921)

Rebling, Eberhard   Ein Blick in ein großes Werk. Zum
Liedschaffen Hanns Eislers.In: Mu-
sik und Gesellschaft H.1/1957, S.
142-154

Rebling, E. /Czerny,P.   Musik für die Arbeiterbewegung.
                          In: Musik und Gesellschaft 7 (1957)
                          S.713-17

Rebling, Eberhard   Die Musikgeschichte im Lichte des
                          Marxismus. In: Musik und Gesell-
                          schaft 7 (1957) S.718-721

Rebling, Eberhard   Paul Dessaus Weg zum sozialisti-
                          schen Realismus. In: Musik und Ge-
                          sellschaft 3 (1953) S.409-413

Reich, Willi   Musik in der Literatur. In: Stim-
                          men 1 (1948) H.9/10, S.278-87

Rein, Leo   Neuer deutscher Bänkelsang. In:
                          Die Literatur 27 (1924/25) S.21-25

Riedel, Karl Veit   Der Bänkelsang. Wesen und Funktio-
                          nen einer volkstümlichen Kunst.
                          Hamburg 1963

Riege, Helga   Zwei Wiegenlieder Brechts. In: Wis-
                          senschaftliche Zeitschr.d.Fried-
                          rich-Schiller-Univ. Jena. Geistes-
                          und sprachwiss.Reihe 6 (1956/57)
                          S.733-37

Riemer, O.   Musik und Schauspiel. In: Atlantis-
                          buch der Musik, Zürich 1946, S.765-
                          772

Riha, Karl   Moritat - Song - Bänkelsang. Zur
                          Geschichte der modernen Ballade.
                          Göttingen 1965 (= Schr.z.Literatur,
                          Bd.7)

Rinser, Luise   Der Schwerpunkt. Ffm. 1960

Rischbieter, Hennig   Bertolt Brecht. Bde.1.2. Velber
                          b.Hannover 1966 (= Friedrichs Dra-
                          matiker des Welttheaters. 13.14)

Rockenbach, Martin   Von der Ballade der Gegenwart.
                          In: Orplid. Sonderheft: Balladen
                          der jungen Generation. 5 (1929)
                          H.9/10, S.40-55

Rosenkaimer, E.   Scheibe als Verfasser des kriti-
                          schen Musikus. Diss. Bonn 1923

Rösler, Walter   Angewandte Musik. Notizen zu Büh-
                          nenmusiken Hanns Eislers. In: Th.d.
                          Z. 13.Jg. (1968) Nr.13, S.21-4

Rotermund, Erwin   Die Parodien in der modernen deut-
                          schen Lyrik. München 1963

Rüdiger, Horst   Vom Kintopp zum Filmpalast. Hanns
                          Eisler schreibt über Probleme der
                          Filmmusik. In: Melos 17 (1950) S.
                          142-45

Rühle, Günther Theater für die Republik 1917–
1933 im Spiegel der Kritik.
Ffm. 1967

Rühle, Jürgen Theater und Revolution. München
1963 (= dtv Bd.145)

Rülicke-Weiler, Käthe Die Dramaturgie Brechts. Theater als Mittel der Veränderung.
Berlin 1966

Rufer, Josef Brechts Anmerkungen zur Oper.
In: Stimmen 1 (1948) H.7. S.193–
198

Ruttkowski, Wolfgang Victor Das literarische Chanson
in Deutschland. Bern/München 1966
(= Sammlung Dalp Bd.99)

Sachs, Hans Sämtliche Werke. Hg.v.Adelbert von
Keller und Edmund Goetze. 26 Bde.
Tübingen 1870–1908

Schaefer, Heinz Der Hegelianismus der Bert Brechtschen Verfremdungstechnik in Abhängigkeit von ihren marxistischen
Grundlagen. Diss. Stuttgart 1957
/⁻Masch._7

Schäfer, Walter War der Weg über die Lieder ein Umweg? Bert Brecht 'Mutter Courage
und ihre Kinder'. In: Wirkendes
Wort 14 (1964) S.407–413

Schinsky, Karl Der Komponist Hanns Eisler. In:
Deutsche Filmkunst 6 (1958) S.176–
178

Schlenstedt, Silvia Brechts Übergang zum sozialistischen Realismus in der Lyrik. In:
Weimarer Beiträge 4 (1958) Sonderheft, S.59–64

Schmidt, Wolfgang Gemeinsame Themen deutscher, englischer und schottischer Volksballa-
den. In: Die Neueren Sprachen 47
(1939) S.234–260

Schöne, Albrecht Bertolt Brecht. Theatertheorie und
dramatische Dichtung. In: Eupho-
rion 3.Folge/52.Bd. (1958) S.272–
296

Schuhmann, Klaus Die Entwicklung des Lyrikers Bertolt Brecht (1913–1933). Diss. Leip-
zig 1962 /⁻Masch._7

Schuler, Ernst A. Die Musik der Osterfeiern, Oster-
spiele und Passionen des Mittelal-
ters. Diss.Basel 1940. Kassel/Basel
1951

Schulte, Michael   Karl Valentin in Selbstzeugnissen
                      und Bilddokumenten. Hamburg 1968
                      (= rowohlts monographien 144)

Schulz, Gerd (Hrsg.)   Gottes ewige Kinder. Vaganten-
                      lyrik aus 12 Jahrhunderten. Stutt-
                      gart 1961

Schumacher, Ernst   Agitproptheater und Arbeiterbühne.
                      In: Aufbau. 12 (1956) März/H.3.
                      S.233-234

Schumacher, Ernst   Die dramatischen Versuche Bertolt
                      Brechts 1918-1933. Berlin 1955

Schurbohm, Conrad   Technische Voraussetzungen, Mög-
                      lichkeiten und Formen synästheti-
                      scher Ton- und Lichtregie im moder-
                      nen Musiktheater. In: MuK 15.Jg.
                      (1969) H.3, S.193-256

Schwab-Fehlisch, Hans   Die Hatheyer als "Mutter Cou-
                      rage". Buckwitz inszeniert Brecht
                      in Düsseldorf. In: FAZ Nr.107 v.8.5.
                      1968, S.12

Schwarz, Peter Paul   Legende und Wirklichkeit des Exils.
                      Zum Selbstverständnis der Emigra-
                      tion in den Gedichten Brechts.
                      In: Wirkendes Wort 19 (1969) S.267-
                      276

Seeger, Horst   Musiklexikon. 2 Bde. Leipzig 1966

Seemann, Ernst   Bänkelsänger. In: Reall.d.dt.Lit.
                      Bd.1 (1958) S.128f.

Semmer, Gerd (Hrsg.)   Ca ira. 50 Chansons, Chants,
                      Couplets u. Vaudevilles aus der frz.
                      Revolution 1789-1795. Berlin 1958

Semrau, Eberhard   Bertolt Brecht und das Überkommene.
                      In: Welt und Wort 16 (1961) H.10
                      S.308

Siegmeister, Elie   Musik und Gesellschaft. Berlin 1948

---   Sinn und Form. 1.Sonderh. Bertolt
                      Brecht 1 (1949)

---   Sinn und Form. 2.Sonderh. Bertolt
                      Brecht 9 (1957)

---   Sinn und Form. Sonderh. Hanns Eis-
                      ler. Hrsg.Dt.Akad.d.Künste. Berlin
                      1964

Staiger, Emil   Musik und Dichtung. Zürich/Freiburg
                      i.Br. 1959

Steinberg, Hans   Die Reyen in den Trauerspielen des
                      Andreas Gryphius. Diss. Göttingen
                      1914

Steinitz, Wolfgang   Deutsche Volkslieder demokrati-
                          schen Charakters aus 6 Jahrhunder-
                          ten. Berlin 1962

Sternberg, Fritz   Der Dichter und die Ratio. Erinne-
                          rungen an Bertolt Brecht. Göttin-
                          gen 1962 (= Schriften zur Lit., hg.
                          v.R.Grimm, Bd.2)

Sternitzke, Erwin   Der stilisierte Bänkelsang.
                          Diss. Marburg 1933

Strelka, Joseph   Brecht, Horvath, Dürrenmatt. Wege
                          und Abwege des modernen Dramas.
                          Wien/Hannover/Bern 1962

Strobel, Heinrich   Erinnerungen an Kurt Weill. In:
                          Melos 17 (1950) S.133-36

Stuckenschmidt, H.H.   Brecht, Cocteau und die Welt
                          dazwischen. In: Der Scheinwerfer 5
                          (1932) 13.H./März. S.12-15

Stupinski, Zbigniew   Die Funktion des "Songs" in den
                          Stücken Bertolt Brechts. Eine Unter-
                          suchung der ästhetischen und gat-
                          tungsgeschichtlichen Aspekte. (Funk-
                          cja "songu" w dramatach Brechts)
                          Diss. Poznań 1966 /¯Masch._7

Sydow, Alexander   Das Lied. Ursprung, Wesen und Wan-
                          del. Göttingen 1962

Szondi, Peter   Theorie des modernen Dramas.
                          Frankfurt/Main 1956

Szyrocki, Marian   Andreas Gryphius. Sein Leben und
                          Werk. Tübingen 1964

Tank, Lothar   "Wach auf, du verrotteter Christ!"
                          Anmerkungen zum Verhältnis von Pro-
                          vokation und Dialektik bei Bertolt
                          Brecht. In: Abschied vom Christen-
                          tum? Festgabe für H.Lilje. Hamburg:
                          Furche. 1964. S.88-99

---   Theater unserer Zeit. Bd.1: Das Är-
                          gernis Brecht. Kritische Beitr.zu
                          Theaterfragen. Hg.v.Willy Jäggi u.
                          Hans Oesch. Mit Beiträgen v.Siegfr.
                          Melchinger, Rudolf Frank, Reinhold
                          Grimm, Erich Franzen und Otto Mann.
                          Stuttgart/Basel 1961

Tolksdorf, Caecilie   John Gays 'Beggars Opera' und Bert
                          Brechts 'Dreigroschenoper'.
                          Diss. Rheinberg 1934

---   Theaterarbeit. Sechs Aufführungen
                          des Berliner Ensembles. Düsseldorf
                          1952

Tucholsky, Kurt   Gesammelte Werke. Hamburg 1961f.

Valentin, Karl   Gesammelte Werke. München 1961

Venzmer, Bertolt   Die Chöre im geistlichen Drama des
Mittelalters. Diss.Rostock 1897

Viëtor, Karl   Geist und Form. Bern 1952

Waldhausen, Ernst v.   Die Funktionen der Musik i.klass.
deutschen Schauspiel. Diss. Heidel-
berg 1921. (2.Teil mit den Anmerkungen der Literatur fehlt)

Weber, Max   Die rationalen und soziologischen
Grundlagen der Musik. Soziologie
der Musik. München 1921

Weill, Kurt   Über den gestischen Charakter der
Musik. In: Die Musik 21 (1929)
S.419

Weill, Kurt   Das Formproblem der modernen Oper.
In: Der Scheinwerfer 5 (1932) 11.H./
Febr. S.6f.

Weill, Kurt   Notiz zum Jazz. In: Die Szene 1929,
S.63

---   Weimarer Beiträge. Brecht-Sonderh.
14 (1968)

Weinert, Erich   Das Zwischenspiel. Deutsche Revuen
von 1918-1933. Berlin 1960

Weinreich, Harald   Interpretation eines Chansons und
seiner Gattung. In: Die neuen Spra-
chen NF 9.Bd. (1960) H.4. S.153-167

Wekwerth, Manfred   Notate. Über die Arbeit des Berliner Ensembles 1956 bis 1966. Frank-
furt 1967 (= edition suhrkamp 219)

Wekwerth, Manfred   Das Theater Brechts 1968. Versuche,
Behauptungen, Fragen. In: Sinn und
Form 20 (1968) S.542-70

Wekwerth, Manfred   Theater in Veränderung. Berlin 1960

Wentworth, Harold / Flexner Stuart B. (ed.)
Dictionary of American Slang.
New York 1960

Wiese, Benno v.   Gedanken zum Drama als Gespräch
und Handlung. In: DU (1952) H.2
S.32

Willett, John   Das Theater Bertolt Brechts. Eine
Betrachtung. Reinbek bei Hamburg
1964 (= Rowohlt Paperback 32)

Wiora, Walter (Hrsg.)   Das Volkslied heute. (Musikalische Zeitfragen. Eine Schriften-
reihe.Kassel 1959. (Aufs.: W.Wiora:
Der Untergang des Volksliedes und
sein zweites Dasein. S.9-25)

Wirth, Andrej   Über die stereometrische Struktur
der Brechtschen Stücke. In: Sinn
und Form. 2.Sonderh.: Bertolt
Brecht. (1957) S.346-387

Wirth, H.   Bühnenmusik. In: MGG 1.431ff.

Witt, Hubert (Hrsg.)   Erinnerungen an Brecht.
Leipzig 1964. (= Reclams Universal-
bibl. 117)

Wojcik, Manfred   Der Einfluß des Englischen auf die
Sprache B.B.'s. Diss. Berlin 1967
/ Masch._7

Wolf, Friedrich   Aufsätze über Theater. Berlin 1957

Wolf, Friedrich   Zeitprobleme des Theaters. Die kul-
turpolitische Situation und die
Bedeutung der Volksbühne. Vortr.
auf d.Gründungstagung des Bundes
dt.Volksbühnen am 17.5.1947.
Berlin 1947

Wölfel, Friedrich   Das Lied der Mutter Courage. In:
Hirschenauer/Weber: Wege zum Ge-
dicht. Bd.II: Interpr.v.Ball.
(s.dort)

Wörmer, K.H.   Kurt Weill. In: Musica IV (1950)
S.209-10

Worbs, Hans Christoph   Der Schlager, Bestandsaufnahme
- Analyse - Dokumentation. Ein
Leitfaden. Bremen 1963

S U M M A R Y

The use of songs in the drama is certainly as old as
the drama itself, and the idea of contrasting the arts in
the drama is probably older than all theoretical reflec-
tions on poetics and aesthetics. In his plays Bertolt Brecht
used the wide range of possibilities the song has to offer.
The present dissertation traces the possibilities and limits
of the use of lyrical song elements in a contemporary dra-
matic oeuvre, as well as new ideas in the development of
synaesthetic arts forms.

Z U M   V E R F A S S E R

Bernward Thole, geboren 1936 in Fulda, studierte in Marburg
und Bonn Germanistik, Latinistik und Erziehungswissenschaf-
ten. Von 1967 ab war er Wissenschaftliche Hilfskraft an der
Theaterwissenschaftlichen Abteilung des Germanistischen In-
stituts in Marburg, deren theatergeschichtliches Archiv er
später betreute. Seit 1972 ist er Wissenschaftlicher Ange-
stellter der Betriebseinheit Neuere deutsche Literatur.

GÖPPINGER ARBEITEN ZUR GERMANISTIK
herausgegeben von
ULRICH MÜLLER, FRANZ HUNDSNURSCHER und CORNELIUS SOMMER

GAG 1: U. **Müller**, „Dichtung" und „Wahrheit" in den Liedern Oswalds von Wolkenstein: Die autobiographischen Lieder von den Reisen. (1968)

GAG 2: F. **Hundsnurscher**, Das System der Partikelverben mit „aus" in der Gegenwartssprache. (1968)

GAG 3: J. **Möckelmann**, Deutsch-Schwedische Sprachbeziehungen. Untersuchung der Vorlagen der schwedischen Bibelübersetzung von 1536 und des Lehngutes in den Übersetzungen aus dem Deutschen. (1968)

GAG 4: E. **Menz**, Die Schrift Karl Philipp Moritzens „Über die bildende Nachahmung des Schönen". (1968)

GAG 5: H. **Engelhardt**, Realisiertes und Nicht-Realisiertes im System des deutschen Verbs. Das syntaktische Verhalten des zweiten Partizips. (1969)

GAG 6: A. **Kathan**, Herders Literaturkritik. Untersuchungen zu Methodik und Struktur am Beispiel der frühen Werke. (2. Aufl. 1970)

GAG 7: A. **Weise**, Untersuchungen zur Thematik und Struktur der Dramen von Max Frisch. (3. Aufl. 1972)

GAG 8: H.-J. **Schröpfer**, „Heinrich und Kunigunde". Untersuchungen zur Verslegende des Ebernand von Erfurt und zur Geschichte ihres Stoffs. (1969)

GAG 9: R. **Schmitt**, Das Gefüge des Unausweichlichen in Hans Henny Jahnns Romantrilogie „Fluß ohne Ufer". (1969)

GAG 10: W. E. **Spengler**, Johann Fischart, genannt Mentzer. Studie zur Sprache und Literatur des ausgehenden 16. Jahrhunderts. (1969)

GAG 11: G. **Graf**, Studien zur Funktion des ersten Kapitels von Robert Musils Roman „Der Mann ohne Eigenschaften". Ein Beitrag zur Unwahrhaftigkeitstypik der Gestalten. (1969)

GAG 12: G. **Fritz**, Sprache und Überlieferung der Neidhart-Lieder in der Berliner Handschrift germ. fol. 779 (c). (1969)

GAG 13: L.-W. **Wolff**, Wiedereroberte Außenwelt. Studien zur Erzählweise Heimito von Doderers am Beispiel des „Romans No 7". (1969)

GAG 14: W. **Freese**, Mystischer Moment und reflektierte Dauer. Zur epischen Funktion der Liebe im modernen deutschen Roman. (1969)

GAG 15: U. **Späth**, Gebrochene Identität. Stilistische Untersuchungen zum Parallelismus in E. T. A. Hoffmanns ‚Lebensansichten des Kater Murr'. (1970)

GAG 16: U. **Reiter**, Jakob van Hoddis. Leben und lyrisches Werk. (1970)

GAG 17: W. E. **Spengler**, Der Begriff des Schönen bei Winckelmann. Ein Beitrag zur deutschen Klassik. (1970)

GAG 18: F. K. R. v. **Stockert**, Zur Anatomie des Realismus: Ferdinand von Saars Entwicklung als Novellendichter. (1970)

GAG 19: St. R. Miller, Die Figur des Erzählers in Wielands Romanen. (1970)

GAG 20: A. Holtorf, Neujahrswünsche im Liebeslied des ausgehenden Mittelalters. Zugleich ein Beitrag zum mittelalterlichen Neujahrsbrauchtum in Deutschland.

GAG 21: K. Hotz, Bedeutung und Funktion des Raumes im Werk Wilhelm Raabes. (1970)

GAG 22/23: R. B. Schäfer-Maulbetsch, Studien zur Entwicklung des mittelhochdeutschen Epor. Die Kampfschilderungen in „Kaiserchronik", „Rolandslied", „Alexanderlied", „Eneide", „Liet von Troye" und „Willehalm". (2 Bde.)

GAG 24: H. Müller-Solger, Der Dichtertraum. Studien zur Entwicklung der dichterischen Phantasie im Werk Christoph Martin Wielands. (1970)

GAG 25: Formen mittelalterlicher Literatur. Siegfried Beyschlag zu seinem 65. Geburtstag von Kollegen, Freunden und Schülern. Herausgegeben von O. Werner und B. Naumann. (1970)

GAG 26: J. Möckelmann / S. Zander, Form und Funktion der Werbeslogans. Untersuchung der Sprache und werbepsychologischen Methoden der Slogans. (1970) (2. Aufl. 1972)

GAG 27: W.-D. Kühnel, Ferdinand Kürnberger als Literaturtheoretiker im Zeitalter des Realismus. (1970)

GAG 28: O. Olzien, Wirken. Aktionsform und Verbalmetapher bei Goethe. (1971)

GAG 29: H. Schlemmer, Semantische Untersuchungen zur verbalen Lexik. Verbale Einheiten und Konstruktionen für den Vorgang des Kartoffelerntens. (1971)

GAG 30: L. Mygdales, F. W. Waiblingers „Phaethon". Entstehungsgeschichte und Erläuterungen. (1971)

GAG 31: L. Peiffer, Zur Funktion der Exkurse im „Tristan" Gottfrieds von Straßburg. (1971)

GAG 32: S. Mannesmann, Thomas Manns Roman-Tetralogie „Joseph und seine Brüder" als Geschichtsdichtung. (1971)

GAG 33: B. Wackernagel-Jolles, Untersuchungen zur gesprochenen Sprache. Beobachtungen zur Verknüpfung spontanen Sprechens. (1971)

GAG 34: G. Dittrich-Orlovius, Zum Verhältnis von Erzählung und Reflexion im „Reinfried von Braunschweig".

GAG 35: H.-P. Kramer, Erzählerbemerkungen und Erzählerkommentar in Chrestiens und Hartmanns „Erec" und „Iwein". (1971)

GAG 36: H.-G. Dewitz, „Dante Deutsch". Studien zu Rudolf Borchardts Übertragung der ‚Divina Comedia'. (1971)

GAG 37: P. Haberland, The Development of Comic Theory in Germany during the Eighteenth Century. (1971)

GAG 38/39: E. Dvoretzky, G. E. Lessing. Dokumente zur Wirkungsgeschichte (1755 bis 1968). (2 Bde. 1971/72)

GAG 40/41: G. F. Jones / U. Müller, Vollständige Verskonkordanz zu den Liedern Oswald von Wolkenstein. (Hss.B und A) (2 Bde. 1972)

GAG 42: R. Pelka, Werkstückbenennungen in der Metallverarbeitung. Beobachtungen zum Wortschatz und zur Wortbildung der technischen Sprache im Bereich der metallverarbeitenden Fertigungstechnik. (1971)

GAG 43: L. **Schädle,** Der frühe deutsche Blankvers unter besonderer Berücksichtigung seiner Verwendung durch Chr. M. Wieland.

GAG 44: U. **Wirtz,** Die Sprachstruktur Gottfried Benns. Ein Vergleich mit Nietzsche. (1971)

GAG 45: E. **Knobloch,** Die Wortwahl in der archaisierenden chronikalischen Erzählung: Meinhold, Raabe, Storm, Wille, Kolbenheyer. (1971)

GAG 46: U. **Peters,** Frauendienst. Untersuchungen zu Ulrich von Lichtenstein und zum Wirklichkeitsgehalt der Minnedichtung. (1971)

GAG 47: M. **Endres,** Word Field and Word Content in Middle High German. The Applicability of Word Field Theory to the Intellectual Vocabulary in Gottfried von Strassburg's ,,Tristan". (1971)

GAG 48: G. M. **Schäfer,** Untersuchungen zur deutschsprachigen Marienlyrik des 12. und 13. Jahrhunderts. (1971)

GAG 49: F. **Frosch-Freiburg,** Schwankmären und Fabliaux. Ein Stoff- und Motivvergleich. (1971)

GAG 50/51: G. **Steinberg,** Erlebte Rede. Ihre Eigenart und ihre Formen in neuerer deutscher, französischer und englischer Erzählliteratur. (1971)

GAG 52: O. **Boeck,** Heines Nachwirkung und Heine-Parallelen in der französischen Dichtung. (1971)

GAG 53: F. **Dietrich-Bader,** Wandlungen der dramatischen Bauform vom 16. Jahrhundert bis zur Frühaufklärung. Untersuchungen zur Lehrhaftigkeit des Theaters. (1972)

GAG 54: H. **Hoefer,** Typologie im Mittelalter. Zur Übertragbarkeit typologischer Interpretation auf weltliche Dichtung. (1971)

GAG 55/56: U. **Müller,** Politische Lyrik des deutschen Mittelalters. I Einleitung, tabellarische Übersicht mit Einzelkommentaren von den Anfängen bis Michel Beheim. II Untersuchungen.

GAG 57: R. **Jahović,** Wilhelm Gerhard aus Weimar, ein Zeitgenosse Goethes. (1972)

GAG 58: B. **Murdoch,** The Fall of Man in the Early Middle High German Biblical Epic: the ,,Wiener Genesis", the ,,Vorauer Genesis" and the ,,Anegenge". (1972)

GAG 59: H. **Hecker,** Die deutsche Sprachlandschaft in den Kantonen Malmedy und St. Vith. Untersuchungen zur Lautgeschichte und Lautstruktur ostbelgischer Mundarten. (1972)

GAG 60: Wahrheit und Sprache. Festschrift für **Bert Nagel** zum 65. Geburtstag am 27. August 1972. Unter Mitwirkung v. K. Menges hsg. von W Peters und P. Schimmelpfennig. (1972)

GAG 61: J. **Schröder,** Zu Darstellung und Funktion der Schauplätze in den Artusromanen Hartmanns von Aue. (1972)

GAG 62: D. **Walch,** Caritas. Zur Rezeption des ,mandatum novum' in altdeutschen Texten. (1972)

GAG 63: H. **Mundschau,** Sprecher als Träger der ,tradition vivante' in der Gattung ,Märe'. (1972)

GAG 64: D. **Strauss,** Redegattungen und Redearten im ,,Rolandslied" sowie in der ,,Chanson de Roland" und in Strickers ,,Karl". (1972)

GAG 65: ‚Getempert und gemischet' für **Wolfgang Mohr** zum 65. Geburtstag von seinen Tübinger Schülern. Hsg. von F. Hundsnurscher und U. Müller. (1972)

GAG 66: H. **Fröschle**, Justinus Kerner und Ludwig Uhland. Geschichte einer Dichterfreundschaft.

GAG 67: U. **Zimmer**, Studien zu ‚Alpharts Tod' nebst einem verbesserten Abdruck der Handschrift. (1972)

GAG 68: U. **Müller** (Hsg.), Politische Lyrik des deutschen Mittelalters. Texte I. (1972)

GAG 69: Y. **Pazarkaya**, Die Dramaturgie des Einakters. Der Einakter als eine besondere Erscheinungsform im deutschen Drama des 18. Jahrhunderts.

GAG 70: Festschrift für **Kurt Herbert Halbach**. Hsg. von R. B. Schäfer-Maulbetsch, M. G. Scholz und G. Schweikle. (1972)

GAG 71: G. **Mahal**, Mephistos Metamorphosen. Fausts Partner als Repräsentant literarischer Teufelsgestaltung. (1972)

GAG 72: A. **Kappeler**, Ein Fall der „Pseudologia phantastica" in der deutschen Literatur: Fritz Reck-Malleczewen.

GAG 73: J. **Rabe**, Die Sprache der Berliner Nibelungenlied-Handschrift J (Ms. germ. Fol. 474). (1972)

GAG 74: A. **Goetze**, Pression und Deformation. Zehn Thesen zum Roman „Hundejahre" von Günter Graß. (1972)

GAG 75: K. **Radwan**, Die Sprache Lavaters im Spiegel der Geistesgeschichte. (1972)

GAG 76: H. **Eilers**, Untersuchungen zum frühmittelhochdeutschen Sprachstil am Beispiel der Kaiserchronik. (1972)

GAG 77: P. **Schwarz**, Die neue Eva. Der Sündenfall in Volksglauben und Volkserzählung. (1972)

GAG 78: G. **Trendelenburg**, Studien zum Gralraum im „Jüngeren Titurel". (1972)

GAG 79: J. **Gorman**, The Reception of Federico Garcia Lorca in Germany.

GAG 80: M. A. **Coppola**, Il rimario dei bîspel spirituali dello Stricker.

GAG 81: P. **Neesen**, Vom Louvrezirkel zum Prozeß. Franz Kafka unter dem Eindruck der Psychologie Franz Brentanos. (1972)

GAG 82: U. H. **Gerlach**, Hebbel as a Critic of His Own Works: „Judith", „Herodes und Mariamne" and „Gyges und sein Ring". (1972)

GAG 83: P. **Sandrock**, The Art of Ludwig Thoma.

GAG 84: U. **Müller** (Hsg.), Politische Lyrik des deutschen Mittelalters. Texte II: Von 1350 bis 1466.

GAG 85: M. **Wacker**, Schillers „Räuber" und der Sturm und Drang. Stilkritische und typologische Überprüfung eines Epochenbegriffes.

GAG 87: L. **Reichardt**, Die Siedlungsnamen der Kreise Giessen, Alsfeld und Lauterbach in Hessen. Namenbuch.

LITTERAE
GÖPPINGER BEITRÄGE ZUR TEXTGESCHICHTE
hsg. v. U. MÜLLER, F. HUNDSNURSCHER, C. SOMMER

LIT 18 Die sogenannte „Mainauer Naturlehre" der Basler Hs. B VIII 27. Abbildung, Transkription, Kommentar. Hsg. von Helmut R. Plant, Marie Rowlands und Rolf Burkhart. (1972)

LIT 19 **Gottfried von Straßburg**, Tristan. Ausgewählte Abbildungen z. Uberlieferung. Hsg. von Hans-Hugo Steinhoff.

LIT 20 **Abbildungen zur deutschen Sprachgeschichte.** I Bildband. Hsg. von Helmut R. Plant.

LIT 21 **Hans Sachs**, Fastnachtspiele und Schwänke. In Abbildungen aus der Sachs-Hs. Amb. 2° 784 der Stadtbibliothek Nürnberg hsg. von Walter Eckehart Spengler.

LIT 22 **Heinrich Haller**, Übersetzungen im „gemeinen Deutsch" (1464). Aus den Hieronymus-Briefen: Abbildungen von Übersetzungskonzept, Reinschrift, Abschrift und Materialien zur Überlieferung. Hsg. von Erika Bauer. (1972)

LIT 23 **Das Nibelungenlied.** Abbildungen und Materialien zur gesamten handschriftlichen Überlieferung ausgew. Aventiuren. Hsg. von Otfrid Ehrismann.

LIT 24 **Hartmann von Aue, Iwein.** Ausgewählte Abbildungen zur handschriftlichen Überlieferung. Hsg. von Lambertus Okken.

LIT 25 **Christoph Martin Wieland, Das Sommermärchen.** Abbildungen zur Druckgeschichte.